ANGLAIS
LES VERBES

Gilbert Quénelle
Didier Hourquin

Hatier

@ Cet ouvrage de la collection Bescherelle
est associé à des **compléments numériques** :
un ensemble d'exercices interactifs
sur les principales difficultés
des verbes anglais.
Pour y accéder, connectez-vous au site
www.bescherelle.com.
Inscrivez-vous en sélectionnant
le titre de l'ouvrage.
Il vous suffira ensuite d'indiquer
un mot clé issu de l'ouvrage
pour afficher le sommaire des exercices.

Vous pourrez également utiliser librement
les ressources liées aux autres ouvrages
de la collection Bescherelle en anglais.

Coordination éditoriale : Claire Dupuis, assistée de Bénédicte Jacamon
Édition : Barthélemy de Lesseps
Correction : Michel Pencreac'h
Conception graphique : Marie-Astrid Bailly-Maître, Sterenn Heudiard, Sandrine Albanel & Nicolas Taffin
Mise en page : Alinéa

Typographie : cet ouvrage est composé principalement avec les polices de caractères Cicéro (créée par Thierry Puyfoulhoux), Scala sans (créée par Martin Majoor) et Sassoon (créée par Adrian Williams).

© HATIER – Paris – juin 2008 – ISSN 2101-1249 – ISBN 978-2-218-92615-0

AVANT-PROPOS

→ **Ouvrage de référence** destiné à un large public – lycéens, étudiants, adultes –, les *Verbes anglais Bescherelle* décrit les formes et emplois des verbes de la langue anglaise contemporaine. Il souligne les différences les plus marquantes entre les approches française et anglaise dans la pratique de la langue.

→ La **Grammaire du verbe** souligne d'emblée comment les temps grammaticaux français et anglais expriment une conception différente du temps qui passe. Elle aborde une autre richesse de l'anglais, la modalité, qui permet d'exprimer son point de vue à l'aide d'auxiliaires dits modaux ou d'autres locutions. Le fonctionnement des compléments du verbe dépayse moins, mais leur inventaire n'en est pas moins utile.
Les **Tableaux et listes** présentent ensuite les **conjugaisons**. L'apprentissage des verbes irréguliers est facilité par un classement fondé sur leur voyelle phonétique centrale et les modifications qu'elle subit.
Un **Guide des verbes à particule**, agrémenté de nombreux exemples et de formes idiomatiques, permet de s'initier à ce domaine si spécifique et riche de la langue anglaise.
Enfin, une large place a été réservée à un véritable **Dictionnaire des verbes**, offrant pour chaque verbe les informations essentielles à sa compréhension et à son utilisation.

→ Dans cette **nouvelle édition, entièrement revue**, chaque partie est associée à une couleur différente et les contenus sont structurés en **paragraphes numérotés**. Cette organisation facilite une circulation rapide et efficace à l'intérieur des parties ; elle permet une lecture en continu aussi bien qu'une consultation ponctuelle, à partir des sommaires et des renvois internes.

→ L'objectif final est bien de fournir à l'utilisateur tous les moyens d'une **réelle maîtrise de la conjugaison et de la construction des verbes anglais**.

Sommaire

Les numéros renvoient aux paragraphes.

Phonétique de l'anglais

VOYELLES BRÈVES

[ɪ]	did, win, inform
[e]	bet, said
[æ]	catch, matter
[ɒ]	got
[ʊ]	book, would
[ʌ]	brush, colour, does
[ə]	accept, father

VOYELLES LONGUES

[iː]	see, deal, believe
[ɑː]	father, dance
[ɔː]	force, cause, walk, taught, thought, fall, adore, draw
[uː]	do, zoom, chew, choose, conclude, prove, rule
[ɜː]	burn, work, heard, alert

DIPHTONGUES

[eɪ]	make, mail
[aɪ]	cry, find, might
[ɔɪ]	toy
[əʊ]	smoke, hope, load, don't, bow
[aʊ]	allow, shout, down
[ɪə]	cheer, hear
[eə]	bear, care, repair
[ʊə]	tour, assure

CONSONNES

[θ]	think
[ð]	father
[z]	does
[ʃ]	sugar, shall
[ʒ]	treasure
[tʃ]	choose
[dʒ]	ajust, jingle
[ŋ]	sing, rang
[j]	yellow, view
[b]	bear
[d]	do
[f]	find
[g]	grow
[h]	happen
[m]	may
[n]	tan, knock
[p]	pick
[r]	run
[s]	stop, cease
[v]	view
[w]	win

Index grammatical

A

B

C

D

E-F

G

H

Grammaire du verbe

TEMPS, ASPECTS, MODALITÉS

LES AUXILIAIRES : BE, HAVE, DO, LET

LES AUXILIAIRES MODAUX

LES COMPLÉMENTS DU VERBE

QUESTIONS ET TAGS

Les numéros renvoient aux paragraphes.

Temps, aspects, modalités

NOTIONS DE BASE

1 Il y a temps *(time)* et temps *(tense)*

Nous exprimons le temps qui passe, qui s'écoule du passé au présent et du présent à l'avenir, c'est-à-dire le **temps chronologique** (en anglais time), à l'aide de formes appelées **temps grammaticaux** (en anglais tenses).

Par exemple, pour dire le passé, le français a le choix entre les quatre temps grammaticaux que sont l'imparfait, le passé simple, le passé composé et le plus-que-parfait. L'anglais, lui, dispose de trois temps grammaticaux : le present perfect, le preterite (en français *prétérit*) et le pluperfect.

Il faut éviter deux pièges.

- D'abord, il n'y a **pas de correspondance parfaite**, à l'intérieur de chacun des deux systèmes, entre temps **chronologique** et **temps grammatical**. On peut utiliser, par exemple, en anglais comme en français, un temps grammatical du présent pour parler de l'avenir.

  What are you doing tomorrow? *Que faites-vous demain ?*

- D'autre part, il n'existe **pas de parallélisme entre les deux systèmes de temps** grammaticaux français et anglais pour un même segment de temps dans le passé, le présent ou l'avenir. Par exemple, pour traduire le passé dans la situation suivante :

  When she **saw** him in London...

  on peut se servir :
  - soit du passé composé (*Quand elle l'a vu à Londres...*), si le moment de la rencontre n'est pas précisé par le contexte ;
  - soit du passé simple (*Quand elle le vit...*), si les circonstances sont par ailleurs précisément indiquées ;
  - soit de l'imparfait (*Quand elle le voyait...*), si cette rencontre est habituelle.

2 La durée et l'aspect

Les Anglais ne se représentent pas le temps qui passe de la même manière que les Français. Pour eux, il semble que les **temps chronologiques** (le passé, le présent et l'avenir) soient **liés dans une même durée**, alors que les Français ont tendance à les séparer plus nettement.

C'est pourquoi, quand nous cherchons à comprendre une forme verbale anglaise, il faut tenir compte de ce qu'on appelle son **aspect** : la durée de l'événement (action ou état) qu'elle exprime, le fait que cet événement vienne de commencer, qu'il se répète ou pas. Cette idée, le verbe français ne peut la rendre tout seul ; il faut lui adjoindre une expression appropriée.
Par exemple, pour reprendre la situation précédente :

> When Margaret saw him in London he was speaking to a policeman.
> *Quand Margaret le vit à Londres, il parlait avec un agent de police.*

La forme was speaking laisse entendre que cette conversation avait commencé avant que Margaret ne le voie et qu'elle a sans doute continué après. Ce que le français pourra rendre en adjoignant au verbe une expression comme *être en train de* : *Quand elle le vit, il était en train de parler à un agent de police.*

3 Modes et modalités

Le français distingue quatre modes personnels :
– l'indicatif, qui présente ce qui est certain ;
– l'impératif, qui présente ce qui est ordonné ;
– le subjonctif, qui présente ce qui est seulement possible ;
– le conditionnel, qui permet de présenter ce qui est soumis à une condition.

En anglais, il n'existe pas de telles catégories. Aucun mode anglais ne correspond couramment à notre indicatif. Il n'existe pas de subjonctif proprement dit. Quant au conditionnel et à l'impératif, ils s'expriment par des moyens dispersés (→ 25-31).

Par ailleurs, les anglophones utilisent, en plus d'auxiliaires comparables aux nôtres, des auxiliaires dits modaux, qui permettent d'exprimer différents points de vue sur l'action (→ 49-72).

LE PRÉSENT

En anglais, le temps chronologique du présent s'étend bien avant et bien après ce qu'en français on nomme le moment présent ; c'est pourquoi les formes pouvant exprimer ce present time sont nombreuses.

4 La forme simple

Lorsqu'on emploie cette forme, on se détache du moment présent, comme si **l'action** était « **vue d'en haut** ».

Le présent simple permet de parler

– d'un trait caractéristique d'une personne :

He **reads** slowly. *Il lit lentement.*

– d'une habitude (le présent simple est alors accompagné d'un adverbe comme often, never, generally, usually, always, ou autres expressions appropriées) :

On Sundays he usually **reads** in bed. *Le dimanche, il lit au lit.*

– d'une référence à une autorité (the dictionary/Shakespeare says...) :

Some grammar books **call** this the simple present.

Certaines grammaires appellent cela le présent simple.

– d'un règlement, d'un usage :

The law **forbids** photocopying books.

La loi interdit de photocopier les livres.

The British **send** their greeting cards in the beginning of December.

Les Britanniques envoient leurs cartes de vœux début décembre.

– d'une vérité générale, qui n'est pas sujette à une opinion personnelle :

A rolling stone **gathers** no moss.

Pierre qui roule n'amasse pas mousse.

En résumé, la forme simple nous permet de parler d'un état de fait **indépendant des circonstances du moment présent**.

5 La forme en *be* + V-*ing*

- La forme en be + V-ing (ou continuous) indique une **action en cours**, dont on ne précise ni quand elle a commencé, ni quand elle s'achèvera.

  I'**m reading** a book by Agatha Christie.

  Je suis en train de lire un livre d'Agatha Christie.

  Plusieurs adverbes ou expressions adverbiales permettent de préciser le moment où l'action se déroule : now, today, this week, for the time being, etc.

- À cet aspect peut s'ajouter l'expression d'une modalité, par exemple une supposition dans :

  He must **be reading** it too. *Il doit (être en train de) le lire aussi.*

- En résumé, la forme en be + V-ing permet de « s'impliquer » dans la **description d'une action** où l'on se trouve ou dont on est témoin.

6 Présent simple ou présent en *-ing* ?

- Des verbes comme know, love, believe, remember, think, etc., n'expriment pas une action volontaire mais des **processus mentaux**, indépendants de la volonté. Dans ce sens, **ils ne peuvent pas être employés à la forme en -ing**.

  I **think** I love you. *Je crois que je t'aime.*
  (think au sens de *croire, avoir l'impression de*)
  I **feel** you're right. *J'ai le sentiment/l'impression que tu as raison.*

- Quand le verbe prend la valeur d'une action, la forme en -ing redevient possible.

  What are you doing? I'**m thinking** about you.
  Que fais-tu ? Je pense à toi. (Ici, think, au sens d'*évoquer, réfléchir*, résulte d'une démarche volontaire.)

7 *Yes, but...*

Telle est la **souplesse de l'anglais** que, pour exprimer une manière de voir à un moment donné, un anglophone se permet d'inverser les rôles convenus et habituels des formes simple et en -ing.

- On emploiera un présent en -ing pour décrire, avec une nuance de regret, de reproche, ou d'irritation, une action habituelle.

  He'**s** always **borrowing** my books!
  Il faut toujours qu'il m'emprunte mes livres !
  She has been working for more than two hours, you know.
  Ça fait plus de deux heures qu'elle travaille, vous savez.

- On trouvera, au lieu de la forme en -ing, un présent simple pour décrire une action en cours dans le présent, si cette action est brève, et comme pour en accélérer le récit.

  I **put** my pen **down** and **get up**: there **is** someone at the door.
  Je pose mon stylo et je me lève : on sonne à la porte.

Le temps, d'un coup d'œil... **Quel temps fait-il ?**

It **rains** a lot here. *Il pleut beaucoup ici.*

It **is raining** now. *Il est en train de pleuvoir.*

LE PRESENT PERFECT

Le terme present perfect contient le mot present. C'est en effet le temps grammatical du passé le mieux lié au présent chronologique.
Mais ce lien peut s'exprimer par différents points de vue sur le passé, de l'événement le plus proche du présent à l'événement le plus révolu du passé.

ATTENTION Si le present perfect se forme comme le passé composé français, il n'en est pas l'équivalent : il peut se traduire aussi par le présent de l'indicatif.

8 Un passé révolu

- Si je pose la question :

  Have you (ever) played tennis with my brother?
  As-tu (jamais) joué au tennis avec mon frère ?

Je ne m'intéresse pas aux circonstances : quand ? comment ? où ? pourquoi ? Je veux simplement savoir si cette action a eu lieu ou non. De même, dans les exemples suivants :

  We **have visited** San Francisco. *Nous avons visité San Francisco.*
  They **have bought** a new car. *Ils ont acheté une voiture neuve.*
  It's the first time **I have met** him.
  C'est la première fois que je le rencontre.
  I **have not seen** him this evening, have you ?
  Je ne l'ai pas vu ce soir, et vous ? (La soirée n'est pas terminée.)

- Donc, dans la forme simple du present perfect, le présent est seulement implicite.

9 Un passé vu de plus près

- Si, à ma question : Have you (ever) played tennis with my brother ? mon interlocuteur se contente de répondre : Yes, I have, il n'est guère explicite. Mais il peut ajouter :

  He plays much better now.
  Oui, j'ai joué avec lui. Il joue beaucoup mieux à présent.

Autre exemple :

  I can see you have washed your hands.
  Tu t'es lavé les mains, ça se voit.

- Grâce à l'emploi de since, de for, avec des adverbes ou expressions comme lately, recently, up to now, etc., **l'action semble se rapprocher** au point de presque « recouvrir » le présent, ses conséquences sont plus sensibles ; elle est comme plus « chaude » dans l'esprit de mon interlocuteur.

Yes, I **have played** with him **since** last Spring.

Oui, je joue avec lui depuis le printemps dernier.

ou encore :

Yes, I **have played** with him **for** months.

Oui, cela fait des mois que je joue avec lui.

10 Un passé « à portée de la main »

Si maintenant on me répond :

Oh! I **have just played** with him.

Oh ! Je viens de faire une partie avec lui.

Le passé est si proche qu'il **touche le présent**, le joueur est, pour ainsi dire, encore essoufflé.

De même dans les exemples : It has just rained (sous-entendu : *Le sol est encore humide.*) ou I have just poured your tea (sous-entendu : *Bois-le tant qu'il est chaud.*).

11 Le *present perfect* en *be* + V-*ing* : un passé... présent

La forme en be + V-ing nous permet d'**exprimer une impression** ou de **décrire une action plus concrètement** qu'avec la forme simple, celle-ci, pour l'expression du passé comme pour celle du présent, marquant plus de distance.

- Ainsi, pour traduire : *J'ai joué au tennis*, I **have been playing** tennis exprime plus d'effort que I have played tennis.

  I **have been playing** a good match. *J'ai joué une excellente partie.*

  Cette phrase ne peut être dite qu'avec chaleur. Dans : I have played a good match, l'action paraîtrait désincarnée.

- De même, on entend un accent d'impatience dans :

  You **have been smoking** again! *Tu as encore fumé !*

  Ou dans :

  I **have been working** for ten hours.

  Sous-entendu : *C'est long !* Il n'est même pas nécessaire de préciser ... working hard.

12 *Yes, but...*

Au lieu de dire : Have you played tennis with him? j'aurais pu aussi poser la question : Did you play tennis with him?
Dans ce cas, je suppose que mon interlocuteur a en tête une date qu'il peut donner. Il se servira alors du prétérit, autre temps grammatical du passé, qui introduit une valeur différente.

Le temps, d'un coup d'œil... **Quel temps a-t-il fait ?**

It **has** always **rained** a lot here. *Il a toujours beaucoup plu ici.*

It **has been raining** for three hours, since 3 o'clock.
Cela fait trois heures qu'il pleut. Il pleut depuis 3 heures.

It **has** just **stopped raining**. *La pluie vient de s'arrêter.*

LE PRÉTÉRIT

À la différence du present perfect, le prétérit (en anglais preterite ou past) établit une **coupure nette avec le présent**.

13 Le temps du récit

- Le prétérit peut être traduit par l'imparfait, par le passé composé ou par le passé simple, mais, dans tous les cas, **les faits sont bien séparés du présent**.

  I **lived** in Miami then. When I **met** her, she **told** me that...

  Je vivais alors à Miami. Quand je l'ai rencontrée, elle me raconta que...

Je ne m'intéresse pas ici à la durée des faits que je rapporte : la période concernée peut être relativement longue (lived, told) ou courte (met).

- Used to exprime une habitude passée.

  Did you use to work on Sundays then?

  Tu travaillais le dimanche à cette époque-là ?

Mais on peut insister encore plus sur l'**aspect révolu** de l'action ou de l'événement, en teintant le passé d'une coloration affective.

I **used to have** lots of friends there.

J'y avais beaucoup d'amis. (Sous-entendu : *C'était le bon temps.*)

14 Un passé « à la loupe »

Contrairement au present perfect, le prétérit **incite à s'intéresser aux circonstances**.

C'est ainsi que l'on peut préciser, entre autres

– le temps par une expression qui date bien l'action :

He **bought** his car last October/three months ago.

Il a acheté sa voiture en octobre dernier/il y a trois mois.

Remarquons au passage que ago exprime bien que le temps s'en est allé : dans ago, il y a go.

– la manière :

She **called** me from a phone box.

Elle m'a appelé d'une cabine téléphonique.

– le lieu :

I **met** him in San Francisco. *Je l'ai rencontré à San Francisco.*

15 Actions « points » et actions « traits »

- Le **prétérit simple** peut aussi évoquer une **succession d'actions rapides** (actions points) qui ponctuent la narration.

I knocked at the door, someone opened, I saw Brian.

J'ai frappé à la porte, on a ouvert, c'était Brian.

On traduit par le passé simple, par le passé composé, ou par l'imparfait.

- La forme en **be** + V-**ing**, au contraire, décrit une **action qui s'inscrit dans une durée** (action trait).

"What were you doing, at ten p.m., when I tried to call you?"

"I was working."

« Que faisais-tu hier soir, à dix heures, quand j'ai essayé de t'appeler ?

– Je travaillais. »

La forme en -ing avec le prétérit a donc la même valeur qu'avec le présent.

REMARQUES

On peut utiliser la forme en -ing pour l'expression du futur dans le style indirect.

He told me he **was going** on holiday in a week's time.

Il m'a dit qu'il partait en vacances dans une semaine.

On peut introduire une modalité quand, au lieu de dire simplement :

The house stood on the hill. *La maison se dressait sur la colline.*

on ajoute une nuance affective :

My parents' house **was standing** on the hill, you know.
Tu sais, c'est la maison de mes parents qui était sur la colline.

16 Le prétérit modal

Les emplois de la forme simple et de la forme en -ing ne surprennent plus quand on en a bien compris le fonctionnement, mais ils sont plus subtils quand il s'agit d'exprimer une modalité particulière.
Ainsi, le prétérit appelé prétérit modal est d'usage après as if, as though, et avec It's time... ou I wish...

It's time we **left**. *Il est temps que nous partions.*
I wish he **came**. *Je voudrais qu'il vienne.*

C'est le subjonctif français qui correspond à ces attitudes subjectives.

Le temps, d'un coup d'œil... **Quel temps a-t-il fait ?**

It **started raining** three hours ago.
Il a commencé à pleuvoir il y a trois heures.

Yesterday it **rained for** three hours, from 2 to 5.
Hier, il a plu pendant trois heures, de 2 heures à 5 heures.

I **was coming** back when it **started raining**.
J'étais sur le chemin du retour quand il a commencé à pleuvoir.

I **came** back when it **started raining**.
Je revenais quand il a commencé à pleuvoir.

LE PLUPERFECT

Ce temps grammatical, appelé aussi past perfect, joue par rapport au **prétérit** le rôle que le present perfect joue par rapport au **présent**.

17 Un passé dans le passé

Quand on emploie le pluperfect, on dispose donc, comme pour le present perfect, d'une palette permettant de rapporter deux moments du passé avec plus ou moins de précision.

Ce temps est très comparable au plus-que-parfait et au passé antérieur français. Il peut aussi se traduire par l'imparfait.

Suivons cette gradation de moyens mise à notre disposition par le pluperfect. Comparez :

> I **have just read** a sci-fi book.
> *Je viens de lire un livre de science-fiction.*
> I **had just read** that book when the sequel was published.
> *Je venais de lire ce livre quand la suite a été/fut publiée.*

- L'événement I had just read that book est mentionné sans autre précision. Il se situe par rapport à un autre événement, the sequel was published, évoqué par le prétérit et qui sert de point de référence.

> I **had been reading** the first chapter when the light went out.
> *Je lisais le premier chapitre quand la lumière s'éteignit.*

- Ici, I had been reading the first chapter... évoque une durée plus explicite. Soit parce que l'action reste présente à mon esprit, soit parce qu'elle durait encore au moment de l'autre événement, when the light went out, qui sert de point de référence.

On retrouve tout naturellement le pluperfect dans un **discours indirect** dépendant d'un verbe au passé.

Style direct : He said: "I have read it."

Style indirect : He said that he **had read** it.

C'est le moment passé où les paroles sont prononcées qui sert de point de référence.

18 Une durée plus précise

Comme avec le present perfect, la durée de l'action est souvent précisée par un complément de temps (for two weeks, since three o'clock...) ou la référence à un événement, un état de fait passé.

He **had known** her **for** three years/**since** the war.
when he proposed to her.
Quand il l'a demandée en mariage, cela faisait trois ans qu'il la connaissait/il la connaissait depuis la guerre.

19 Le *pluperfect* modal

Comme le prétérit, le pluperfect peut avoir une valeur modale (→ 16).

I wish he **had come.**
J'aurais aimé qu'il vienne, je regrette qu'il ne soit pas venu.

Le temps, d'un coup d'œil...

Quel temps avait-il fait ?

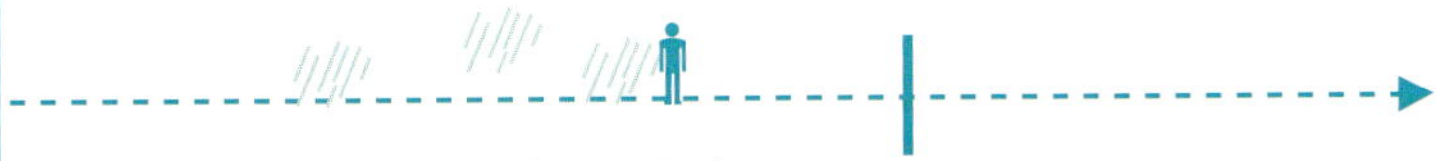

I **had** never **seen** such rain before.
Je n'avais jamais vu autant de pluie.

It **had been raining for** two hours when I **decided** to come back.
Il pleuvait depuis trois heures quand j'ai décidé de revenir.

I **had** just **gone** out when it **started raining**.
Je venais de partir quand il a commencé à pleuvoir.

L'EXPRESSION DE L'AVENIR

L'anglais n'a pas de forme spécialisée pour exprimer l'avenir. Il emprunte **différentes formes verbales**, accompagnées d'adverbes ou de compléments de temps comme soon, tomorrow, shortly… Le choix de la forme ne dépend pas du moment où se produira l'action, mais de la manière dont elle est envisagée.

20 Formes en *be* + V-*ing*

Avec le présent en be + V-ing et la formule be going to, **l'avenir est considéré comme presque réalisé**, tant l'intention d'agir est forte, ou la probabilité ou l'imminence de l'action marquée. La forme en -ing, une fois encore, actualise le sens, rend plus concrète l'action envisagée. C'est « comme si c'était fait ».

Next week **I'm visiting** the National Gallery.
La semaine prochaine, je visite/je visiterai la National Gallery.
I'**m going to** write a book about English painting.
Je vais écrire un livre sur la peinture anglaise.
People **are going to** like it. *Les gens vont l'aimer.*

21 Le présent simple

OK…I **get up** early and **work** hard.
Bon, je me lève tôt et travaille dur.

Ici, comme toujours, la forme simple me montre plus en recul. L'action paraît fermement décidée, mais d'une manière **assez désincarnée**, comme si quelqu'un d'autre avait pris la décision. C'est « comme ça que cela devrait se passer ».

22 *Shall/Will*

- On emploie shall à la première personne du singulier et du pluriel, will aux deuxième et troisième personnes. Mais, de plus en plus, shall est remplacé par will ou sa contraction en 'll à la forme affirmative.

Tomorrow I shall/I'll be twenty-five. *Demain, j'aurai 25 ans.*
We shall need a rest after lunch.
On aura besoin de repos après le déjeuner.

- À la forme interrogative, on emploie la forme pleine.

Will he come next week? *Il viendra la semaine prochaine ?*
What shall we do on Sunday? *Qu'est-ce qu'on fera dimanche ?*

- À la forme négative, shan't (pour shall not) et won't (pour will not) sont de plus en plus fréquents.

He won't be here before you. *Il ne sera pas là avant vous.*

Will peut être suivi de la forme simple ou de la forme en -ing, dont le sens est plus concrètement imaginable, tandis que la forme simple mentionne seulement l'action comme devant se réaliser.

We**'ll write**/We'll **be writing** to you. *On vous écrira.*

23 Les nuances modales

Si will est mentionné en toutes lettres, comme dans We will write to you soon, et non sous sa forme contractée, il prend une valeur modale avec, dans cet exemple, une nuance du type : *Vous pouvez compter sur moi.* À l'expression du futur, will ajoute une notion de **volonté** : *Soyez assuré que nous vous écrirons bientôt.*

D'autres modaux comme can/could, may/might, etc. (→ 53), placés dans un contexte de futur avec les adverbes ou les locutions appropriés (tomorrow, next month...) permettent eux aussi d'exprimer l'avenir.

I may write a chapter tonight.
Il se peut que j'écrive un chapitre ce soir.
I might write a chapter tonight.
Il se pourrait que j'écrive un chapitre ce soir.

Dans ce même cadre, on peut placer

- be to + V, qui exprime une obligation inéluctable, provenant, par exemple, d'un emploi du temps « imposé » :

I **am to** write the first chapter next week.
Il est prévu que j'écrive le premier chapitre la semaine prochaine.

- have to + V, qui suggère une obligation moins impérative :

I **have to** write soon. *Il faut que j'écrive bientôt.*

- be about to + V, qui indique une action sur le point de se produire :

I **was about to** leave when he came in.
J'étais sur le point de partir quand il est entré.

24 *Yes, but...*

En français, nous employons deux futurs dans une même phrase.

Je partirai quand il viendra.

En anglais, le verbe de la **subordonnée de temps** est dans ce cas au présent.

I shall go when he comes.

Mais, dans une **interrogative indirecte**, il n'est pas surprenant de trouver, en anglais comme en français, le futur dans les deux propositions.

I'll ask him at what time he will come.
Je lui demanderai à quelle heure il arrivera.

Le temps, d'un coup d'œil... **Quel temps fera-t-il ?**

It's **going to** rain soon.
Il va bientôt pleuvoir.
It **will** rain tonight.
Il va pleuvoir ce soir.
It **might** rain tonight.
Il pourrait pleuvoir ce soir.

L'EXPRESSION DE L'ORDRE

Il n'existe pas en anglais de mode impératif à proprement parler. Selon l'ordre exprimé, les anglophones font appel à des structures différentes.

25 L'expression d'un ordre à la première personne

Un ordre à la première personne est exprimé au moyen de let **dans sa valeur d'auxiliaire**.

- Au singulier, on s'adresse à soi-même, comme pour s'encourager.
  La structure utilisée est : let + me + infinitif sans to.
  Well, **let me see**. *Voyons un peu./Laissez-moi réfléchir.*
- Au pluriel, on s'associe à d'autres personnes. La structure utilisée est : let + us + infinitif sans to.
  Let us go! *Allons-y !*
- Let's go to the movies! est proche de Shall we go to the movies? Cette formulation s'apparente plus à une proposition.

La tournure impérative prend place dans une gradation qui passe par We could go..., We must go..., We should go, Let's go... représentant la décision finale.

26 L'expression d'un ordre à la deuxième personne

- Quand on veut donner un ordre, faire une recommandation précise à son (ou à ses) interlocuteur(s), on emploie la forme verbale la plus élémentaire, la plus neutre, celle de l'**infinitif sans** to.
Remarquons qu'en français, nous utilisons les formes du présent de l'indicatif.

  Switch off the light, please.
  Éteins/Éteignez la lumière, s'il te/vous plaît.

- Si l'ordre est insistant, deux formes sont possibles, l'une avec l'auxiliaire do, l'autre avec le pronom sujet.

  Do switch the light.
  You switch the light. (L'ordre est presque menaçant.)

27 L'expression d'un ordre à la troisième personne

- Pour exprimer un ordre à la troisième personne, on utilise l'auxiliaire let avec le pronom complément correspondant à la (ou aux) personne(s) à qui s'adresse l'injonction : him, her, them.

  Well, **let him know**! *Eh bien, faites-le lui savoir !*
  Let them come in! *Qu'ils entrent !*

- Les troisièmes personnes du singulier et du pluriel expriment une sorte de vœu, parfois un acquiescement, une résignation.

  Let it be! *Qu'il en soit ainsi !*
  Let them do as they please. *Qu'ils fassent comme ils veulent.*

28 L'expression d'un ordre négatif

Il existe deux possibilités pour exprimer un ordre négatif.

- On fait précéder le verbe de l'impératif négatif de do :

  Do not/Don't let + pronom objet + verbe + complément
  Don't let him go to school tomorrow.
  Qu'il n'aille pas à l'école demain.

- Ou bien, dans une langue plus soutenue :

  Let + pronom objet + not + verbe + complément
  Let him not go to school tomorrow.

LE CONDITIONNEL « À L'ANGLAISE »

29 *Should* et *would*, auxiliaires du conditionnel

- Les auxiliaires should et would permettent d'exprimer une **action hypothétique**, dont la réalisation est soumise à une condition, explicitée ou non.

  je travaille : I work, I am working
  je travaillais : I worked, I have worked
  je travaillerai : I'll work
  je travaillerais (si...) : I should work (if...)

En ce sens, on peut dire que ces auxiliaires servent à former le conditionnel.

- Les formes de ce conditionnel sont fixées

– **au présent** : should + V, à la 1re personne ; would + V, aux 2e et 3e personnes.

  I should go with you if I had time. *J'irais avec toi si j'avais le temps.*
  If he had enough money, he would buy a new bike.
  S'il avait assez d'argent, il achèterait un nouveau vélo.

– **au passé** : should have + participe passé, à la 1re personne ; would have + participe passé, aux 2e et 3e personnes.

  I should have gone with you if I had had time.
  Je serais allé(e) avec toi si j'avais eu le temps.
  If he had had enough money, he would have bought a new bike.
  S'il avait eu assez d'argent, il aurait acheté un nouveau vélo.

- De même qu'en français le conditionnel peut s'employer comme un futur du passé, les auxiliaires should et would peuvent exprimer cette valeur en anglais :

  We didn't know we should meet again.
  Nous ne savions pas que nous nous rencontrerions de nouveau.

30 L'expression de l'hypothèse avec une subordonnée en *if*

- On trouve souvent should et would dans une proposition principale régissant une subordonnée hypothétique (introduite par if).

  She **would take** him to his hotel if she **had** time.
  Elle le conduirait à son hôtel si elle avait le temps.

Dans cette subordonnée, le verbe au prétérit ne se réfère pas au passé. Il exprime l'irréel du présent ; il s'agit bien d'un prétérit à valeur modale (→ 16).

- Voici ce que devient cette structure quand elle exprime l'irréel du passé :

  She **would have taken** him to his hotel if she **had had** time.
  Elle l'aurait conduit à son hôtel si elle avait eu le temps.

31 L'expression d'une demande polie

Si l'on souhaite exprimer une demande avec courtoisie, le choix s'offre entre will et would :

Will you have some more tea? *Voulez-vous encore un peu de thé ?*

- Avec will, on ne fait guère plus que se renseigner sur les intentions de l'interlocuteur, qui répondra oui ou non.
- Mais, avec would, on exprime en plus le souci de faire plaisir :

Would you have some more tea?
Voudriez-vous encore un peu de thé ?

De même, il y a plus de déférence dans :

I'd be grateful if you would reply urgently.
Je vous serais reconnaissant(e) si vous vouliez bien donner une réponse d'urgence.

Que dans cet ordre à peine atténué :

I'll be grateful if you will reply urgently.
Je vous serais reconnaissant(e) de donner une réponse d'urgence.

LE PASSIF

Cette forme est plus importante et plus fréquente en anglais qu'en français. Elle permet de donner la première place à qui subit l'action chaque fois qu'on le souhaite. Le **choix** entre la **voix active** ou la **voix passive** est, ici encore, **déterminé par la personne qui parle**.

32 Formation de la voix passive

- La structure de base du passif est :
sujet + be + **participe passé** (+ by + complément).

I **was engaged** by Smith in 1995 (nineteen ninety-five).
J'ai été embauché par Smith en 1995.

- Le passif peut s'utiliser à tous les temps : passé, présent, futur.

I **will be engaged** if he is satisfied with the job interview.
Je serai embauché s'il est satisfait de l'entretien.

- Il n'est pas incompatible avec la forme en -ing.

I **am being tested** on my proficiency.
On est en train de vérifier ma compétence.

Le passif peut aussi s'accompagner de modaux.

I might **be engaged** as early as next month.
Il se pourrait qu'on m'engage
ou *Je pourrais bien être engagé dès le mois prochain.*

Dans le cas d'un verbe à particule, celles-ci restent accolées à leur verbe de base.

I think my credentials **will be accounted for**.
Je pense qu'on tiendra compte de mes références.
In my previous job I **was** never **taken care of**.
Dans mon emploi précédent, on ne s'est jamais occupé de moi.

Dans tous les cas, c'est l'auxiliaire be qui prend la marque du temps ou de la modalité.
Le complément d'agent introduit par by n'est utilisé que si l'on tient à identifier l'auteur de l'action.

33 Traduction par le français « on »

Au passif, les verbes qui sont suivis de l'infinitif sans to à la voix active récupèrent leur préposition.
Comparez :

They made him do my work. ou He was made to do my work.
On lui a fait faire mon travail.
They saw her leave the manager's office.
ou She was seen to leave the manager's office.
On l'a vue quitter le bureau du directeur.

On pourra dire aussi : She was seen leaving the manager's office.

Le passif permet d'attirer l'attention sur qui subit l'action plutôt que sur son auteur. Il est donc normal de préférer le passif quand la phrase à la voix active aurait pour sujet
– un pronom personnel indéterminé (they : *ils, les gens*) :

He **has been fired**.
Il a été renvoyé. Il s'est fait renvoyer. On l'a renvoyé.

– un pronom indéfini (someone, somebody...) :

His job **has been taken over**.
On l'a remplacé sur son poste.

– un nom avec un sens général :

Inefficient employees **are not thought** much of.
On n'apprécie pas beaucoup les employés incompétents.

34 Autres emplois

Le passif impersonnel : construction de say et des verbes de sens voisin (think, believe, report...). Ces verbes permettent de rapporter des paroles ou des pensées sans en préciser l'auteur. C'est le *on dit*.

À la tournure :

People say that he has been fired for incompetence.

Il faudra, à moins de vouloir insister sur people, préférer l'une des deux constructions suivantes :

It is said that Smith has fired him for lack of proficiency.
On dit que Smith l'a renvoyé pour incompétence.
Smith is said to have fired him for lack of proficiency.
On dit de Smith qu'il l'a renvoyé pour incompétence.

Si la première construction laisse la cause dans le vague, la seconde met en revanche le sujet en pleine lumière. Il y a, dans les deux cas, une nuance d'incertitude que l'on peut traduire en français par un conditionnel :

Smith l'aurait renvoyé pour incompétence.

Principaux verbes pouvant se construire au passif impersonnel :

acknowledge, *admettre*
advertise, *faire de la publicité*
allege, *alléguer*
announce, *annoncer*
assume, *présumer*
attest, *attester*
believe, *croire*
certify, *certifier*
claim, *réclamer, déclarer*
confirm, *confirmer*
consider, *considérer*
declare, *déclarer*
deem, *considérer*
expect, *s'attendre à*
find, *trouver*
hear, *entendre*
hope, *espérer*
imagine, *imaginer*
instruct, *donner des instructions*
know, *savoir*
mark, *marquer*
mean, *signifier*
mention, *mentionner*
predict, *prédire*
presume, *présumer*
presuppose, *présupposer*
prove, *prouver*
reckon, *estimer, considérer*
remember, *se rappeler*
report, *rapporter, rendre compte*
say, *dire*
schedule, *programmer*
suppose, *supposer*
think, *penser*

Le passif avec get : avec son sens lexical de *devenir*, get exprime plus fortement le changement d'état que be.

He got fired when they saw he was not fit for the job.
Il a été renvoyé dès qu'ils ont vu qu'il ne convenait pas pour le poste.

35 Le double passif

Comparez :

My job has been given to Mr Johnson.

Et : Mr Johnson has been given my job.

On a donné mon poste à M. Johnson.

Dans la seconde tournure, le complément d'attribution devient le sujet. Cette construction est très souvent employée car c'est à la personne que l'on attache le plus d'importance. Elle est propre à des verbes exprimant le rapport d'un individu à un autre : give, offer, bring, buy, tell, ask, teach...

Principaux verbes pouvant se construire au double passif :

allocate, *allouer*
allot, *attribuer*
allow, *autoriser*
answer, *répondre*
ask, *demander*
assure, *assurer*
bring, *apporter*
deny, *nier, refuser*
forbid, *interdire*
foresee, *prévoir*
foretell, *prédire*
give, *donner*
grant, *accorder*
offer, *offrir*
order, *ordonner*
pay, *payer*
promise, *promettre*
read, *lire*
show, *montrer*
teach, *enseigner*
tell, *raconter*

Les auxiliaires be, have, do, let

Certains **auxiliaires** – be, have, do et let – sont employés pour former la conjugaison des autres verbes. D'autres, dits auxiliaires modaux (→ 49-68), donnent au verbe une « couleur » qui permet à la personne qui parle de traduire ses intentions. Ces verbes sont particulièrement fertiles d'emplois et méritent un traitement spécial.

LE VERBE BE

Be joue un rôle très important dans les formes verbales anglaises en tant qu'auxiliaire. Comme verbe à part entière, il est riche de valeurs propres. D'où la place qu'il tient dans les dictionnaires.

36 *Be*, verbe auxiliaire

Grâce à ses huit formes différentes, pleines (I am, he/she is, they are...) et contractées (I'm, he's, she's, they're...), et avec l'aide de have, has, had, ce verbe intervient largement dans la conjugaison :
– il permet de construire certaines **formes en** -ing (→ 5-7, 11, 15, 17, 20) ;
– il est à la base de la **voix passive** (→ 32).

37 *Be*, verbe suppléant

Employé avec **go**, be est en concurrence avec have. Comparez :

He's gone/He is gone : the door is locked.
Il est parti : la porte est fermée à clé.
He's just gone/He has just gone. *Il vient de partir.*

Dans la première phrase, is gone exprime l'état résultant d'une action, d'un événement.
Dans la seconde, has gone est un simple present perfect.

ATTENTION

- Les deux formes contractées sont identiques. Ainsi la phrase He's gone to Leeds se comprend-elle de deux façons :

He is gone to Leeds.
(Sous-entendu : *Il y est parti définitivement, il n'en reviendra pas.*)

He has gone to Leeds.
(Sous-entendu : *Il y est allé, mais il en reviendra.*)

Seul le contexte peut nous aider à lever l'ambiguïté.

- Ne confondez pas non plus has been avec has gone.

  He's been to Leeds/He has been to Leeds.
  Il est allé à Leeds. (Sous-entendu : *Il en est revenu.*)

Emplois avec **here** et **there**.

On constate un état de fait :

Here they are. *Les voilà.*

There are ten people. *Il y a dix personnes.*

Ces emplois peuvent surprendre si l'on se place dans une logique française, où l'on utilise des formules neutres (*il y a…*) ; mais ils sont cohérents dans la langue anglaise : be se conjugue normalement en présence des adverbes here ou there.

There being nobody else... *Comme il n'y avait personne d'autre…*

Shouldn't there be a policeman here?
Ne devrait-il pas y avoir un policier ici ?

Tom, could you please help me? There's a good boy!
Tom, sois gentil, tu peux m'aider ?

ATTENTION On dira :

There was (et non there were) ten minutes to wait.
Il y avait dix minutes d'attente. (Sous-entendu : une dizaine de minutes, période que l'on ne compte pas précisément.)

There's good children! (et non There are) *Soyez sages, les enfants !*

Notez que le français *il y a* ne traduit pas seulement there is/there are. Par exemple, dans :

What's the matter? *Qu'est-ce qu'il y a ? Qu'est-ce qui se passe ?*

It is est proche de there is, pour exprimer

– la distance :

How far is it to London? *On est à quelle distance de Londres ?*

– le temps qu'il fait :

It is foggy. *Il y a du brouillard.*

– la durée :

It is five years since he left. (Surtout pas ~~there is~~.)
Cela fait cinq ans qu'il est parti.

38 *Be*, verbe à part entière

- Be désigne ici un état, au sens plein du terme. (Pensez au fameux "To be, or not to be", de Shakespeare.) C'est ainsi que ce verbe peut exprimer
  – l'âge :
  How old are you? *Quel âge as-tu ?*
  – la condition physique ou mentale :
  How are you? I am fine, thanks. *Comment vas-tu ? Très bien, merci.*
  – le fait d'exister :
  Shakespeare is the best known playwright.
  Shakespeare est le plus grand dramaturge connu.
- Quand la phrase est sans ambiguïté, avec when, if, though, unless, until, on peut omettre le sujet et le verbe. On peut également traduire en français par une ellipse :
  When a boy, he used to be quite mischievous.
  Enfant, il était très espiègle.
- On voit donc que, dans cet emploi, be peut être classé avec d'autres **verbes d'état** comme appear, become, feel, get, go, grow, make, seem, smell, sound, taste, etc.
- Enfin, be peut s'adjoindre diverses particules (→ 130-132).
  Are you up? *Tu es levé(e) ?*

LE VERBE HAVE

Have ne prend que quatre formes pleines : have, has, had et having, mais attention aux formes contractées affirmative et négative, qui peuvent être confondues avec celles de be : he's peut se comprendre comme he is ou he has.

39 *Have*, verbe auxiliaire

Il permet de former le present perfect et le pluperfect de tous les verbes ordinaires à tous les temps composés (→ 98-118).

Have you finished your tea? *Tu as fini ton thé ?*
Had they met? *Ils s'étaient rencontrés ?*

40 *Have*, verbe suppléant

Have a un **emploi « causatif »** qui le rapproche de make.

I had (ou made) Dan repair my watch.
J'ai fait réparer ma montre par Dan.

On prendra garde à certaines ambiguïtés. Considérez la phrase :

He had his watch stolen.

Détachée de son contexte, elle peut signifier, au sens passif :

On lui a volé sa montre.

Et, au sens actif :

Il a fait voler sa montre (la montre de quelqu'un par quelqu'un d'autre).

L'ordre des mots peut aussi changer le sens. Comparez :

He had his hair cut. Il s'est fait couper les cheveux.
He had cut his hair. Il s'était coupé les cheveux.

41 *Have*, verbe à part entière

Le premier sens plein de have est un sens statique : la **possession**.

He has a phone in his car. Do you have one?
Il a un téléphone dans sa voiture. Et vous ?

Le second sens plein est dynamique et correspond à des acceptions des verbes français suivants.

- **Prendre**

Il est alors l'égal de take.

Have a cup of tea. Prenez une tasse de thé.
He is having a bath. Il est en train de prendre un bain.
I had tea at the Joneses' yesterday. J'ai pris le thé chez les Jones hier.

- **Donner**

We had a party to celebrate Tom's success.
On a donné une soirée pour célébrer le succès de Tom.

- **Faire**

I have a walk every morning.
Je fais une promenade à pied tous les matins.
Shall we have a ride on the moors?
Et si nous allions à cheval dans la lande ?

- **Recevoir**

I had a telegram from him. J'ai reçu un télégramme de lui.

I have that picture from my sister.
C'est de ma sœur que je tiens cette photo.
I have some trouble with my car. *J'ai des ennuis avec ma voiture.*

- **Accepter**

He won't have it that Paul is guilty.
Il refuse d'accepter que Paul soit coupable.
I won't have it! *Je ne le tolérerai pas !*

Le verbe have peut, comme quelque trois mille verbes à part entière, être **accompagné de particules** qui en changent le sens (→ Dictionnaire des verbes).

I'll have it out with him as soon as I see him.
Je mettrai les choses au point avec lui dès que je le verrai.
They had it in for me from the very beginning.
Dès le tout début, ils ont eu une dent contre moi.

42 *Have*, auxiliaire modal

L'« attitude » modale (jugement, intention, opinion) est nette dans les tournures suivantes :

You'd better apologise to him.
Tu ferais mieux de t'excuser auprès de lui.
I'd rather do it myself. *J'aimerais mieux le faire moi-même.*

LE VERBE DO

Do prend cinq formes pleines : do pour l'infinitif et le présent (mais does à la troisième personne du singulier), did au prétérit, done au participe passé, doing à la forme en -ing. Ses formes contractées sont sans ambiguïté : don't, doesn't, didn't. Ce verbe se partage à peu près également entre son rôle d'auxiliaire et son rôle de verbe à part entière.

43 *Do*, auxiliaire

Do, does et did ne font que marquer le temps et la troisième personne aux **formes simples interrogative et négative** (→ 96-98).

Does/Did John play the piano?
Est-ce que John joue/jouait du piano ?

44 *Do*, verbe suppléant

- Dans une question ou une réponse, do **évite la répétition** du verbe.

  You speak better than I do. So does she.
  Vous parlez mieux que moi. Elle aussi.
  They speak German. Oh, do they?
  Ils parlent allemand. Vraiment ?
  She plays the piano, doesn't she?
  Elle joue du piano, n'est-ce pas ?
  Does she play well? Yes, she does./No, she doesn't./No, she does not.
  Elle joue bien ? Oui./Non.

Remarquez que la forme pleine does not donne plus de force à la négation. On pourrait traduire par : *Oh non !*

- Do peut prendre une **valeur emphatique**, qui exprime un premier degré de modalité.

  He did say it.
  Il l'a bien dit.
  John does play the piano beautifully.
  John joue du piano vraiment merveilleusement.
  (On insiste sur le sens, ici l'excellence du jeu du pianiste.)
  He owns or did own a piano.
  Il possède, ou du moins possédait jadis, un piano.
  (On insiste sur le temps, ici le passé.)

De même avec l'impératif.

  Do tell him that he'll be welcome.
  Dis-lui bien qu'il sera le bienvenu.

- Dans les exemples donnés, on peut, à l'écrit, souligner do et did pour bien indiquer qu'il s'agit d'une forme d'insistance.
À l'oral, c'est l'inflexion de la voix qui marque la valeur emphatique.

45 *Do*, verbe à part entière

Do connaît de nombreux emplois d'usage courant, dont le premier sens général de *faire*.

What are you doing?
Qu'est-ce que tu fais ?

Ces emplois, très variés, peuvent être

– transitifs :

do the meat (*couper la viande*), do one's teeth (*se brosser les dents*), do one's hair (*se coiffer*), do one's shoes (*cirer ses chaussures*), etc.

– intransitifs :

I can't do without you.
Je ne peux pas me passer de toi.

Do as you would be done by.
Ne faites pas aux autres ce que vous ne voudriez pas qu'on vous fasse.

Parmi ces emplois, un bon nombre appartiennent à la langue familière :

He's done for! (*Il est fichu !*) ; You've been done. (*Tu t'es fait avoir.*)

ATTENTION N'oubliez pas que le traditionnel How do you do? n'est plus une question puisqu'on y répond par la même formule de politesse (à ne pas confondre avec How are you? qui attend généralement une réponse comme I'm fine, thanks!)

Do et make

On dit par exemple do business (*faire* ***des*** *affaires*) mais make a bargain (*faire* ***une*** *affaire*). Do et make sont souvent proches, mais non interchangeables. Make exprime plutôt l'activité elle-même, d'une manière concrète, avec le sens original de *fabriquer*. Do exprime plutôt le résultat de cette activité. Comparez :

– to make money (*gagner de l'argent*), to make mistakes (*faire des erreurs*), to make the best of it (*en tirer le meilleur parti*), etc.

– to do one's duty (*faire son devoir*), to do one's best (*faire de son mieux*).

46 Autres emplois de *do*

Bien qu'il ne puisse pas être employé comme auxiliaire modal, do, comme be ou have, remplit la fonction de verbe à particule (→ Dictionnaire des verbes) et, à ce titre, peut exprimer une certaine modalité. Voyez par exemple :

I could do with a cup of tea. *Je prendrais bien une tasse de thé.*
Well done, Jim! *Bravo, Jim !*
It isn't done. *Cela ne se fait pas.*

LE VERBE LET

Avec let, nous nous rapprochons du domaine des verbes ordinaires. Son rôle d'auxiliaire a été étudié plus haut (→ 25, 27, 28). Examinons ici ses emplois à part entière et dans certaines locutions verbales.

47 *Let*, verbe à part entière

Le sens de base de ce **verbe irrégulier** (let, let, let) est *laisser, permettre.*

Who let you into the house? *Qui vous a fait entrer dans la maison ?*

Ou celui de *louer*.

My house is now to let. *Ma maison est à louer, maintenant.*

Un emploi intransitif est alors possible.

A house that would let easily... *Une maison qui se louerait facilement...*

Let garde un peu de son sens impératif dans, par exemple :

Let me help you. *Permettez que je vous aide.*
Let me tell you this... *Laissez-moi vous dire ceci...*
Don't let him go out! *Ne le laissez pas sortir !*
Let him in! *Faites-le entrer ! ou Qu'il entre !*

48 *Let* dans une locution verbale

Let est riche d'emplois avec
– des adjectifs :

Let him alone. *Laisse-le tranquille.*
Let him loose/free. *Libérez-le.*

– des particules :

He let the cat out of the bag. *Il a vendu la mèche.*
The engine let out a cloud of smoke.
La locomotive cracha un nuage de fumée.
Don't let me down. *Ne me laisse pas tomber.*
Don't let on about the meeting. *Ne dites rien sur cette réunion.*
You don't know what you're letting yourself in for.
Vous ne savez pas dans quoi vous vous engagez.

Les auxiliaires modaux

NOTIONS DE BASE

49 Définition

Il s'agit d'une douzaine d'auxiliaires qui, associés aux verbes simples ou composés, réguliers ou irréguliers, expriment la modalité, c'est-à-dire la manière dont **la personne qui parle** envisage, ou juge, une autre personne, un objet ou un événement selon **son attitude d'esprit**.
Comparez :

Do you want some tea? *Voulez-vous du thé ?*

qui se réduit à une simple proposition, et :

Would you like some tea? *Aimeriez-vous du thé ?*

qui exprime plus de chaleur et de sollicitude.

50 Caractères communs

À la différence de be, have, do et let, les modaux ne peuvent pas être utilisés seuls comme verbes à part entière. À ce titre :
– ils ne sont jamais précédés de to ;
– ils ne sont suivis que d'un infinitif sans to ;
– leur forme interrogative se fait par simple inversion du sujet ;
– ils ne prennent pas de -s à la troisième personne du singulier ;
– ils ne sont jamais précédés d'un auxiliaire ordinaire.

51 Peu de formes, mais beaucoup de sens

Shall et should, will et would, can et could, may et might, must et ought to : les formes sont assez peu nombreuses. Mais les sens et les emplois sont très diversifiés (il existe par exemple deux emplois de should) et se recouvrent partiellement d'une forme à l'autre. On n'étudiera que les principaux modaux, en les séparant en trois groupes selon l'attitude de la personne qui parle.

52 *Shall/Should, will/would*

Avec ces auxiliaires, on imagine l'action comme si elle était réalisée. Il faudra pourtant distinguer shall/should, qui impliquent davantage l'idée d'un devoir

à accomplir, et will/would qui ont plutôt le sens de vouloir. Dans les deux cas, on observera des modalités plus ou moins fortes.
Par exemple will est plus fort dans :

I will see him today. *Je le verrai aujourd'hui.*
(Sous-entendu : *J'en ai la ferme intention.*)

Que dans :

Will you come for a drink?
Voulez-vous prendre un verre avec moi ?

53 *Can/Could, may/might*

L'action paraît ici beaucoup plus libre : tout semble possible. Sa réalisation va dépendre des capacités du sujet, personne ou chose, de l'existence d'une opposition ou d'une autorisation extérieure, ou encore des circonstances rencontrées.
Par exemple, je suis encore incertain si je dis :

I may go to England next year.
Il se peut que j'aille en Angleterre l'an prochain.

Mais cette incertitude est plus marquée si je dis :

I might go to England next year.
Il se pourrait que j'aille en Angleterre l'an prochain.

54 *Must, ought to, should, have to, be to*

Ici, l'action est placée sous le signe d'une obligation, dont la source peut être intérieure ou extérieure au sujet.
Par exemple, quand je dis : I have to see him... *Je dois le voir parce qu'on me l'a demandé.*
Alors que I must see him supposerait que c'est un acte que je m'impose à moi-même.

55 *Yes, but...*

- On prendra garde aux formes négative et interrogative : par exemple, la forme négative de I have to go to England to practise modals (*Je dois aller en Angleterre pour pratiquer les modaux.*) n'est pas I have not to go, mais I don't have to go...
- En français aussi, bien sûr, nous disposons de moyens pour exprimer la modalité. Mais il s'agit plus souvent d'expressions que d'auxiliaires. L'anglais, plus concis, entraîne aussi parfois plus d'ambiguïté.

SHALL/SHOULD

56 *Shall*

Shall ne se rencontre plus qu'assez rarement dans la langue quotidienne actuelle. Ses emplois principaux peuvent être classés d'après la modalité qu'ils expriment, dans un ordre croissant.

Simple expression de l'avenir (→ 22)

Tomorrow I'll be there. *Demain je serai là.*

Cet emploi où shall est contracté en 'll est réservé aux premières personnes du singulier et du pluriel. Il se confond donc avec will.

Proposition polie

Shall we dance? *Vous dansez ?*

Réservé à la forme interrogative, shall traduit, sur un ton courtois, une proposition ou une offre d'aide.

Shall I open the window? *Voulez-vous que j'ouvre la fenêtre ?*

I'll take three of them, shall I? *Je vais en prendre trois, d'accord ?*

Ordre impérieux ou interdiction formelle

They shall not pass! *Ils ne passeront pas !*

Cet emploi, un peu archaïque, aux deuxième et troisième personnes du singulier et du pluriel se rencontre souvent dans la Bible.

Thou (You) shalt (shall) not kill. *Tu ne tueras point.*

On le trouve encore aujourd'hui dans des textes de loi.

The fine shall not exceed £ 100 (a hundred pounds).
L'amende ne devra en aucun cas dépasser 100 livres.

Shall permet aussi d'exprimer une exigence.

You shall obey him! (Sous-entendu : *Pas question de ne pas lui obéir !*)

57 *Should*

Should est plus courant et plus complexe. Cet auxiliaire modal peut s'utiliser à toutes les personnes. Il se contracte en 'd, qu'il ne faut pas confondre avec la contraction de had.

Futur dans le passé

On l'emploie surtout dans les interrogatives indirectes. En Amérique du Nord, will et would sont plus usités. Comparez :

I don't know when we shall/will meet again.
Je ne sais pas quand on se reverra.

Et :

I didn't know when we should/would meet again.

Je ne savais pas quand on se reverrait.

- **Souhait, conseil, obligation**

I should be on holiday by now!

Je devrais déjà être en vacances !

I should write to thank them.

Je devrais leur écrire pour les remercier.

Shouldn't you go and see her?

Est-ce que vous ne devriez pas aller la voir ?

- À ces emplois peut s'ajouter l'expression du **regret** ou du **reproche**.

I should have written to him. *J'aurais dû lui écrire.*

They should have told you, shouldn't they?

Ils auraient pu te prévenir, non ?

- **Probabilité (moyenne)**

He's the better runner, he should win the race.

Il est le meilleur coureur, il devrait gagner la course.

That shouldn't be John. It's too early.

Ce ne devrait pas être John. Il est trop tôt.

- **Conditionnel** (→ 29-31)

I should/I'd go with you if you invited me.

J'irais avec vous si vous m'invitiez.

I should have gone with you if I had had time.

Je serais allé avec vous si j'avais eu le temps.

Dans ces emplois, on pourrait tout aussi bien utiliser would au lieu de should.

Dans la langue châtiée, en début de phrase, should renforce le caractère hypothétique de la situation.

Should he change his mind...

Au cas (peu probable) où il changerait d'avis...

- **Équivalent d'un subjonctif**

It is surprising that he should be so ignorant.

C'est étonnant qu'il soit si ignorant.

Let's go now, lest he should/for fear that he should change his mind.

Allons-y maintenant, de peur qu'il ne change d'avis.

WILL/WOULD

Will et would ont plus de caractères communs que shall et should et seront étudiés parallèlement. Will, dans son sens actuel, contient l'**idée de volonté, de désir**. C'est ainsi qu'on dira de quelqu'un : He has a strong will. (*Il a beaucoup de volonté.*) Cela se retrouve dans le proverbe : Where there is a will there is a way. (*Vouloir, c'est pouvoir.*) C'est de ce sens premier que procède la valeur la plus fréquente de will : **l'expression de l'avenir**.

58 La volonté, le refus, la ferme intention

I will see him today. *Je le verrai aujourd'hui.*
(Sous-entendu : *J'y suis décidé.*)

- On insiste en utilisant la forme pleine, que l'on prononce fermement. Comparez avec : I'll see him, formulation neutre équivalente à un simple futur.
- De même pour exprimer un refus :

Little Tom won't go to bed before nine o'clock.
Le petit Tom refuse de se coucher avant neuf heures.
My car won't start.
Ma voiture refuse de démarrer.

- Il existe d'ailleurs un verbe à sens plein, d'un emploi relativement rare : will (*vouloir*) pour dire par exemple It is as God wills. (*Comme Dieu le veut.*) ou to will somebody's happiness (*vouloir le bien de quelqu'un*).
- Au passé, on peut dire :

I called him but he wouldn't answer.
Je l'ai appelé mais il n'a pas voulu répondre.

59 L'invitation, la requête

Will you please sit down? *Voulez-vous vous asseoir ?*
Won't you come with us? *Et si vous veniez avec nous ?*

L'emploi de would permettra de se montrer plus poli, plus prévenant.

Would you mind closing the window?
Puis-je vous demander de fermer la fenêtre, s'il vous plaît ?
Would you please sit down.
Asseyez-vous, je vous en prie.

60 La supposition, la conjecture

She'll be about seventy. *Elle doit avoir soixante-dix ans.*
Who's calling at this time of day? That will be the milkman.
Qui frappe à cette heure-ci ? Ce doit être le laitier.
It would have been about ten p.m. when she came.
Elle a dû arriver vers 10 heures du soir.

61 La répétition, l'habitude

- Si l'on veut dire qu'une action se produit régulièrement ou qu'un état est durable, on emploie ce qu'on appelle la forme « fréquentative ».

Every time I start speaking, she will interrupt me.
Chaque fois que je commence à parler, il faut qu'elle m'interrompe.
Boys will be boys.
Un garçon, c'est toujours un garçon.

N'employez dans ce sens que la forme pleine, pour ne pas confondre avec le simple futur.

- Au passé, faites la différence entre would et used to.

He would smoke a lot, then. *À cette époque, il fumait beaucoup.*

Would laisse supposer qu'il recommencera peut-être à fumer, alors que He used to smoke laisse penser qu'il a sans doute définitivement cessé de fumer.

62 Les valeurs propres de *would*

- **Futur dans le passé**

Comparez :

He says (that) he'll come back. *Il dit qu'il reviendra.*
He said (that) he**'d come** back. *Il a dit qu'il reviendrait.*

- **Auxiliaire du conditionnel**
  - Présent

He would go with you if you asked him.
Il irait avec toi si tu le lui demandais.

  - Passé

He would have gone with you if you had asked him.
Il serait allé avec toi si tu le lui avais demandé.

Pour would comme pour should, la forme pleine n'est obligatoire que dans les questions et les réponses du type : Should I? Yes, I should... ou Would I? Yes, I would...

CAN/COULD, MAY/MIGHT

Avec can/could et may/might, la réalisation de l'acte envisagé dépend soit des **capacités** d'une personne ou d'une chose, soit des autres à qui l'on demande une **permission**, à qui l'on fera une **suggestion**, soit encore des circonstances, l'ensemble de ces conditions déterminant une échelle de **probabilités**.

63 La capacité : *can/could, be able to*

- On utilise can au présent et could au passé.

  I could drive for hours before the accident, but now I can't.
  Je pouvais conduire pendant des heures avant l'accident, mais maintenant je ne peux plus.

- Aux autres temps, on utilise be able to.

  I'll never be able to read all this! *Je ne pourrai jamais lire tout ça !*

- Au passé, could et be able to peuvent avoir un sens légèrement différent. Comparez :

  When I was young, I could drive for hours...
  Quand j'étais jeune je pouvais conduire pendant des heures...
  ... but yesterday I wasn't able to drive for more than one hour.
  ... mais hier je n'ai pas réussi à conduire pendant plus d'une heure.

  Dans la première phrase, could exprime plutôt une capacité permanente dans un passé révolu, tandis que, dans la seconde, il s'agit d'une circonstance particulière, à un moment donné.

- Ces auxiliaires sont notamment employés
  – avec les verbes de perception :

  Can you hear me? se traduit simplement par *Vous m'entendez ?*

  – pour parler d'un savoir-faire :

  She can speak Italian. *Elle parle italien.*

- La forme négative exprime une impossibilité ou un fait jugé très improbable :

  He can't be dead! *C'est impossible ! Il n'est pas mort !*

64 La permission : *can/could, may/might*

- Au présent, can/could et may s'emploient pour demander une permission, selon une progression du plus simple au plus formel. Comparez :

  Can I/Could I/May I borrow your book?
  Je peux/Pourrais-je/Puis-je t'emprunter ton livre ?

- La forme might s'emploie seulement avec le sens de permission

– au style indirect pour rappeler des paroles passées :

He said you might borrow his book.

Il a dit que tu pouvais emprunter son livre.

– pour exprimer un excès de politesse teinté d'ironie :

Might I borrow your book?

Pourrais-tu me faire l'honneur de me prêter ton livre ?

- Au passé et au présent, on emploie l'équivalent be allowed to, avec encore une fois une nuance : be allowed to insiste plus sur le caractère circonstanciel, momentané, de la modalité.

When I was younger I could stay up until ten o'clock.

Quand j'étais jeune, j'avais le droit de veiller jusqu'à 10 heures.

Yesterday I was allowed to stay up until midnight.

Hier soir, j'ai eu le droit de veiller jusqu'à minuit.

- Dans les autres cas, seul un équivalent est possible.

I don't know if he'll be allowed to/if he'll have the right to come.

Je ne sais pas s'il aura le droit de venir.

- **ATTENTION** Si la forme négative can't peut exprimer un refus, la forme négative de may ou could serait mustn't.

"Mum, can I have a cake?" "No, you can't!"

« Maman, je peux prendre un gâteau ? – Non (certainement pas) ! »

"May I have? Could I have?" "No, you mustn't!"

« Est-ce que j'ai la permission ? – Non, c'est défendu ! »

65 La suggestion : *can/could, might*

- En ce sens, can et could sont à peu près équivalents, mais could est plus courant.

We can/could go to the cinema.

Nous pouvons/pourrions aller au cinéma.

- Can et could peuvent s'accompagner d'une hypothèse.

We can go to the cinema, if you feel like going out.

Nous pouvons aller au cinéma, si tu as envie de sortir.

- Might peut laisser planer un léger doute.

We might go to the cinema... *(On pourrait peut-être...)*

66 La probabilité : *can/could, may/might*

- Can, could, may et might permettent une gradation du plus probable au moins probable selon l'appréciation de la personne qui s'exprime.

  He can win the game : *Il garde toutes ses chances de gagner la partie.*

  He could win the game : *Pourquoi pas, mais cela va dépendre.*

  He may win the game : *Ce n'est pas exclu.*

  He might win the game : *Il y a peu de chances.*

- Si l'appréciation porte sur une action en cours, ils sont suivis de la forme en be + V-ing.

  He can/could/may/might be working.

  Il peut/pourrait être en train de travailler.

Au passé : He can/could/may/might have missed his bus.

Il peut/pourrait avoir raté le bus.

OUGHT TO/MUST

Avec ces modaux, la réalisation de l'acte paraît obligée. Cette **obligation** peut venir du sujet lui-même, ou des autres, ou encore d'une loi morale supérieure. Il n'est donc pas étonnant que ces auxiliaires expriment aussi des degrés de probabilité plus élevés.

67 L'obligation

I ought to write to my father. *Je devrais écrire à mon père.*

Le sens est proche de : I should write… (→ 57, 72)

- On aura recours à must **au présent** pour exprimer une nécessité plus forte, si elle est **d'origine interne**.

  I must read this book. *Il faut que je lise ce livre.*

  (Sous-entendu : *C'est un acte que je m'impose à moi-même, j'en ai décidé ainsi.*)

- Si cette nécessité **vient de l'extérieur**, on utilisera un équivalent comme have to.

  I have to read this book.

  (Sous-entendu : *Parce qu'on me l'a demandé.*)

Have (got) to, be to, be obliged to sont des formules presque équivalentes qui peuvent servir à d'autres temps que le présent.

ATTENTION Il y a deux réponses possibles à la question : Do you think I must wait for her?

No, you don't have to (wait). ou No, you needn't (wait).

Non, *ce n'est pas nécessaire.*

No, you mustn't. Non, *je te l'interdis.*

Pour l'emploi modal de need → 69.

Il existe un nom correspondant à ce sens de must :

This book is a must. *Il faut absolument lire ce livre.*

68 La probabilité

Pour exprimer une probabilité moyenne, il existe un second emploi de ought to.

They ought to be here soon. *Ils devraient bientôt arriver.*

Ici, should aurait à peu près le même sens.

They should be here soon.

Ought to est moins fréquent et se réfère à l'usage, should est plus personnel, plus subjectif.

Si l'on emploie must, il s'agit d'une quasi-certitude.

It must be very cold outside.

Il fait certainement très froid dehors.

- Pour exprimer le contraire, on dira :

  It can't be cold outside.

  C'est impossible qu'il fasse froid dehors.

- Emploi de must au passé :

  He must have borrowed this book from Jane.

  Il a certainement emprunté ce livre à Jane.

AUTRES FORMES À VALEUR MODALE

69 *Need* et *dare*

Need et dare ont tous deux un emploi modal et un emploi comme verbes ordinaires.

Comme verbes ordinaires, need signifie *avoir besoin de* et dare *oser*.

I don't need to speak English ou I don't dare speak English.

Je n'ai pas besoin de parler anglais ou *Je n'ose pas parler anglais.*

- L'emploi de need modal est limité en anglais moderne aux seules formes négative et interrogative.

  You needn't take your raincoat.

  Ce n'est pas la peine de prendre votre imperméable.

  Need I take mine? *Faut-il que je prenne le mien ?*

- Dare modal s'emploie aux mêmes formes que need.

  I dare not go alone. *Je n'ai pas le courage d'y aller tout seul.*

  How dare you? *Quel culot !*

70 *Used to*

Used to a le même sens que would à la forme fréquentative.

- Used to indique une répétition.

  She used to get up very late.

  Elle avait l'habitude de se lever très tard.

- Used to indique une action ou un état durable qui a cessé.

  They used to live in London. *Ils habitaient alors à Londres.*

  I didn't use to get up so late when I was your age.

  Je ne me levais pas si tard quand j'avais ton âge.

- Ne pas confondre avec to be used to + V-ing, qui exprime quelque chose qu'on a coutume de faire.

  I am not used to talking to crowds.

  Je n'ai pas l'habitude de parler en public.

71 *Had better, had rather*

- L'expression had better existe sous sa forme pleine ou contractée 'd better. Elle exprime l'idée de *il vaut mieux, il y a moins de risque à.*

  On prendra garde de ne pas confondre I'd = I had et I'd = I would :

  I'd/I had better run, I'd/I would be late...

  Il vaut mieux que je coure, je serais en retard.

  Cette locution a ici la même valeur que I should run.

  À la forme négative, on ajoute not.

  ... but I'd better not, because of my heart.

  ... mais il vaut mieux pas/ne pas le faire à cause de mon cœur.

- Had rather a le même emploi, mais souligne une préférence personnelle.

  ... and besides I'd rather walk.

  ... d'ailleurs, j'aime mieux marcher/aller à pied.

72 Tableau récapitulatif des auxiliaires modaux

Ce tableau ne reprend que quelques exemples d'emplois pour les dix principales modalités analysées. Observez surtout les modalités les plus nuancées et les auxiliaires les plus sollicités.

MODALITÉS	SHALL	SHOULD	WILL	WOULD
SUGGESTION, INVITATION	Shall we dance?		Will you please sit down?	Would you please sit down?
INTERDICTION	They shall not pass!		You will speak to nobody!	
CONSEIL, SOUHAIT, OBLIGATION		I should write to them.		
PROBABILITÉ PLUS OU MOINS GRANDE		He should win the game.		
IMPOSSIBILITÉ, FAIT TRÈS IMPROBABLE				
VOLONTÉ, FERME INTENTION			I will see him today.	He wouldn't answer.
SUPPOSITION, CONJECTURE			That will be the milkman.	It would have been about ten.
RÉPÉTITION, HABITUDE, FORME FRÉQUENTATIVE			He will talk for hours.	He would smoke a lot then.
CAPACITÉ				
PERMISSION				

CAN	COULD	MAY	MIGHT	OUGHT TO	MUST
We can go to the cinema.	We could go to the cinema.		We might go to the cinema.		
					You mustn't smoke here.
				I ought to write to them.	I must read this book. (ou have to)
He can win the game.	He could be working.	He may have won the game.	He might win the game.	They ought to be there soon.	He must be reading your book.
He can't be dead!					
I can drive. (ou I am able to)	I could drive for hours.				
Can I borrow your book? (ou Am I allowed to)	Could I borrow your book?	May I borrow your book?	He said you might borrow it.		

Les compléments du verbe

DÉFINITIONS

Comme les verbes français, les verbes anglais se différencient selon qu'ils acceptent ou non un complément.

De même qu'en français, ce complément sera soit un groupe nominal, soit un groupe verbal. Dans ce dernier cas, le complément peut être V-ing, V + (to +) V ou une proposition subordonnée complétive, au discours indirect.

73 Verbes transitifs et intransitifs

Verbes transitifs

Un verbe transitif est un verbe employé avec un complément d'objet.

> Tell me, have you read this book?
> *Dites-moi, est-ce que vous avez lu ce livre ?*

Verbes intransitifs

Un verbe intransitif est un verbe employé sans complément d'objet.

> Come in and sit down. *Entrez et asseyez-vous.*

Verbes transitifs/intransitifs

De nombreux verbes sont employés tantôt avec un complément, tantôt sans complément.

> He has adapted his book for the stage.
> *Il a adapté son livre pour la scène.*
> She refused to adapt.
> *Elle a refusé de s'adapter.*

74 Le complément est un groupe nominal

- Très nombreux sont les verbes simples complétés directement par un groupe nominal ou par un pronom. La syntaxe, dans ce cas, ne pose pas de problème.

> Have you read all these books? Yes, I have read them all.
> *Avez-vous lu tous ces livres ? Oui, je les ai tous lus.*

- La construction est plus complexe en ce qui concerne la place du complément quand il s'agit de verbes à particule (→ 160).

75 Les verbes à deux compléments

Certains verbes peuvent être suivis de deux compléments. C'est le cas de give (sb sth).

You gave your friend a strange answer.
Vous avez donné à votre ami une étrange réponse.
You gave a strange answer to your friend.
Vous avez donné une étrange réponse à votre ami.

Remarquez la place du complément your friend selon que l'on emploie la préposition to ou non.
Fonctionnent notamment sur ce modèle :
– avec **to** : bring, offer, play, promote, read, sell, send, teach, write ;
– avec **for** : look, bring, buy, catch, choose, find, get, pay, reach ;
– avec **from** : buy, steal.

76 Le complément est un groupe verbal

Le complément peut aussi être un groupe verbal. Dans ce cas, chaque construction apporte sa nuance particulière.

- V-ing ou préposition + V-ing.

  I can't resist asking the question.
  Je ne résiste pas à l'envie de poser la question.
  We agreed about talking it over later.
  Nous sommes tombés d'accord pour en reparler plus tard.

- To + V ou verbe seul.

  I want him to come at once.
  Je veux qu'il vienne tout de suite.
  I heard him open the door.
  Je l'ai entendu ouvrir la porte.

- Complétive introduite par that ou interrogative au discours indirect.

  He said that he was delighted by the idea.
  Il a dit qu'il était ravi de cette idée.
  He wondered why she looked so angry.
  Il se demanda pourquoi elle avait l'air tellement fâché.

LES CONSTRUCTIONS VERBE + V-ING

77 Valeurs de V-*ing*

Avec la forme en -ing, l'action est souvent vue de manière **concrète**.

- Elle peut décrire les différentes phases de cette action : le commencement (begin, start), la suite (keep on, go on), la fin (finish, stop).

  Stop laughing, please! *Arrête de rire, s'il te plaît !*

- Elle exprime souvent une **prise de position personnelle** envers l'action concernée.

  – plutôt favorable :

  I enjoy going to the movies... *J'aime beaucoup aller au cinéma...*

  – plutôt défavorable :

  ... but I avoid watching horror films.

  ... mais j'évite de voir des films d'horreur.

Quelques exemples de verbes principalement suivis de V-ing :

abandon, *abandonner*
anticipate, *anticiper*
appreciate, *apprécier*
avoid, *éviter*
be busy, *être occupé à*
behove, *incomber*
champion, *prôner*
consider, *considérer*
contemplate, *envisager*
defer, *remettre à plus tard*
endure, *endurer*
enjoy, *apprécier*
escape, *éviter*
fancy, *s'imaginer*
funk, *se dégonfler devant*
imagine, *imaginer*
include, *inclure*
intend, *avoir l'intention de*
involve, *impliquer*
mind, *être dérangé par*
miss, *regretter [une absence]*
oppose, *s'opposer à*
permit, *permettre*
postpone, *remettre à plus tard*
practise, *pratiquer*
quit, *laisser tomber*
recollect, *se rappeler*
reconsider, *reconsidérer*
repent, *se repentir*
resent, *être contrarié par*
resist, *résister*
resume, *recommencer*
tolerate, *tolérer*

- On rencontre la construction en -ing avec un complément interposé ou, plus souvent, un génitif.

  I enjoy John/him coming to talk with me.

  I enjoy John's/his coming to talk with me.

  J'aime quand John/il vient bavarder avec moi.

Notez quelques expressions courantes bâties sur ces structures :
I don't mind, I'm keen on, I can't bear, I can't stand, it's no use, it's no good, it is(n't) worth.

I can't bear his talking all the time.
Je ne supporte pas son bavardage permanent.
It's no use buying another book than this one.
Cela ne sert à rien d'acheter un autre livre que celui-ci.

78 V-*ing* après les verbes de perception

La forme en V-ing s'emploie aussi après des verbes exprimant une perception, en concurrence avec (to +) V (→ 84).

I can smell something burning.
Je sens qu'il y a quelque chose qui brûle.
Can you hear that bird singing in the distance?
Entends-tu cet oiseau qui chante au loin ?
He felt a spider creeping up his leg.
Il sentit qu'une araignée grimpait le long de sa jambe.
Look at that horse running in the meadow.
Regarde ce cheval qui court dans le pré.

79 V + préposition + V-*ing*

Quand un verbe en position de complément dépend d'une préposition, il est toujours à la forme en V-ing.

He would benefit from spending some time in an English-speaking country.
Cela lui ferait du bien de passer quelque temps dans un pays anglophone.
Do you feel up to continuing?
Vous sentez-vous capable de continuer ?
We look forward to seeing you.
Nous sommes impatients de vous voir.

Parmi les verbes de ce type, les plus fréquents sont : consent to (*consentir à*), congratulate on (*féliciter de*), reproach for/with (*reprocher de*), think of (*envisager*), agree about (*être d'accord pour*).

80 Verbe + *into/out of* + V-ing

La forme en -ing s'associe aux particules into et out of après certains verbes exprimant la manière dont on peut influencer quelqu'un : into pour persuader et out of pour dissuader.

S	V	C	P	V-ing
She	talked	him	into	accepting.

Elle l'a convaincu d'accepter.

S	V	C	P	V-ing
He	dragooned	her	out of	applying for the job.

Il l'a harcelée pour l'empêcher de postuler à cet emploi.

Exemples de verbes principalement suivis de into/out of + V-ing :

badger, *harceler*
bluff, *bluffer*
bait, *appâter*
bribe, *soudoyer*
bully, *brutaliser*
cheat, *tricher*
chide, *réprimander*
chivvy, *harceler*
coax, *cajoler*
coerce, *contraindre*
con, *escroquer*
court, *courtiser*
delude, *berner*
dragoon, *harceler*
ensnare, *piéger*
enthral, *captiver*
entrap, *piéger*
fool, *berner*
frighten, *effrayer*
gull, *duper*
hoax, *duper*
humiliate, *humilier*
hustle, *bousculer*
hypnotize, *hypnotiser*
laugh, *se moquer*
lull, *apaiser*
lure, *appâter*
mesmerize, *fasciner*
pressure, *faire pression*
prod, *aiguillonner*
provoke, *provoquer*
rush, *presser*
scare, *effrayer*
seduce, *séduire*
shame, *faire honte*
shock, *choquer*
terrify, *terrifier*
trap, *piéger*
trick, *escroquer*
woo, *courtiser*

Il existe une autre manière d'influencer quelqu'un, de faire faire quelque chose à quelqu'un avec have, make, get.
Supposons la situation suivante : *Il faut que je fasse réparer mon vélo.*
J'ai plusieurs manières de m'exprimer : I must have my bike repaired.
En employant have, je pense au résultat possible :

Je vais le faire faire par John.
I will make John repair it.

Make prend son sens de *faire, concrétiser, définir un moyen.*
Mais je peux dire aussi : I'll get him to do it.
Get prend ici le sens d'*obtenir quelque chose dont je serai bénéficiaire.*
Je pense au résultat obtenu.

LES CONSTRUCTIONS VERBE + (TO +) VERBE

81 Valeurs de (*to* +) verbe

Avec le verbe seul ou précédé de to, l'action est vue le plus souvent d'une manière abstraite, considérée dans son résultat. Les verbes suivis de (to +) verbe expriment le **désir** de voir le but atteint.

Did he refuse to obey? *Refusait-il d'obéir ?*

She decided to write a letter. *Elle décida d'écrire une lettre.*

À la forme négative :

She decided not to write a letter.

Elle décida de ne pas écrire une lettre.

82 Verbe + verbe seul (sans *to*)

- L'emploi sans to est obligatoire après les verbes need, dare (→ 69), had better, had rather (→ 71) et let (→ 47-48).

  I need not go. *Je n'ai pas besoin d'y aller.*

- L'emploi sans to est en concurrence avec V-ing après des verbes de perception (→ 79).

  Did you hear him come? *Vous l'avez entendu venir ?*

  I couldn't see him come. *Je ne pouvais pas le voir venir.*

Suivent cette construction : feel, listen, see, watch...

- On trouve également l'infinitif sans to après why ou why not :

  Why go to the South? *Pourquoi aller dans le Midi ?*

- Et après let ou make :

  Who made you change your mind? *Qui vous a fait changer d'avis ?*

83 Verbe + *to* + verbe

We can't afford to lose a minute.

Nous n'avons pas une minute à perdre.

L'emploi de to est obligatoire après be to, have to, ought to (→ 54), used to (→ 70).

Quelques exemples de verbes principalement suivis de to + verbe :

afford, *avoir les moyens de*
agree, *être d'accord*
appear, *paraître*
arrange, *arranger*
ask, *demander*
care, *veiller à*

choose, *choisir*
decide, *décider*
endeavour, *s'efforcer*
expect, *s'attendre à*
fail, *échouer*
happen, *se produire*
hesitate, *hésiter*
hope, *espérer*
learn, *apprendre*
manage, *s'arranger pour*
offer, *offrir*
plan, *projeter*
promise, *promettre*
refuse, *refuser*
seem, *sembler*
take care, *prendre soin*
undertake, *entreprendre*
threaten, *menacer*
wish, *souhaiter*

- On rencontre également cette construction après certains verbes suivis d'un complément d'objet direct, par exemple advise, *conseiller* :

  He advised me to sell my car. *Il m'a conseillé de vendre ma voiture.*

Autres verbes suivant cette construction :

advocate, *recommander*
allow, *permettre*
appreciate, *apprécier*
ask, *demander*
beg, *supplier*
cause, *causer*
encourage, *encourager*
expect, *s'attendre à*
help, *aider*
intend, *avoir l'intention de*
force, *forcer*
permit, *permettre*
persuade, *persuader*
prefer, *préférer*
propose, *proposer*
recommend, *recommander*
suggest, *suggérer*
want, *vouloir*

VERBE + (TO +) VERBE OU VERBE + -ING ?

84 Comment choisir ?

Comme on l'a vu, certains verbes se construisent tantôt avec -ing, tantôt avec (to +) verbe.
Le choix se fera selon que l'on considère l'action
- d'une manière concrète, dans sa réalisation présente ou passée, et l'on emploiera dans ce cas V + V-ing ;
- d'une manière abstraite, seulement souhaitée ou imaginée, et l'on utilisera V + (to +) V.

Comparez par exemple :

The plane is about to take off. I can feel it shuddering.
L'avion va décoller. Je le sens vibrer.

Have we taken off? I didn't feel the plane move.

On a décollé ? Je n'ai pas senti l'avion bouger.

Dans le second exemple, le present perfect (have taken off) exprime une action récente terminée, et le prétérit (didn't feel) un résultat (move) : le décollage.

85 Les verbes concernés

Cette différence se marque particulièrement avec les verbes de perception (→ 78) ou les verbes exprimant une opinion, une attitude personnelle, un choix.

I would hate to miss the beginning of this film.

Je ne voudrais vraiment pas rater le début de ce film.

I hate missing the beginning of a film.

Je déteste rater le début d'un film.

Quelques exemples de ce type de verbes :

abhor, *abhorrer*
abominate, *abhorrer*
adore, *adorer*
advise, *conseiller*
advocate, *préconiser*
appreciate, *apprécier*
begin, *commencer*
cease, *cesser*
commence, *commencer*
continue, *continuer*
detest, *détester*
disdain, *dédaigner*
dislike, *ne pas aimer*
dread, *craindre*
enjoy, *apprécier*
forget, *oublier*
get, *obtenir de*
hate, *détester*
imagine, *imaginer*
intend, *avoir l'intention de*
like, *aimer bien*
loathe, *détester*
love, *aimer*
need, *avoir besoin de*
permit, *permettre*
prefer, *préférer*
prescribe, *prescrire*
propose, *proposer*
proscribe, *proscrire*
recommend, *recommander*
regret, *regretter*
relish, *savourer*
remember, *se rappeler*
require, *exiger*
scorn, *mépriser*
start, *commencer*
stop, *arrêter*
suggest, *suggérer*
try, *essayer*
want, *vouloir, avoir besoin de*
watch, *observer*

À noter que need et want + V-ing ont un sens passif :

This car needs/wants repairing. *Cette voiture a besoin d'être réparée.*

LE DISCOURS INDIRECT

86 Le principe de fonctionnement

Le discours indirect permet de rapporter les paroles d'autrui par l'intermédiaire d'un verbe introducteur. Si le verbe introducteur est au **présent**, seuls changent les pronoms et certains adverbes, comme en français. Mais si le verbe introducteur est au **passé**, un certain nombre de **transformations** s'imposent.

Imaginons la scène suivante entre trois personnages. A téléphone à B, et C, curieux, demande à B ce que lui a dit A.

A "I'm hungry."
C What does she say?
B She says that she is hungry.

Mais, le lendemain, C ne se rappelle pas ce qu'a dit A. Il pose la même question à B, mais cette fois au passé.

C What did she say?
B She said that she was hungry.

Le verbe introducteur peut être suivi d'une complétive introduite par that, comme dans l'exemple précédent, ou par une interrogative.

"Why did Paul decide not to speak to me anymore?"
« Pourquoi Paul a-t-il décidé de ne plus me parler ? »
I asked him why Paul had decided not to speak to me.
Je lui ai demandé pourquoi Paul avait décidé de ne plus me parler.
"Will you bring the pudding you have made?"
« Tu apporteras le pudding que tu as préparé ? »
She asked him if he would bring the pudding he had made.
Elle lui demanda s'il apporterait le pudding qu'il avait préparé.

87 La concordance des temps au discours indirect

Les modifications concernant le passage du discours direct au discours indirect ont lieu selon le temps des paroles rapportées. Voici les différents cas rencontrés.

Discours direct au **présent**

"I am delighted to hear you."
« Je suis ravi de t'entendre. »

→ Discours indirect au **prétérit**

He said that he was delighted to hear her.
Il a dit qu'il était ravi de l'entendre.

Discours direct au ***present perfect***

"I haven't finished to eat yet." *« Je n'ai pas encore fini de manger. »*

→ Discours indirect au pluperfect

She confessed that he hadn't finished to eat yet.

Elle avoua qu'elle n'avait pas encore fini de manger.

Discours direct au **prétérit**

"I came here first two years ago."

« Je suis venu ici pour la première fois il y a deux ans. »

→ Discours indirect au *pluperfect*

He mentioned that he had came here first two years before.

Il remarqua qu'il était venu là pour la première fois deux ans plus tôt.

Discours direct au ***pluperfect***

"I had never slept so well before."

« Je n'avais jamais aussi bien dormi. »

→ Discours indirect au *pluperfect*

She remembered that he had never slept so well before.

Elle se rappela qu'elle n'avait jamais aussi bien dormi.

Discours direct au **futur**

"I'll phone Paul as soon as I know he's back."

« Je téléphonerai à Paul dès son retour. »

→ Discours indirect avec **would** + **verbe**

Later she informed me that she'd phone Paul as soon as she knew he was back.

Plus tard, elle m'informa qu'elle appellerait Paul dès qu'elle le saurait de retour.

Discours avec utilisation d'un **modal**

"I may come later," he said.

« Je pourrai venir plus tard », dit-il.

He said that he might come later.

Il a dit qu'il pourrait venir plus tard.

"You must follow my instructions," he said.

« Vous devez suivre mes directives », dit-il.

He reminded me that I had to follow his instructions.

Il me rappela que je devais suivre ses directives.

88 Les verbes introducteurs

Il existe de très nombreux verbes qui peuvent être suivis d'une complétive introduite par that, notamment dans une construction indirecte.

Exemples de ce type de verbes :

add, *ajouter*
appreciate, *apprécier*
boast, *se vanter*
brag, *se targuer*
confess, *avouer*
consider, *considérer*
deny, *nier*
dread, *avoir peur*
fancy, *imaginer*
fear, *craindre*
feel, *ressentir*
hear, *entendre dire*
inform, *informer*
imagine, *imaginer*
mention, *mentionner*
permit, *permettre*
propose, *proposer*
recommend, *recommander*
remember, *rappeler*
see, *voir, vérifier*
say, *dire*
smell, *sentir*
suggest, *suggérer*
tell, *dire*
understand, *comprendre*

ATTENTION On dit **say** something to somebody, mais **tell** somebody something.

Questions et tags

LES QUESTIONS

89 Définitions

Il existe deux types de questions.

- Les questions que l'on pourrait dire « fermées », dont on attend une réponse par yes ou no. Leur intonation est toujours montante.

  Do you like tea?

  Vous aimez le thé ?

- Les questions « ouvertes », dont on attend des réponses plus circonstanciées. Elles commencent par un mot interrogatif en wh- (who, what, when, which, where, why et how). Leur intonation est presque toujours descendante.

  Which tea do you prefer?

  Quel thé préférez-vous ?

90 Les questions fermées

- Avec un verbe ordinaire au présent ou au prétérit, on fait précéder la question de l'auxiliaire do ou did :

  Do you go out with him? *Est-ce que tu sors avec lui ?*

  Does she like this book? *Est-ce qu'elle aime ce livre ?*

  Did they write to him? *Lui ont-ils écrit ?*

- Si la phrase contient déjà un auxiliaire, qu'il s'agisse de be, de have ou d'un modal, une simple inversion suffit.

  Are you going with him?

  Allez-vous avec lui ?

  Have they been asked to participate?

  On leur a demandé de participer ?

  Must you really go now?

  Vous devez vraiment partir maintenant ?

- Dans le cas de plusieurs auxiliaires, l'inversion se fait entre le premier d'entre eux et le sujet.

  Could they have missed their train?

  Auraient-ils raté leur train ?

Si vous attendez plutôt une réponse positive, vous utiliserez la forme interro-négative, comme pour les tags (→ 94).

Shouldn't they be here now? *Ne devraient-ils pas être arrivés ?*

Mais si la forme n'est pas contractée, on place la négation juste avant le verbe.

Should they not be here now?

Doesn't he/Does he not like tea? *N'aime-t-il pas le thé ?*

91 Les questions ouvertes

Elles requièrent toujours un mot interrogatif, qui peut être

– un adverbe ou une expression adverbiale :

Where and when would you like your tea?
Où et quand aimeriez-vous prendre votre thé ?
Why didn't you tell him about it? *Pourquoi ne lui as-tu pas dit ?*
How did you like the film? *Qu'as-tu pensé du film ?*
How far can she run? *Jusqu'où peut-elle courir ?*
How long have they been reading?
Depuis combien de temps lisent-ils ?
How good are you at English? *Quel est votre niveau en anglais ?*
How well can he swim? *Quel est son niveau en natation ?*

– un pronom interrogatif complément :

Who(m) did you meet in London?
Qui as-tu rencontré à Londres ?
What does he have to do in London?
Que doit-il faire à Londres ?

– un pronom interrogatif sujet (il n'y a alors ni inversion du sujet, ni emploi de do/does/did) :

Who will go to London with me? *Qui ira à Londres avec moi ?*
What happened? *Que s'est-il passé ?*

Si la question comporte un **verbe à particule**, celles-ci se placent

– soit au début de la question :

To whom will you offer this book?
À qui offriras-tu ce livre ?

– soit, de préférence, à la fin de la question :

Who will you offer this book to?

Enfin, si la question porte sur le **choix** entre deux choses ou deux personnes, c'est le pronom which qui s'impose :

Which would you rather have dinner with, Jack or Jim?
Avec lequel préférerais-tu dîner, Jack ou Jim ?

LES TAGS

92 Définition

Le mot tag désigne une étiquette fixée à l'envers d'un vêtement et qui porte sa marque, des conseils d'entretien, une information supplémentaire. En grammaire, c'est une courte expression qui, placée à la fin d'un énoncé affirmatif, interrogatif ou négatif, permet d'exprimer brièvement son opinion ou de solliciter son interlocuteur.

Ces structures sont toutes construites à partir d'auxiliaires.

I know the Joneses very well. **Do you**?
Je connais bien les Jones. Et vous ?
Yes, **I do.**/No, **I don't.** Oui./Non.
Have you already met them? **I have.**
Vous les avez déjà rencontrés? Moi, oui.

Do you?, I do, I don't et I have sont des tags sous leur forme la plus simple.

93 Réponses courtes

Haven't you already met them? Yes, I have./No, I haven't.
Ne les avez-vous pas déjà rencontrés ? Oui./Non.
Can you see that tree in the distance? Yes, I can./No, I can't.
Vous voyez cet arbre au loin ? Oui./Non.

94 Reprises interrogatives

C'est l'équivalent du français *n'est-ce pas ?* ou *non ?* ou encore, dans une langue moins soutenue, *hein ?*

- Phrase **affirmative** → tag **interronégatif**

Sheila knows them, doesn't she? *Sheila les connaît, n'est-ce pas ?*
You went with him, didn't you? *Tu es allé avec lui, non ?*
You can hear me, can't you? *Vous m'entendez, n'est-ce pas ?*

- Phrase **négative** → tag **interrogatif**

You won't leave me, will you? *Tu ne me quitteras pas, hein ?*
David shouldn't be here, should he? *David ne devrait pas être là, si ?*

- Phrase à l'**impératif** → tag **interrogatif**

Open the door, will you? *Ouvre la porte, veux-tu ?*
Let's have dinner, shall we? *Et si nous dînions ?*

Dans une conversation, les nuances exprimées sont complexes : l'**intonation** varie selon qu'il s'agit d'une simple demande de confirmation (intonation descendante) ou d'une demande de renseignement (intonation ascendante). Comparez :

Sheila knows them, doesn't she?

Intonation **montante**, vous attendez une réponse par oui ou non.

Sheila les connaît, non ? (Qu'en dites-vous ?)

Sheila knows them, doesn't she?

Intonation **descendante**, vous attendez une confirmation.

Sheila les connaît, non ? (Vous êtes bien d'accord ?)

De même, dans Open the door, will you? une intonation descendante insistera sur le caractère impérieux de l'ordre donné.

95 Réactions de l'interlocuteur

L'étonnement

Le tag traduit des expressions comme *Tiens ? Vraiment ? Vous croyez ? Ah oui ?...* L'auxiliaire du tag est accentué. L'intonation sera montante pour exprimer la surprise, descendante pour exprimer le doute ou l'indifférence.

- Phrase **affirmative** → tag **interrogatif**

  "He can swim very fast." "Can he?"

  « Il nage très vite. – Ah bon ? »

- Phrase **négative** → tag **interronégatif**

  "He didn't know this." "Didn't he?"

  « Il ne savait pas ça. – Vraiment ? »

La constatation

Le tag traduit des expressions comme *Eh oui ! C'est bien vrai ! Bien sûr !*

"He adores tea." "So he does."

« Il adore le thé. – Ça, tu peux le dire ! »

À ne pas confondre avec le tag : so + auxiliaire + sujet (*Moi aussi... Moi non plus...*).

La contradiction

- Phrase **affirmative** → tag **négatif**

  "I'll go with them." "I won't."

  « J'irai avec eux. – Pas moi. »

- Phrase **négative** → tag **affirmatif**

  "I don't like this film." "I do."

  « Je n'aime pas ce film. – Moi, si. »

Moi aussi... Moi non plus...

- Phrase **affirmative → so + auxiliaire + sujet**

  "I'd like a nice cup of tea." "So would I."

  « J'aimerais une bonne tasse de thé. – Moi aussi. »

  "He reads a lot." "So does Ann."

  « Il lit beaucoup. – Anne aussi. »

- Phrase **négative → neither + auxiliaire + sujet**

  "I can't see them." "Neither can I."

  « Je ne les vois pas. – Moi non plus. »

ATTENTION **Never**, **hardly** ont un sens négatif.

"I have never read such a good book." "Neither have I."

« Je n'ai jamais lu un aussi bon livre. – Moi non plus. »

"I can hardly imagine something better." "Neither can I."

« Je ne peux rien imaginer de mieux. – Moi non plus. »

Tableaux et listes

TABLEAUX DE CONJUGAISON

LES VERBES IRRÉGULIERS

Bescherelle ANGLAIS

Les numéros renvoient aux paragraphes.

Tableaux de conjugaison

Bien que toutes les conjugaisons soient possibles en théorie, certaines, notamment en ce qui concerne la forme continue (en -ing) à la voix passive et à la forme interronégative, sont devenues peu usitées à cause de leur lourdeur ou d'un contexte d'emploi peu réaliste.

Celles qui sont peu usitées figurent avec la mention *peu usitée* dans les tableaux ci-après ; d'autres, totalement tombées en désuétude, ont été remplacées par la mention *inusitée*.

Le modèle utilisé dans ces tableaux est le verbe régulier **ask**, **asked**, **asked**, *demander*.

LE PRÉSENT

→ Emplois du présent 4-7, → de la voix passive 32-35.
→ Forme interrogative 89-95.

96 Présent voix active

	PRÉSENT SIMPLE	PRÉSENT CONTINU
	FORME AFFIRMATIVE	FORME AFFIRMATIVE
sing. 1re	I ask	I am asking
3e	he/she/it asks	he/she/it is asking
2es, plur. 1re, 3e	we/you/they ask	we/you/they are asking
	FORME INTERROGATIVE	FORME INTERROGATIVE
sing. 1re	do I ask?	am I asking?
3e	does he/she/it ask?	is he/she/it asking?
2es, plur. 1re, 3e	do we/you/they ask?	are we/you/they asking?
	FORME NÉGATIVE	FORME NÉGATIVE
sing. 1re	I do not ask	I am not asking
3e	he/she/it does not ask	he/she/it is not asking
2es, plur. 1re, 3e	we/you/they do not ask	we/you/they are not asking
	FORME INTERRONÉGATIVE	FORME INTERRONÉGATIVE
sing. 1re	do I not ask?	am I not asking?
3e	does he/she/it not ask?	is he/she/it not asking?
2es, plur. 1re, 3e	do we/you/they not ask?	are we/you/they not asking?

97 Présent voix passive

	PRÉSENT SIMPLE	PRÉSENT CONTINU
	FORME AFFIRMATIVE	FORME AFFIRMATIVE
sing. 1re	I am asked	I am being asked
3e	he/she/it is asked	he/she/it is being asked
2es, plur. 1re, 3e	we/you/they are asked	we/you/they are being asked
	FORME INTERROGATIVE	FORME INTERROGATIVE
sing. 1re	am I asked?	am I being asked?
3e	is he/she/it asked?	is he/she/it being asked?
2es, plur. 1re, 3e	are we/you/they asked?	are we/you/they being asked?
	FORME NÉGATIVE	FORME NÉGATIVE
sing. 1re	I am not asked	I am not being asked
3e	he/she/it is not asked	he/she/it is not being asked
2es, plur. 1re, 3e	we/you/they are not asked	we/you/they are not being asked
	FORME INTERRONÉGATIVE	FORME INTERRONÉGATIVE *peu usitée*
sing. 1re	am I not asked?	am I not being asked?
3e	is he/she/it not asked?	is he/she/it not being asked?
2es, plur. 1re, 3e	are we/you/they not asked?	are we/you/they not being asked?

LE PRÉTÉRIT

→ Emplois du prétérit 13-16.

98 Prétérit voix active

	PRÉTÉRIT SIMPLE	PRÉTÉRIT CONTINU
	FORME AFFIRMATIVE	FORME AFFIRMATIVE
sing. 1re	I asked	I was asking
3e	he/she/it asked	he/she/it was asking
2es, plur. 1re, 3e	we/you/they asked	we/you/they were asking
	FORME INTERROGATIVE	FORME INTERROGATIVE
sing. 1re	did I ask?	was I asking?
3e	did he/she/it ask?	was he/she/it asking?
2es, plur. 1re, 3e	did we/you/they ask?	were we/you/they asking?
	FORME NÉGATIVE	FORME NÉGATIVE
sing. 1re	I did not ask	I was not asking
3e	he/she/it did not ask	he/she/it was not asking
2es, plur. 1re, 3e	we/you/they did not ask	we/you/they were not asking
	FORME INTERRONÉGATIVE	FORME INTERRONÉGATIVE
sing. 1re	did I not ask?	was I not asking?
3e	did he/she/it not ask?	was he/she/it not asking?
2es, plur. 1re, 3e	did we/you/they not ask?	were we/you/they not asking?

99 Prétérit voix passive

	PRÉTÉRIT SIMPLE	PRÉTÉRIT CONTINU
	FORME AFFIRMATIVE	FORME AFFIRMATIVE
sing. 1re	I was asked	I was being asked
3e	he/she/it was asked	he/she/it was being asked
2es, plur. 1re, 3e	we/you/they were asked	we/you/they were being asked
	FORME INTERROGATIVE	FORME INTERROGATIVE
sing. 1re	was I asked?	was I being asked?
3e	was he/she/it asked?	was he/she/it being asked?
2es, plur. 1re, 3e	were we/you/they asked?	were we/you/they being asked?
	FORME NÉGATIVE	FORME NÉGATIVE
sing. 1re	I was not asked	I was not being asked
3e	he/she/it was not asked	he/she/it was not being asked
2es, plur. 1re, 3e	we/you/they were not asked	we/you/they were not being asked
	FORME INTERRONÉGATIVE	FORME INTERRONÉGATIVE *peu usitée*
sing. 1re	was I not asked?	was I not being asked?
3e	was he/she/it not asked?	was he/she/it not being asked?
2es, plur. 1re, 3e	were we/you/they not asked?	were we/you/they not being asked?

LE PRESENT PERFECT

→ Emplois du *present perfect* 8-12.

100 *Present perfect* voix active

	PRESENT PERFECT **SIMPLE**	PRESENT PERFECT **CONTINU**
	FORME AFFIRMATIVE	**FORME AFFIRMATIVE**
sing. 1re	I have asked	I have been asking
3e	he/she/it has asked	he/she/it has been asking
2es, plur. 1re, 3e	we/you/they have asked	we/you/they have been asking
	FORME INTERROGATIVE	**FORME INTERROGATIVE**
sing. 1re	have I asked?	have I been asking?
3e	has he/she/it asked?	has he/she/it been asking?
2es, plur. 1re, 3e	have we/you/they asked?	have we/you/they been asking?
	FORME NÉGATIVE	**FORME NÉGATIVE**
sing. 1re	I have not asked	I have not been asking
3e	he/she/it has not asked	he/she/it has not been asking
2es, plur. 1re, 3e	we/you/they have not asked	we/you/they have not been asking
	FORME INTERRONÉGATIVE	**FORME INTERRONÉGATIVE** *peu usitée*
sing. 1re	have I not asked?	have I not been asking?
3e	has he/she/it not asked?	has he/she/it not been asking?
2es, plur. 1re, 3e	have we/you/they not asked?	have we/you/they not been asking?

101 *Present perfect* voix passive

	PRESENT PERFECT **SIMPLE**	PRESENT PERFECT **CONTINU**
	FORME AFFIRMATIVE	**FORME AFFIRMATIVE**
sing. 1re	I have been asked	*inusitée*
3e	he/she/it has been asked	
2es, plur. 1re, 3e	we/you/they have been asked	
	FORME INTERROGATIVE	**FORME INTERROGATIVE**
sing. 1re	have I been asked?	*inusitée*
3e	has he/she/it been asked?	
2es, plur. 1re, 3e	have we/you/they been asked?	
	FORME NÉGATIVE	**FORME NÉGATIVE**
sing. 1re	I have not been asked	*inusitée*
3e	he/she/it has not been asked	
2es, plur. 1re, 3e	we/you/they have not been asked	
	FORME INTERRONÉGATIVE	**FORME INTERRONÉGATIVE**
sing. 1re	have I not been asked?	*inusitée*
3e	has he/she/it not been asked?	
2es, plur. 1re, 3e	have we/you/they not been asked?	

LE PLUPERFECT

→ Emplois du *pluperfect* 17-19.

102 *Pluperfect* voix active

	PLUPERFECT SIMPLE	PLUPERFECT CONTINU
	FORME AFFIRMATIVE	FORME AFFIRMATIVE
sing. 1re	I had asked	I had been asking
3e	he/she/it had asked	he/she/it had been asking
2es, plur. 1re, 3e	we/you/they had asked	we/you/they had been asking
	FORME INTERROGATIVE	FORME INTERROGATIVE
sing. 1re	had I asked?	had I been asking?
3e	had he/she/it asked?	had he/she/it been asking?
2es, plur. 1re, 3e	had we/you/they asked?	had we/you/they been asking?
	FORME NÉGATIVE	FORME NÉGATIVE
sing. 1re	I had not asked	I had not been asking
3e	he/she/it had not asked	he/she/it had not been asking
2es, plur. 1re, 3e	we/you/they had not asked	we/you/they had not been asking
	FORME INTERRONÉGATIVE	FORME INTERRONÉGATIVE
sing. 1re	had I not asked?	had I not been asking?
3e	had he/she/it not asked?	had he/she/it not been asking?
2es, plur. 1re, 3e	had we/you/they not asked?	had we/you/they not been asking?

103 *Pluperfect* voix passive

	PLUPERFECT SIMPLE	PLUPERFECT CONTINU
	FORME AFFIRMATIVE	FORME AFFIRMATIVE
sing. 1re	I had been asked	*inusitée*
3e	he/she/it had been asked	
2es, plur. 1re, 3e	we/you/they had been asked	
	FORME INTERROGATIVE	FORME INTERROGATIVE
sing. 1re	had I been asked?	*inusitée*
3e	had he/she/it been asked?	
2es, plur. 1re, 3e	had we/you/they been asked?	
	FORME NÉGATIVE	FORME NÉGATIVE
sing. 1re	I had not been asked	*inusitée*
3e	he/she/it had not been asked	
2es, plur. 1re, 3e	we/you/they had not been asked	
	FORME INTERRONÉGATIVE	FORME INTERRONÉGATIVE
sing. 1re	had I not been asked?	*inusitée*
3e	had he/she/it not been asked?	
2es, plur. 1re, 3e	had we/you/they not been asked?	

LE FUTUR

→ Emplois du futur 20-24.

104 Futur voix active

	FUTUR SIMPLE	FUTUR CONTINU
	FORME AFFIRMATIVE	FORME AFFIRMATIVE
sing., plur. 1re	I/we shall ask	I/we shall be asking
sing. 3e	he/she/it will ask	he/she/it will be asking
2es, plur. 3e	you/they will ask	you/they will be asking
	FORME INTERROGATIVE	FORME INTERROGATIVE
sing., plur. 1re	shall I/we ask?	shall I/we be asking?
sing. 3e	will he/she/it ask?	will he/she/it be asking?
2es, plur. 3e	will you/they ask?	will you/they be asking?
	FORME NÉGATIVE	FORME NÉGATIVE
sing., plur. 1re	I/we shall not ask	I/we shall not be asking
sing. 3e	he/she/it will not ask	he/she/it will not be asking
2es, plur. 3e	you/they will not ask	you/they will not be asking
	FORME INTERRONÉGATIVE	FORME INTERRONÉGATIVE *peu usitée*
sing., plur. 1re	shall I/we not ask?	shall I/we not be asking?
sing. 3e	will he/she/it not ask?	will he/she/it not be asking?
2es, plur. 3e	will you/they not ask?	will you/they not be asking?

105 Futur voix passive

	FUTUR SIMPLE	FUTUR CONTINU
	FORME AFFIRMATIVE	FORME AFFIRMATIVE
sing., plur. 1re	I/we shall be asked	*inusitée*
sing. 3e	he/she/it will be asked	
2es, plur. 3e	you/they will be asked	
	FORME INTERROGATIVE	FORME INTERROGATIVE
sing., plur. 1re	shall I/we be asked?	*inusitée*
sing. 3e	will he/she/it be asked?	
2es, plur. 3e	will you/they be asked?	
	FORME NÉGATIVE	FORME NÉGATIVE
sing., plur. 1re	I/we shall not be asked	*inusitée*
sing. 3e	he/she/it will not be asked	
2es, plur. 3e	you/they will not be asked	
	FORME INTERRONÉGATIVE	FORME INTERRONÉGATIVE
sing., plur. 1re	shall I/we not be asked?	*inusitée*
sing. 3e	will he/she/it not be asked?	
2es, plur. 3e	will you/they not be asked?	

LE FUTUR ANTÉRIEUR

106 Futur antérieur voix active

	FUTUR ANTÉRIEUR SIMPLE	FUTUR ANTÉRIEUR CONTINU
	FORME AFFIRMATIVE	FORME AFFIRMATIVE *peu usitée*
sing., plur. 1re	I/we shall have asked	I/we shall have been asking
sing. 3e	he/she/it will have asked	he/she/it will have been asking
2es, plur. 3e	you/they will have asked	you/they will have been asking
	FORME INTERROGATIVE	FORME INTERROGATIVE *peu usitée*
sing., plur. 1re	shall I/we have asked?	shall I/we have been asking?
sing. 3e	will he/she/it have asked?	will he/she/it have been asking?
2es, plur. 3e	will you/they have asked?	will you/they have been asking?
	FORME NÉGATIVE	FORME NÉGATIVE *peu usitée*
sing., plur. 1re	I/we shall not have asked	I/we shall not have been asking
sing. 3e	he/she/it will not have asked	he/she/it will not have been asking
2es, plur. 3e	you/they will not have asked	you/they will not have been asking
	FORME INTERRONÉGATIVE	FORME INTERRONÉGATIVE *peu usitée*
sing., plur. 1re	shall I/we not have asked?	shall I/we not have been asking?
sing. 3e	will he/she/it not have asked?	will he/she/it not have been asking?
2es, plur. 3e	will you/they not have asked?	will you/they not have been asking?

107 Futur antérieur voix passive

	FUTUR ANTÉRIEUR SIMPLE	FUTUR ANTÉRIEUR CONTINU
	FORME AFFIRMATIVE	FORME AFFIRMATIVE
sing., plur. 1re	I/we shall have been asked	*inusitée*
sing. 3e	he/she/it will have been asked	
2es, plur. 3e	you/they will have been asked	
	FORME INTERROGATIVE	FORME INTERROGATIVE
sing., plur. 1re	shall I/we have been asked?	*inusitée*
sing. 3e	will he/she/it have been asked?	
2es, plur. 3e	will you/they have been asked?	
	FORME NÉGATIVE	FORME NÉGATIVE
sing., plur. 1re	I/we shall not have been asked	*inusitée*
sing. 3e	he/she/it will not have been asked	
2es, plur. 3e	you/they will not have been asked	
	FORME INTERRONÉGATIVE	FORME INTERRONÉGATIVE
sing., plur. 1re	shall I/we not have been asked?	*inusitée*
sing. 3e	will he/she/it not have been asked?	
2es, plur. 3e	will you/they not have been asked?	

LE CONDITIONNEL PRÉSENT

→ Emplois du conditionnel 29-31.

108 Conditionnel présent voix active

	CONDITIONNEL PRÉSENT SIMPLE	CONDITIONNEL PRÉSENT CONTINU
	FORME AFFIRMATIVE	FORME AFFIRMATIVE
sing., plur. 1re	I/we should ask	I/we should be asking
sing. 3e	he/she/it would ask	he/she/it would be asking
2es, plur. 1re, 3e	you/they would ask	you/they would be asking
	FORME INTERROGATIVE	FORME INTERROGATIVE
sing., plur. 1re	should I/we ask?	should I/we be asking?
sing. 3e	would he/she/it ask?	would he/she/it be asking?
2es, plur. 1re, 3e	would you/they ask?	would you/they be asking?
	FORME NÉGATIVE	FORME NÉGATIVE
sing., plur. 1re	I/we should not ask	I/we should not be asking
sing. 3e	he/she/it would not ask	he/she/it would not be asking
2es, plur. 1re, 3e	you/they would not ask	you/they would not be asking
	FORME INTERRONÉGATIVE	FORME INTERRONÉGATIVE
sing., plur. 1re	should I/we not ask?	should I/we not be asking?
sing. 3e	would he/she/it not ask?	would he/she/it not be asking?
2es, plur. 1re, 3e	would you/they not ask?	would you/they not be asking?

109 Conditionnel présent voix passive

	CONDITIONNEL PRÉSENT SIMPLE	CONDITIONNEL PRÉSENT CONTINU
	FORME AFFIRMATIVE	FORME AFFIRMATIVE
sing., plur. 1re	I/we should be asked	*inusitée*
sing. 3e	he/she/it would be asked	
2es, plur. 1re, 3e	you/they would be asked	
	FORME INTERROGATIVE	FORME INTERROGATIVE
sing., plur. 1re	should I/we be asked?	*inusitée*
sing. 3e	would he/she/it be asked?	
2es, plur. 1re, 3e	would you/they be asked?	
	FORME NÉGATIVE	FORME NÉGATIVE
sing., plur. 1re	I/we should not be asked	*inusitée*
sing. 3e	he/she/it would not be asked	
2es, plur. 1re, 3e	you/they would not be asked	
	FORME INTERRONÉGATIVE	FORME INTERRONÉGATIVE
sing., plur. 1re	should I/we not be asked?	*inusitée*
sing. 3e	would he/she/it not be asked?	
2es, plur. 1re, 3e	would you/they not be asked?	

LE CONDITIONNEL PASSÉ

110 Conditionnel passé voix active

	CONDITIONNEL PASSÉ SIMPLE	CONDITIONNEL PASSÉ CONTINU
	FORME AFFIRMATIVE	FORME AFFIRMATIVE
sing., plur. 1re	I/we should have asked	I/we should have been asking
sing. 3e	he/she/it would have asked	he/she/it would have been asking
2es, plur. 1re, 3e	you/they would have asked	you/they would have been asking
	FORME INTERROGATIVE	FORME INTERROGATIVE
sing., plur. 1re	should I/we have asked?	should I/we have been asking?
sing. 3e	would he/she/it have asked?	would he/she/it have been asking?
2es, plur. 1re, 3e	would you/they have asked?	would you/they have been asking?
	FORME NÉGATIVE	FORME NÉGATIVE
sing., plur. 1re	I/we should not have asked	I/we should not have been asking
sing. 3e	he/she/it would not have asked	he/she/it would not have been asking
2es, plur. 1re, 3e	you/they would not have asked	you/they would not have been asking
	FORME INTERRONÉGATIVE	FORME INTERRONÉGATIVE
sing., plur. 1re	should I/we not have asked?	should I/we not have been asking?
sing. 3e	would he/she/it not have asked?	would he/she/it not have been asking?
2es, plur. 1re, 3e	would you/they not have asked?	would you/they not have been asking?

111 Conditionnel passé voix passive

	CONDITIONNEL PASSÉ SIMPLE	CONDITIONNEL PASSÉ CONTINU
	FORME AFFIRMATIVE	FORME AFFIRMATIVE
sing., plur. 1re	I/we should have been asked	*inusitée*
sing. 3e	he/she/it would have been asked	
2es, plur. 1re, 3e	you/they would have been asked	
	FORME INTERROGATIVE	FORME INTERROGATIVE
sing., plur. 1re	should I/we have been asked?	*inusitée*
sing. 3e	would he/she/it have been asked?	
2es, plur. 1re, 3e	would you/they have been asked?	
	FORME NÉGATIVE	FORME NÉGATIVE
sing., plur. 1re	I/we should not have been asked	*inusitée*
sing. 3e	he/she/it would not have been asked	
2es, plur. 1re, 3e	you/they would not have been asked	
	FORME INTERRONÉGATIVE	FORME INTERRONÉGATIVE
sing., plur. 1re	should I/we not have been asked?	*inusitée*
sing. 3e	would he/she/it not have been asked?	
2es, plur. 1re, 3e	would you/they not have been asked?	

LES TERMINAISONS VERBALES

112 Prononciation des terminaisons

Terminaison du présent (troisième personne du singulier)

- Elle se prononce [s] après les consonnes [f] (laughs), [k] (blinks), [p] (grasps), [t] (lifts) et [θ] (smooths).
- Elle se prononce [z] :
  - après les consonnes [v] (loves), [ŋ] (bangs), [b] (disturbs), [d] (binds), [l] (travels), [m] (seems), [n] (abandons), [ð] (bathes) ;
  - après une voyelle, le plus souvent [ɪ], (carries) ;
  - après les diphtongues [eɪ] (plays), [aɪ] (sighs), [əʊ] (bows), [ɔɪ] (annoys).
- Après les consonnes [s], [z], [dʒ], [ʃ], il serait difficile de prononcer immédiatement le son [s]. Les Anglais prononcent donc [ɪz], comme dans convinces, advises, changes, washes. Dans certains cas, cela impliquera une modification orthographique (→ 113).

Terminaison du passé des verbes réguliers (-ed)

- Elle se prononce le plus souvent [d] : abandoned, annoyed, banged, bathed, bowed, carried, disturbed, loved, played, seemed, sighed, travelled...
- Mais elle se prononce :
  - [ɪd] après [t] (lifted) et [d] (handed) ;
  - [t] après [f] (laughed), [k] (blinked), [p] (grasped), [s] (convinced), [ʃ] (washed).

113 Modifications orthographiques

Terminaison de la troisième personne du singulier

- La terminaison -y devient -ies : carry → carries.
- La prononciation [iz] se manifeste par l'ajout d'un **e** de soutien devant le **s** final : pass → passes, watch → watches, buzz → buzzes.

Terminaison des verbes réguliers (-ed)

- La terminaison -y devient -ied : carry → carried.
- On n'ajoute que le -d après les verbes se terminant en -e : love → loved.

Terminaison en -ing

- La terminaison -e est remplacée par -ing : love → loving.
- La terminaison -ie devient -ying : lie → lying.

Redoublement de la consonne finale

- Quand le verbe ne comporte qu'une seule syllabe et que la consonne finale est précédée d'une seule voyelle courte : beg → begged, begging.
- Quand le verbe compte plusieurs syllabes, dont la dernière est accentuée, et que la consonne finale est immédiatement précédée d'une seule voyelle courte : admit → admitted, admitting.

AUXILIAIRES : TABLEAU DES CONTRACTIONS

114 L'auxiliaire *be*

FORME AFFIRMATIVE

I am	I'm
he is	he's
we are	we're

FORME NÉGATIVE

I am not	I'm not
he is not	he isn't/he's not
we are not	we aren't/we're not
I was not	I wasn't
we were not	we weren't

FORME INTERRONÉGATIVE

am I not?	aren't I? *(fam.)* ain't I? *(fam.)*
is he not?	isn't he?
are we not?	aren't we?
was I not?	wasn't I?
were we not?	weren't we?

115 L'auxiliaire *have*

FORME AFFIRMATIVE

I have	I've
he has	he's
we have	we've
I had	I'd

FORME NÉGATIVE

I have not	I haven't
he has not	he hasn't
we have not	we haven't
I had not	I hadn't

FORME INTERRONÉGATIVE

have I not?	haven't I?
has he not?	hasn't he?
have we not?	haven't we?
had I not?	hadn't I?

116 L'auxiliaire *do*

FORME AFFIRMATIVE		FORME NÉGATIVE	
I do		I do not	I don't
he does		he does not	he doesn't
he did		he did not	he didn't

FORME INTERRONÉGATIVE

do I not?	don't I?
does he not?	doesn't he?
did he not?	didn't he?

117 Les auxiliaires *shall/should, will/would*

FORME AFFIRMATIVE		FORME NÉGATIVE	
I shall	I'll	I shall not	I shan't
he will	he'll	he will not	he won't
I should	I'd	I should not	I shouldn't
he would	he'd	he would not	he wouldn't
I should have	I should've	I should not have	I shouldn't have
he would have	he would've	he would not have	he wouldn't have

FORME INTERRONÉGATIVE

shall I not?	shan't I?
will he not?	won't he?
should I not?	shouldn't I?
would he not?	wouldn't he?
should I not have?	shouldn't I have?
would he not have?	wouldn't he have?

118 Les auxiliaires *can/could, must/might, ought to*

FORME NÉGATIVE		FORME INTERRONÉGATIVE	
I cannot	I can't	can I not?	can't I?
I could not	I couldn't	could I not?	couldn't I?
I must not	I mustn't	must I not?	mustn't I?
I might not	I mightn't	might I not?	mightn't I?
I ought not to	I oughtn't to	ought I not to?	oughtn't I to?

Les verbes irréguliers

NOTIONS DE BASE

119 Définition d'un verbe irrégulier

La majorité des verbes anglais ont très régulièrement quatre formes : like, likes, liked, liking.
Moins de deux cents verbes sont dits irréguliers parce qu'ils ont des formes spéciales pour le prétérit et le participe passé :
begin, begins, began, begun, beginning.

C'est une voyelle, que nous appellerons **centrale**, qui marque le changement essentiel : elle peut rester la même aux trois temps ; elle peut aussi changer une ou deux fois. Cette voyelle (ou diphtongue) se situe, soit entre les deux consonnes des verbes d'une syllabe (c**u**t, h**i**t, r**u**n...), soit au milieu de la dernière syllabe (beg**i**n, underst**a**nd...). L'irrégularité d'un verbe anglais n'étant marquée que par un seul son, cette voyelle peut être également dite **phonétique**.

120 Classement des verbes irréguliers

C'est le fonctionnement de cette voyelle centrale qui détermine le classement choisi : il pourra aider à la mémorisation. On distinguera trois catégories, en symbolisant la voyelle (ou diphtongue) centrale du présent par A, celle du prétérit par B et celle du participe passé par C.

- Trois voyelles semblables : hit, hit, hit (AAA) *atteindre, frapper*
- Deux voyelles semblables : cling, clung, clung (ABB) *s'accrocher*
  run, ran, run (ABA) *courir*
- Trois voyelles différentes : begin, began, begun (ABC) *commencer*

Dans certains cas, la terminaison se modifie également.
Le d de l'infinitif peut se changer en t : build, built, built (*construire*).
Ou encore on peut observer l'addition d'un n : break, broke, broken (*casser*).

121 Le sens des verbes irréguliers

Il peut être utile de savoir que ces verbes concernent généralement :
– des activités vitales et quotidiennes : eat, drink, sleep, build, dwell...
– des mouvements et activités du corps : see, smell, lie, run, swim, make...
– des relations de communication : say, speak, tell, teach, learn...
– des relations de défense ou d'agression : beat, fight, hit, strike...
– des relations commerciales : bid, buy, sell...

On retiendra que :
– plusieurs de ces verbes sont rares ;
– dans d'assez nombreux cas, une forme faible en -ed est possible ;
– tous les verbes nouveaux – il en naît chaque année – rejoignent la forme rassurante des verbes réguliers en -ed.

LISTES DES VERBES IRRÉGULIERS

122 Trois voyelles semblables : AAA

A	A	A	
[ɪ]	[ɪ]	[ɪ]	
hit	hit	hit	*atteindre, frapper*
knit[1]	knit/knitted	knit/knitted	*tricoter*
quit	quit	quit	*quitter*
slit	slit	slit	*fendre, inciser*
split	split	split	*fendre*
rid[2]	rid/ridded	rid/ridded	*débarrasser*
bid	bid/bade	bid/bidden	*offrir [enchère], ordonner*
build	built	built	*bâtir*
spill	spilt/spilled	spilt/spilled	*répandre [un liquide]*
[e]	[e]	[e]	
bet	bet	bet	*parier*
let	let	let	*laisser, permettre, louer*

1 **knit** : régulier au sens propre (a knitted sweater), irrégulier au sens figuré (a well-knit plot: *une conspiration bien ourdie*).
2 **rid** : surtout employé au participe passé : to get rid of (*se débarrasser de*).

set	set	set	placer
shed	shed	shed	verser [des larmes, du sang]
spread	spread	spread	étendre, répandre
bend	bent	bent	courber
lend	lent	lent	prêter
send	sent	sent	envoyer
spend	spent	spent	dépenser, passer [du temps]
dwell	dwelt	dwelt	habiter
smell	smelt/smelled	smelt/smelled	sentir [une odeur]
spell	spelt/spelled	spelt/spelled	épeler
[ʌ]	[ʌ]	[ʌ]	
cut	cut	cut	couper
shut	shut	shut	fermer
thrust	thrust	thrust	enfoncer
[ʊ]	[ʊ]	[ʊ]	
put	put	put	mettre
[ɒ]	[ɒ]	[ɒ]	
cost	cost	cost	coûter
[iː]	[iː]	[iː]	
beat[1]	beat	beaten	battre
[ɜː]	[ɜː]	[ɜː]	
burst	burst	burst	éclater
hurt	hurt	hurt	faire mal
burn	burnt/burned	burnt/burned	brûler
learn	learnt/learned	learnt/learned	apprendre
[ɑː]	[ɑː]	[ɑː]	
broadcast	broadcast	broadcast	diffuser
cast[2]	cast	cast	lancer
forecast	forecast	forecast	prévoir
[ɔɪ]	[ɔɪ]	[ɔɪ]	
spoil	spoilt/spoiled	spoilt/spoiled	gâter, gâcher
[æ]	[æ]	[æ]	
have	had	had	avoir

1 **beat** : le participe passé est beat dans dead-beat (*crevé de fatigue*) (fam.).
2 **cast** : surtout au sens figuré.

[eɪ]	[eɪ]	[eɪ]	
grave	graved	graven/graved	*graver*
lade	laded	laden/laded	*charger*
make	made	made	*fabriquer*
lay	laid	laid	*poser à plat*
pay	paid	paid	*payer*
[ɔː]	[ɔː]	[ɔː]	
saw	sawed	sawn/sawed	*scier*
[uː]	[uː]	[uː]	
strew	strewed	strewn/strewed	*joncher*
[juː]	[juː]	[juː]	
hew	hewed	hewn/hewed	*tailler à la hache*
[əʊ]	[əʊ]	[əʊ]	
mow	mowed	mown/mowed	*faucher*
show	showed	shown/showed	*montrer*
sow	sowed	sown/sowed	*semer*
sew	sewed	sewn/sewed	*coudre*

- Dans cette catégorie, le participe passé est le plus souvent devenu aussi régulier. La forme irrégulière est quelquefois conservée pour l'adjectif.

On peut y ajouter des formes isolées comme :
– **wrought** (de to work : *œuvrer*) dans wrought iron : *le fer forgé* ;
– **shaven** (de to shave : *raser*) dans a clean-shaven face : *un visage bien rasé* ;
– **molten** (de to melt : *fondre*) dans molten lead : *plomb fondu* ;
– **rotten** (de to rot : *pourrir*) dans rotten eggs : *des œufs pourris*.

- Alors que les participes passés à valeur verbale, utilisés en tant que formes verbales, au present perfect ou à la voix passive, sont réguliers.

123 Deux voyelles semblables : ABB

A	**B**	**B**	
[ɪ]	[ʌ]	[ʌ]	
cling	clung	clung	*s'accrocher*
dig	dug	dug	*creuser*
fling	flung	flung	*lancer, jeter*
sling	slung	slung	*lancer [fronde]*
slink	slunk	slunk	*aller furtivement*
spin	spun	spun	*tournoyer*
stick	stuck	stuck	*coller*

sting	stung	stung	*piquer [insecte]*
string[1]	strung	strung	*enfiler*
swing	swung	swung	*(se) balancer*
wring	wrung	wrung	*tordre*
win	won	won	*gagner*
[æ]	[ʌ]	[ʌ]	
hang[2]	hung/hanged	hung/hanged	*pendre*
[aɪ]	[ʌ]	[ʌ]	
strike[3]	struck	struck	*frapper*
[aɪ]	[ɪ]	[ɪ]	
bite	bit	bitten/bit	*mordre*
chide	chid	chidden	*gronder*
hide	hid	hidden/hid	*cacher*
light[4]	lit	lit	*allumer*
slide	slid	slid	*glisser*
[aɪ]	[ɒ]	[ɒ]	
shine[5]	shone	shone	*briller*
[eɪ]	[e]	[e]	
say[6]	said	said	*dire*
[iː]	[e]	[e]	
lead	led	led	*mener*
read	read	read	*lire*
bleed	bled	bled	*saigner*
breed[7]	bred	bred	*élever [des animaux]*
feed	fed	fed	*nourrir*
flee	fled	fled	*fuir*
speed	sped/speeded	sped/speeded	*(se) hâter*
cleave[8]	cleft/cleaved	cleft/cleaved	*fendre*
leave	left	left	*laisser, quitter*
deal	dealt	dealt	*distribuer*

1 **string** : on utilise le participe passé régulier dans stringed instruments (*instruments à cordes*).
2 **hang** : le verbe est régulier dans le sens de : *exécuter par pendaison*.
3 **strike** : au sens figuré, le participe passé peut être stricken.
4 **light** : le participe régulier est employé comme une épithète : a lighted candle. Le participe passé irrégulier s'emploie après be (the candle is lit) et dans les composés (floodlit : *illuminé*).
5 **shine** : le verbe est régulier dans : to shine shoes (*cirer des chaussures*).
6 **say** : la voyelle est courte [sed] aux prétérit et participe passé, mais elle est longue dans gainsay (*contredire*).
7 **breed** : quand il s'agit d'enfants : bring up.
8 **cleave** : emplois courants du participe passé cloven, dans cloven hoof (*sabot/pied fourchu*), de cleft dans to be in a cleft stick (*être dans une impasse*).

dream	dreamt/dreamed	dreamt/dreamed	*rêver*
lean	leant/leaned	leant/leaned	*s'appuyer*
leap	leapt/leaped	leapt/leaped	*sauter*
mean	meant	meant	*signifier*
creep	crept	crept	*ramper*
feel	felt	felt	*ressentir*
keep	kept	kept	*garder*
kneel	knelt	knelt	*s'agenouiller*
meet	met	met	*(se) rencontrer*
sleep	slept	slept	*dormir*
sweep	swept	swept	*balayer*
weep	wept	wept	*pleurer*
[æ]	[u:]	[u:]	
stand	stood	stood	*être debout*
understand	understood	understood	*comprendre*
[e]	[əʊ]	[əʊ]	
sell	sold	sold	*vendre*
tell	told	told	*raconter*
[u:]	[ɒ]	[ɒ]	
shoe[1]	shod	shod	*ferrer*
lose	lost	lost	*perdre*
shoot	shot	shot	*[arme] tirer, filmer*
[aɪ]	[aʊ]	[aʊ]	
bind	bound	bound	*lier*
find	found	found	*trouver*
grind	ground	ground	*moudre*
wind	wound	wound	*enrouler*
[əʊ]	[e]	[e]	
hold	held	held	*tenir*
[ɪə]	[ɜ:]	[ɜ:]	
hear	heard	heard	*entendre*
[ɪ:]	[ɔ:]	[ɔ:]	
beseech	besought/ beseeched	besought/ beseeched	*implorer*
seek	sought	sought	*chercher*
teach	taught	taught	*enseigner*

1 **shoe** : pour les personnes, s'emploie surtout au participe passé (well shod : *bien chaussé*).

[ɪ]	[ɔː]	[ɔː]	
bring	brought	brought	*apporter*
think	thought	thought	*penser*
[aɪ]	[ɔː]	[ɔː]	
buy	bought	bought	*acheter*
fight	fought	fought	*combattre*
[æ]	[ɔː]	[ɔː]	
catch	caught	caught	*attraper*
[ɪ]	[æ]	[æ]	
sit	sat	sat	*être assis*
spit	spat	spat	*cracher*
[e]	[ɔ]	[ɔ]	
forget	forgot	forgotten/forgot	*oublier*
get[1]	got	got	*obtenir*
tread	trod	trodden	*piétiner*
[iː]	[əʊ]	[əʊ]	
cleave	clove/cleft/ cleaved	cloven/cleft/ cleaved	*fendre*
heave[2]	hove/heaved	hove/heaved	*soulever*
speak	spoke	spoken	*parler*
steal	stole	stolen	*dérober*
weave	wove	woven	*tisser*
freeze	froze	frozen	*geler*
[uː]	[əʊ]	[əʊ]	
choose	chose	chosen	*choisir*
[eɪ]	[əʊ]	[əʊ]	
awake	awoke	awoken	*éveiller*
break[3]	broke	broken	*casser*
wake[4]	woke/waked	woken/waked	*réveiller*
[aɪ]	[eɪ]	[eɪ]	
lie[5]	lay	lain	*être couché*
[eə]	[ɔː]	[ɔː]	
bear[6]	bore	born/borne	*(sup)porter*

1 **get** : gotten = obtained, become (US). Dans les composés : forget, forgot, forgotten (GB), beget, begot, begotten.
2 **heave** : le verbe n'est irrégulier que dans la langue des marins (to heave the anchor: *lever l'ancre*).
3 **break** : le participe passé broke est employé dans un sens familier, *fauché*.
4 **wake** : régulier parfois en américain.
5 **lie** : régulier dans le sens de *mentir*.
6 **bear** : to be born = *naître* (verbe passif).

tear	tore	torn	déchirer
swear	swore	sworn	jurer
wear	wore	worn	porter, user [des vêtements]

124 Deux voyelles semblables : AAB

A	A	B	
[e]	[e]	[əʊ]	
swell	swelled	swollen/swelled	enfler
[aɪ]	[aɪ]	[ɪ]	
shrive	shrived	shriven/shrived	confesser
[eə]	[eə]	[ɔː]	
shear	sheared	shorn/sheared	tondre

125 Deux voyelles semblables : ABA

A	B	A	
[ʌ]	[æ]	[ʌ]	
run	ran	run	courir
[ʌ]	[eɪ]	[ʌ]	
become	became	become	devenir
come	came	come	venir
[ɪ]	[eɪ]	[ɪ]	
forgive	forgave	forgiven	pardonner
give	gave	given	donner
[ɪː]	[e]	[ɪː]	
eat[1]	ate	eaten	manger
[ɪː]	[ɔː]	[ɪː]	
see	saw	seen	voir
[ɪː]	[ɔ]	[ɪː]	
be	was/were	been	être
[ɔː]	[e]	[ɔː]	
fall	fell	fallen	tomber
[ɔː]	[uː]	[ɔː]	
draw	drew	drawn	tirer
withdraw	withdrew	withdrawn	(se) retirer

1 **eat** : ate est prononcé [et] en Grande-Bretagne et [eit] aux États-Unis.

[eɪ]	[ʊ]	[eɪ]	
mistake	mistook	mistaken	*se tromper*
shake	shook	shaken	*secouer*
take	took	taken	*prendre*
undertake	undertook	undertaken	*entreprendre*
[eɪ]	[uː]	[eɪ]	
slay	slew/slayed	slain	*assassiner*
[əʊ]	[uː]	[əʊ]	
blow	blew	blown	*souffler*
grow	grew	grown	*croître*
throw	threw	thrown	*jeter*
[əʊ]	[juː]	[əʊ]	
know	knew	known	*savoir*

126 Trois voyelles différentes : ABC

A	B	C	
[ɪ]	[æ]	[ʌ]	
begin	began	begun	*commencer*
swim	swam	swum	*nager*
ring[1]	rang	rung	*sonner*
sing	sang	sung	*chanter*
spring	sprang	sprung	*bondir*
drink[2]	drank	drunk	*boire*
shrink[3]	shrank	shrunk	*se rétrécir*
sink[4]	sank	sunk	*sombrer*
stink	stank	stunk	*puer*
[aɪ]	[əʊ]	[ɪ]	
arise	arose	arisen	*survenir*
drive	drove	driven	*conduire*
strive	strove	striven	*s'efforcer*
thrive	throve/thrived	thriven/thrived	*prospérer*
ride	rode	ridden	*chevaucher*
stride	strode	stridden	*enjamber*
smite	smote	smitten	*frapper*

1 **ring** : régulier dans le sens de : *encercler*.
2 **drink** : le participe passé drunken est utilisé comme épithète (a drunken man), mais on dit he is drunk (*il est soûl*).
3 **shrink** : épithète shrunken = *ratatiné*.
4 **sink** : épithète sunken = *creux* [joues, yeux].

write	wrote	written	*écrire*
rise	rose	risen	*se lever*
[uː]	[ɪ]	[ʌ]	
do	did	done	*faire*
[əʊ]	[e]	[ɔː]	
go	went	gone	*aller*
[aɪ]	[uː]	[əʊ]	
fly	flew	flown	*voler [dans les airs]*

Guide des verbes à particule

Bescherelle ANGLAIS

Les numéros renvoient aux paragraphes.

Notions de base

127 Une richesse de trois mille verbes

Sur plus de six mille verbes que compte la langue anglaise, environ trois mille, particulièrement productifs, peuvent s'associer chacun à deux, trois, cinq, dix, vingt « particules » différentes, si bien que l'ensemble de ces « verbes à particule » ainsi formés atteint un total d'une douzaine de mille.

128 La richesse d'un verbe à particule

Prenons, par exemple, un de ces verbes de fréquence moyenne : give, comme « verbe de base ». Il a le sens premier de *donner*, mais il peut aussi signifier *céder, s'effondrer, se détendre* [pour un tissu], *se radoucir* [pour le temps], *fondre*...

Les particules adverbiales

Cette première diversité de sens se trouve, dans le cas de give, multipliée par la possibilité de s'associer à une quinzaine de mots dont away, back, forth, in, off, out, over, round, up, upon. On les appelle « particules adverbiales ». Nous les symboliserons par A. Par exemple, give away : *donner gratuitement, faire cadeau*. La même particule pouvant avoir par ailleurs, en plus du « sens de base », d'autres valeurs. Par exemple, si l'adverbe away suggère, au sens propre, l'éloignement, dans *donner gratuitement* il peut ajouter au verbe des sens figurés. Et give away signifie alors *trahir, donner à la police*, ou encore *gâcher une occasion*, ou encore *conduire à l'autel*... Et une demi-douzaine d'autres possibilités.

Les prépositions

Il existe une seconde catégorie de verbes à particule (phrasal verbs en anglais) : ceux qui acceptent qu'une préposition vienne se greffer sur la particule adverbiale déjà en place (ensemble symbolisé ici par A + P). Par exemple, to sur give over dans l'expression to give oneself over to something : *se consacrer à quelque chose*.

Les particules prépositionnelles

Dans de moins nombreux cas, ces mots, et d'autres semblables, peuvent servir à rattacher directement le verbe à son complément. Ils deviennent alors des « particules prépositionnelles » (symbolisées ici par P) qui donnent naissance à des expressions figées. Par exemple, for dans give (somebody) credit for (something) : *attribuer à (quelqu'un) le mérite de (quelque chose)* ; ou to dans give credit to (something) : *ajouter foi à (quelque chose).*

Les expressions idiomatiques

Enfin, la langue courante offre autour de chaque verbe à particule plusieurs « tournures idiomatiques » souvent improbables. Par exemple, give the glad hand to someone, c'est lui réserver un accueil chaleureux, et lui dire I give you up! signifie *Je ne vous crois plus !*

129 Comprendre et utiliser les verbes à particule

Dans un tel foisonnement de sens, il ne faut ni « se jeter à l'eau » en espérant deviner le sens juste, ni recourir systématiquement au dictionnaire.

Nous proposons plutôt l'approche suivante.

- Apprendre à reconnaître ces verbes, dont les plus courants figurent dans le Dictionnaire des verbes placé en fin d'ouvrage.
- Étudier de plus près une dizaine de verbes parmi les plus utiles et les plus « prolifiques » : leur sens de base, les particules avec lesquelles ils s'associent le plus souvent, et quelques expressions idiomatiques courantes mais pas toujours prévisibles.
- Étudier particulièrement une douzaine de particules parmi les plus usuelles : leur nature, leur fonction, leur place, ainsi que quelques expressions idiomatiques formées à partir de ces particules.
- Enfin, sont regroupées, en une dernière série, quatre particules le plus souvent ou uniquement « prépositionnelles ».

Pour vous aider dans la recherche du sens que les particules apportent aux verbes, en particulier pour vous guider à la suite d'un « sens propre », nous les accompagnons de symboles imagés.

On trouvera, au début du chapitre sur les particules, un classement des particules d'après leur sens de base.

L'illustration ci-contre met en situation les particules les plus productives.

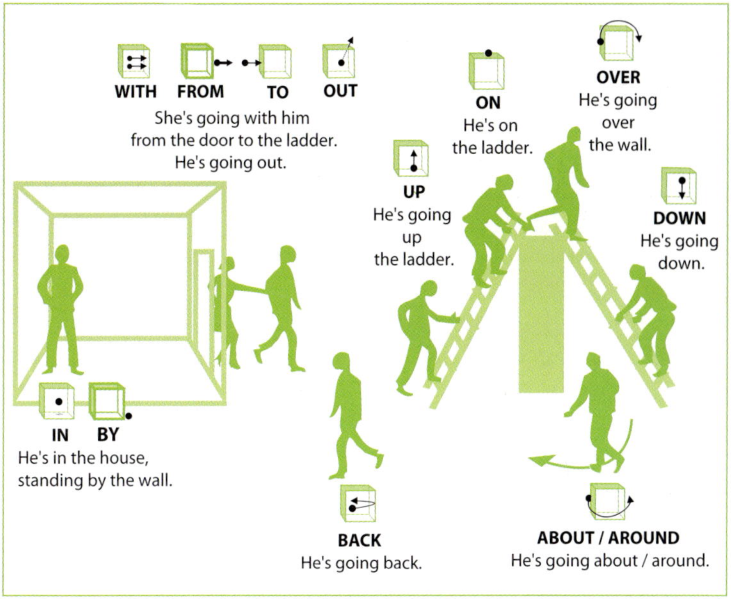
WITH FROM TO OUT
She's going with him
from the door to the ladder.
He's going out.
ON
He's on
the ladder.
OVER
He's going
over
the wall.
UP
He's going
up
the ladder.
DOWN
He's going
down.
IN BY
He's in the house,
standing by the wall.
BACK
He's going back.
ABOUT / AROUND
He's going about / around.

Les verbes à particule

Les dix verbes choisis sont classés dans l'ordre suivant :
- be, le verbe le plus riche d'emplois, suivi de stand, qui en prolonge le sens de position ;
- quatre verbes qui concernent plutôt les personnes : go, come, run, fall ;
- quatre verbes qui expriment plutôt leur action sur les choses : take, get, put, set.

LE VERBE BE

130 Le verbe de base

Nous avons étudié be comme auxiliaire, comme « suppléant » et comme verbe à part entière (→ 36-38). Dans ce nouvel emploi, c'est le verbe d'état par excellence, qu'on peut rapprocher de verbes comme appear, become, feel, get, go, grow, make, seem, smell, sound.

Be est un verbe à particule très productif.

131 Les particules associées

Une particule employée avec be peut avoir une valeur adverbiale (A), prépositionnelle (P), ou mixte (A + P).

IN

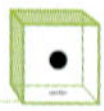

V + A	Is the nail in? *Le clou est-il enfoncé ?*
V + P	You are in luck today! *C'est votre jour de chance !*
V + A + P	We are in for some bad weather. *Il faut s'attendre à du mauvais temps.*

ON

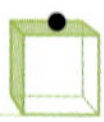

V + A	The policeman has been on since twelve (ou noon). *Le policier est en service depuis midi.*
V + P	Is she on the diet? *Est-ce qu'elle suit un régime ?*
V + A + P	Why is she always on at the children? *Pourquoi est-elle toujours à gronder les enfants ?*

OFF

V + A	Make sure the light is off. *Vérifie que la lumière est éteinte.*
V + P	There is a button off your coat. *Il y a un bouton qui manque à ta veste.*
V + A + P	Be off with you! *Allez-vous en !*

OUT

V + A	Long skirts were in last year, they are now out. *Les jupes longues étaient à la mode l'an dernier, elles sont maintenant démodées.*

Il existe de nombreuses expressions formées avec out of : out of action (hors d'usage), out of the blue (inattendu), out of date (obsolète, démodé), out of earshot (hors de portée de voix), out of humour (de mauvaise humeur), out of line (erroné), out of order (en panne), out of the running (rejeté), out of it (épargné), etc.

UP

Les expressions formées avec be up... décrivent le lever du soleil, de la lune ou de soi-même, et s'unissent souvent à d'autres particules : be up and about (relevé et guéri), be up in (bien informé). It's up to you. (Ça dépend de vous.)

OVER

V + A	Is there any cake over from yesterday's party? *Reste-il du gâteau de la fête d'hier ?*
V + P	Look! His papers are all over the place now. *Regardez ! Ses papiers sont éparpillés partout maintenant.*

UNDER

Cette particule est employée uniquement comme préposition.

V + P	Was the coat under fifty pounds? *Le manteau valait-il moins de cinquante livres ?*

On trouve aussi : under control (sous contrôle), under the impression ([rester] sur l'impression).

DOWN

L'adverbe down est parfois associé à une préposition, par exemple dans :

V + P	be down as: *en tant que...*, be down for: *être inscrit comme...*, be down to: *être réduit à...*

132 Expressions idiomatiques avec *be*

Were you not a little off your game yesterday?
N'avez-vous pas moins bien joué que d'habitude hier ?
The drinks are on the house tonight.
Ce soir ça sera la tournée du patron.
The children have been out of sorts the whole day.
Les enfants ont été de mauvaise humeur toute la journée.
She felt that winning the contest was the be-all and the end-all.
Gagner le concours, croyait-elle, était le fin du fin.

LE VERBE STAND

133 Le verbe de base

Stand est, comme be, un verbe de position. Il exprime de même l'idée *d'être là*, mais la prolonge pour signifier *rester, se maintenir*, avec différentes intentions, au propre et au figuré, dans les emplois transitif et intransitif.

134 Les particules associées

Placées ici dans l'ordre de fréquence, les particules très nombreuses qui accompagnent le verbe stand aident à distinguer un sens propre et un sens figuré.

OUT

V + A	John's figure stood out on the landscape. *La silhouette de John se détachait sur le paysage.*
V + A	Are the miners determined to stand out? *Les mineurs sont-ils décidés à ne pas reprendre le travail ?*
V + A + P	She may have to stand out for her pay. *Il se peut qu'elle ait à se battre pour son salaire.*

UP

V + A	What keeps that old house standing up? *Comment cette vieille maison tient-elle encore debout ?*
V + A	Will his story stand up? *Est-ce qu'on croira à son histoire ?*
V + A + P	Dora stands up for human rights. *Dora défend les droits de l'homme.*

OFF

V + A	He is a man who always stands off in meetings. *C'est un homme qui se tient toujours à l'écart dans les réunions.*
V + A	Two hundred workers were stood off for a time. *Deux cents employés furent mis au chômage pour quelque temps.*
V + A + P	The battleship will be kept standing off from the harbour. *Le navire de guerre mouillera au large du port.*

BACK

V + A	The firemen asked the crowd to stand back. *Les pompiers demandèrent à la foule de reculer.*
V + A	You should stand back and not condemn her too quickly. *Vous devriez prendre du recul et ne pas la condamner trop vite.*

BY

V + A	All the policemen were standing by. *Tous les policiers étaient en état d'alerte.*
V + P	Does your house stand by the river? *Votre maison se situe-t-elle au bord du fleuve ?*

Certaines particules ne sont utilisées avec stand que comme adverbes. Par exemple, down.

I will stand down as a chairman next year.
Je vais renoncer à ma présidence l'an prochain.

Les prépositions les plus employées avec le verbe stand sont les suivantes :
- **at** : to stand at attention. *Être au garde-à-vous.*
- **for** : to stand for secretary. *Se présenter comme secrétaire.*

– **in** : to stand in awe. *Rester bouche bée.*
– **on** ou **to** : to stand on/to one's principles. *Tenir à ses principes.*

Enfin, certains adjectifs et participes passés peuvent tenir lieu de particules.
– to stand clear (of something) : *se tenir à l'écart ;*
– to stand corrected : *admettre son erreur ;*
– to stand firm : *tenir bon.*

135 Expressions idiomatiques avec *stand*

She stood me up. *Elle m'a posé un lapin.*
Stand and deliver. *La bourse ou la vie.*
It stands to reason that... *Il va sans dire que...*
How does he stand on Europe? *Quelle est sa position sur l'Europe ?*
She stands five feet. *Elle fait 1,65 m.*
To stand somebody a drink. *Offrir un verre à quelqu'un.*
To stand on ceremony. *Faire des manières.*

LE VERBE GO

136 Le verbe de base

À ce verbe s'attachent deux sens distincts de caractère plutôt dynamique.

- L'un est de valeur concrète : *aller, se rendre à, fonctionner.*
  We've gone three miles. *Nous avons fait cinq kilomètres.*
  How are things going? *Comment ça va ?*
- L'autre est de valeur abstraite : *convenir, devenir.*
  These colours don't go. *Ces couleurs jurent entre elles.*
  He's going bald. *Il devient chauve.*

137 Les particules associées

Les associations de go avec une particule et les sens qui en découlent sont extrêmement nombreux. (Un dictionnaire spécifique en dénombre plusieurs centaines !)

Parmi ces particules, viennent en tête on, qui souligne la continuité d'un état, d'un mouvement, et down, qui marque son arrêt. Toutes deux, comme in, up, through, over, peuvent être utilisées adverbialement, suivies ou non d'une préposition, ou avec une valeur prépositionnelle seule.

ON

V + A	What's going on here? *Qu'est-ce qui se se passe ici ?*
V + A + P	Dora's temperature is going on for 40 (forty) degrees. *La température de Dora s'approche de 40 °C.*
V + P	Has she always wanted to go on the stage? *A-t-elle toujours voulu faire du théâtre ?*

DOWN

V + A	My idea didn't go down well. *Mon idée n'a pas été bien reçue.*
V + A + P	They were all gone down with the flu. *Ils étaient tous cloués au lit par la grippe.*
V + P	Guess who I met going down the road. *Devinez qui j'ai rencontré sur la route.*

IN

V + A	When the sun went in it was suddenly much colder. *Quand le soleil se coucha, il fit soudain beaucoup plus froid.*
V + A + P	He's going in for president, is he? *Il est candidat à la présidence, n'est-ce pas ?*
V + P	"Go in peace," he said, "the game is over." *« Allez en paix, dit-il, la partie est finie. »*

UP

V + A	This tyre won't go up. There must be a hole. *Ce pneu ne se gonfle pas. Il doit être crevé.*
V + A + P	I want to go up to London next week. *Je veux aller à Londres la semaine prochaine.*
V + P	Can you go up the stairs three steps a time? *Peux-tu monter l'escalier trois marches à la fois ?*

Une particule comme **out** n'a jamais de valeur prépositionnelle, mais elle est riche en valeurs adverbiales, qu'elle soit accompagnée ou non d'une préposition.

– **to go out** : être diffusé, s'éteindre, ne plus être à la mode, perdre connaissance/mourir, se mettre en grève ;

– to go out of (business/action) : *quitter, cesser [une activité]* ;
– to go out to : *voyager, se sentir en sympathie avec* ;
– to go out with : *être en relation avec.*

Go s'emploie également avec des adjectifs ou des noms qui prennent la valeur de particules adverbiales.
– to go bad : *mal finir* ;
– to go bankrupt : *faire faillite* ;
– to go cheap : *se vendre à bon marché* ;
– to go dry : *se tarir* ;
– to go easy : *se calmer* ;
– to go halves : *partager* ;
– to go right, wrong : *aller bien/mal, etc.*

138 Expressions idiomatiques avec *go*

Go for it!
Fonce, mets le paquet !
Go jump in the lake!
Va te faire voir !
And then the balloon went up.
Et c'est alors que les ennuis ont commencé.

Et aussi :
– to go bananas : *devenir fou, cinglé* ;
– to go bush : *retourner à l'état sauvage* ;
– to go dutch : *partager les frais* ;
– to go great gums : *marcher à merveille* ;
– to go haywire : *se détraquer, échouer* ;
– to go scot-free : *s'en tirer sans dommage* ;
– to go slow : *faire la grève du zèle.*

LE VERBE COME

139 Le verbe de base

Come ne connaît que deux sens, l'un propre (*venir, arriver*), l'autre figuré (*devenir, parvenir*). Tous deux sont employés avec de nombreuses nuances.
Come and have a drink. *Viens prendre un verre.*
Come what may! *Advienne que pourra !*

140 Les particules associées

Il existe de très nombreuses associations de come avec in et out, up et down. Ces particules adverbiales sont prises soit au sens propre soit au sens figuré.

IN

V + A	Just now I have not a lot of money coming in! *En ce moment je n'ai pas beaucoup de rentrées !*
V + A	March comes in like a lion and goes away like a lamb. *Mars arrive comme un lion et s'en va comme un agneau.*
V + A + P	When did it come in on you that you had left your book home? *Quand avez-vous eu l'idée que vous aviez laissé votre livre à la maison ?*

OUT

V + A	You will see the flowers come out in all the gardens. *Vous verrez les fleurs éclore dans tous les jardins.*
V + A	You always come out very well in my pictures. *Vous êtes toujours très bien sur mes photos.*
V + A + P	Would you come out for a walk after lunch? *Est-ce que vous aimeriez faire un petit tour après déjeuner ?*

UP

V + A	Why did the issue come up in the first place? *Comment se fait-il que la question soit venue sur le tapis ?*
V + A	John has come up the hard way all through his teen years. *John en a vu de dures pendant toute son adolescence.*
V + A + P	She often comes up with good ideas. *Elle sort souvent de bonnes idées.*

DOWN

V + A	Several trees came down in the last storm. *La dernière tempête a abattu plusieurs arbres.*

V + A	When their business failed they all came down in the world. *Après l'échec de leur affaire, ils ont tous descendu l'échelle sociale.*
V + A + P	The landlord came down on us for payment. *Le propriétaire nous est tombé sur le dos pour réclamer son dû.*

- To est très souvent employé comme préposition avec come pour exprimer une proximité, un résultat : to come to little/much (*avoir un résultat médiocre/excellent*), to attention (*se mettre au garde-à-vous*), to hand (*se trouver à proximité*), etc.
- On trouvera d'assez nombreux emplois de come avec les particules qui précisent un mouvement, au propre et au figuré : about, across, after, along, apart, around, back, between, by, etc. Par exemple :

V + A	Tell me how it all came about. *Expliquez-moi comment tout ça s'est produit.*
V + A	Did his speech come across? *Est-ce que son discours est bien passé ?*

- Avec come, l'usage de noms ou d'adjectifs jouant le rôle de particules adverbiales est assez fréquent.
  – to come alive : *s'animer ;*
  – to come home : *redescendre sur terre ;*
  – to come good : *bien finir malgré tout ;*
  – to come true : *se réaliser ;*
  – to come full circle : *changer complètement d'avis.*
- On rencontre même des noms composés ayant un sens particulier, tels que come-back (passé en français) : *retour à la santé, à la célébrité* ; come-on : *appât, produit d'appel.*

141 Expressions idiomatiques avec *come*

Come on! *Je ne te crois pas.*
Come off it! *À d'autres ! ou Arrête ton cinéma !*
To come in useful/handy. *Être bien utile.*
He came on quite honest.
Il a donné l'impression d'être très honnête.
It came out of the blue. *C'est arrivé de façon inattendue.*

Don't come it over me now!
N'essaie pas de m'impressionner, maintenant.
I've come through with flying colours.
Je m'en suis tiré avec les honneurs.

LE VERBE RUN

142 Le verbe de base

Les acceptions du verbe run sont nombreuses, tant au sens littéral (*courir, couler, se déplacer, etc.*) qu'au sens figuré (*fonctionner, faire marcher, conduire, etc.*), à la forme intransitive ou transitive :

He left the engine running.
Il a laissé tourner le moteur.
They're running a new bus line.
Ils ont ouvert une nouvelle ligne d'autobus.

143 Les particules associées

Parmi ces particules, les plus « riches » (in et out, off et away, up et down) se répartissent les emplois de manière à peu près égale.

IN

V + A	As I am running my new car in I can't go fast. *Comme ma voiture est en rodage, je ne peux pas rouler vite.*
V + A	I'm afraid the government's plans will run the country in. *Je crains que les projets du gouvernement n'entraînent le pays dans de grandes difficultés.*

On rencontre encore d'assez nombreux emplois de run avec la préposition into, signifiant *entrer en collision avec, rencontrer par hasard, se heurter à un problème, s'élever [à une somme]*.

Here we have run into a problem.
Ici, nous nous sommes trouvés devant un problème.
We ran into a snag. *On est tombés sur un os.*
I ran into John as he was leaving the store.
Je suis tombé(e) sur John alors qu'il sortait du magasin.
Travelling expenses ran into thousands of pounds.
Les frais de déplacement s'élevaient à des milliers de livres.

Les particules out, off, away apportent des nuances voisines d'épuisement, d'éloignement.

OUT

V + A	Let's go! Time is running out. Partons ! Il nous reste peu de temps.
V + A + P	I've run out of tea, will you have coffee? Il ne me reste plus de thé, voulez-vous du café ?
V + A + P	He's run out on her. Il l'a plaquée.

OFF

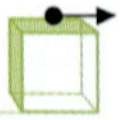

V + A	Well, I'll run off a short letter to her. Bien, je lui enverrai un mot en vitesse.

AWAY

V + A	Don't run away, I'd like to have a word with you. Ne te sauve pas, j'ai deux mots à te dire.
V + A + P	I didn't let my temper run away with me. Je ne me suis pas laissé dominer par mon mauvais caractère.

DOWN

V + A	There is no need to run all my ideas down. Ce n'est pas la peine de dénigrer toutes mes idées.
V + A + P	John will run you down to the station. John va vous conduire à la gare en voiture.

UP

V + A	Can you run up this addition for me? Pouvez-vous me faire rapidement cette addition ?
V + A + P	I ran up against a glass door. Je me suis cogné contre une porte en verre. You may run up against some difficulties. Vous pourriez bien vous heurter à des difficultés.

Run up peut aussi signifier *prendre son élan, hisser un drapeau, fabriquer rapidement, laisser s'accumuler, augmenter [un prix]*.

En dehors des associations de run avec les particules principales, ce verbe s'emploie également avec un bon nombre de particules « mineures », telles que about, across, along, around, before, behind, etc., qui précisent des situations concrètes ou abstraites. Par exemple :

V + A	John is in front, the others are running well behind. *John est en tête, les autres sont loin derrière.*
V + P	Please wait, the doctor is running behind time today. *Attendez, s'il vous plaît, le docteur a pris du retard aujourd'hui.*

Run s'emploie encore avec des noms ou des adjectifs pris adverbialement.
– to run dry : *s'assécher* ;
– to run short of : *manquer de* ;
– to run wild : *se déchaîner* ;
– to run to fat : *avoir tendance à grossir* ;
– to run to seed : *se dégrader, se dessécher.*

On trouve quelques noms composés avec run, tels que :
– a run-off : *une « belle »* [sport] *ou un deuxième tour* [élections] ;
– a run-on : *un texte sans coupures de paragraphes* ;
– a run-out : *une exclusivité technique* ;
– a run-over : *un débordement* ;
– a run-through : *un résumé* ;
– a run-up : *une augmentation brutale.*

144 Expressions idiomatiques avec *run*

Last time I saw her, she ran on for two hours about herself.
La dernière fois que je l'ai vue, elle a parlé d'elle deux bonnes heures.
His blood ran cold when he saw the terrible sight.
Son sang se glaça dans ses veines quand il vit le terrible spectacle.
Why do you insist? Don't you see that you are running your head into a brick wall!
Pourquoi insistes-tu ? Tu ne vois donc pas que c'est tenter l'impossible !

Et encore :

To run a temperature. *Avoir de la fièvre.*
Run for it! *Sauvez-vous !*
To run for dear life. *Courir à fond de train.*

LE VERBE FALL

145 Le verbe de base

Le verbe de base exprime évidemment, au sens propre, un mouvement vers le bas, une chute. Au figuré, il évoque une idée de commencement ou de continuité.

He often falls asleep on his book...
Il tombe souvent de sommeil sur son livre...
... but his spirits never fall! *... mais il ne perd jamais courage !*

146 Les particules associées

Les plus utilisées de ces particules sont in et out, down et back.

IN

V + A	The roof has fallen in. *Le toit s'est effondré.* His cheeks have fallen in. *Ses joues se sont creusées.*
V + P	She fell in love with him immediately. *Elle est immédiatement tombée amoureuse de lui.*
V + A + P	Would this armchair fall in with the rest of the furniture? *Est-ce que ce fauteuil irait bien avec le reste des meubles ?*

L'expression fall into (something) est aussi assez fréquente.
They fell into each other's arms.
Ils sont tombés dans les bras l'un de l'autre.

OUT

V + A	Everything fell out as we had hoped. *Tout s'est passé comme nous l'espérions.*
V + A + P	It's very difficult to fall out of bad habits. *Il est très difficile de se débarrasser de mauvaises habitudes.*

DOWN

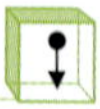

V + A	The house was not expensive as it was almost falling down. *Comme la maison tombait en ruine, elle n'était pas chère.*
V + A + P	The whole congregation fell down on their knees. *Tous les fidèles tombèrent à genoux.*

Il n'existe pas d'emploi de out ni de down avec fall comme seules particules prépositionnelles. Il en est de même pour back, d'emploi plus restreint.

BACK

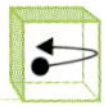

V + A	Production has fallen back (ou behind) in the last few months. *La production a chuté ces derniers mois.*
V + A + P	My doctor finally fell back on an old drug. *Mon médecin est finalement revenu à un ancien médicament.*

Moins fertiles, behind, off et away sont plus rarement utilisées. Dans ces emplois, le lieu de la « chute » paraît moins « visible », ou le sens pris davantage au figuré.

BEHIND

V + A	Don't fall behind now! You're doing very well! *Ne prenez pas de retard maintenant, vous vous en tirez très bien.*
V + P	The sun fell behind the mountains. *Le soleil disparut derrière les montagnes.*

OFF

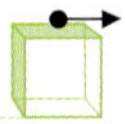

V + A	You can see the interest in the match has fallen off. *On peut constater que l'intérêt pour le match s'est épuisé.*
V + P	Look! A button has fallen off your coat. *Regarde ! Tu as perdu un bouton à ton manteau.*

AWAY

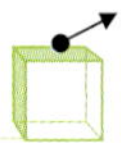

V + A	Her face has fallen away since last year. *Son visage s'est creusé depuis l'an dernier.*
V + P	The quality of your work has been falling away! *La qualité de votre travail a baissé !*

Seul un petit nombre de particules adjectivales s'emploie avec fall.
- to fall due : *venir à échéance ;*
- to fall ill : *tomber malade ;*
- to fall short : *diminuer, échouer ;*
- to fall foul of someone : *s'attirer des ennuis avec quelqu'un.*

147 Expressions idiomatiques avec *fall*

Most married people fall out over money.
La plupart des couples ont des querelles d'argent.
He fell for her at first sight. *Il a eu le coup de foudre pour elle.*
All the guest fell about laughing when he told them his story.
Tous les invités éclatèrent de rire quand il leur raconta son histoire.

Ou encore :
- to fall off a lorry : *se faire voler* ;
- to fall over oneself : *s'emmêler les pieds* ;
- to fall all about one's ears : *échouer, s'effondrer* ;
- to fall in somebody's neck : *se jeter au cou de quelqu'un* ;
- to fall through the floor : *rester bouche bée.*

LE VERBE TAKE

148 Le verbe de base

- Au sens propre, le verbe take signifie d'abord *prendre*.
  It takes two people to do the job.
  Il faut deux personnes pour faire le travail.
- Au figuré, il prend le sens principal de *choisir*.
  What are you taking next year? Math or chemistry?
  Qu'est-ce que tu choisis l'an prochain ? Les maths ou la physique ?

Les emplois dérivés de *prendre* sont très nombreux au sens propre : *utiliser, consommer, mener*..., et au sens figuré de *choisir* : *contenir, soustraire, étudier*...

149 Les particules associées

UP	
V + A	The old tree will have to be taken up next Autumn. *Il va falloir déraciner le vieil arbre l'automne prochain.*
V + A	All the children took up the song. *Tous les enfants reprirent en chœur.*
V + A + P	Shall I take breakfast up to your mother? *Tu veux que je monte le petit déjeuner à ta mère ?*

On trouve également des expressions telles que take up an altitude : *prendre de l'altitude* ; take up a cause : *défendre une cause* ; take up a challenge : *relever un défi.*

OUT

V + A	I shall have to have one tooth taken out. *Il va falloir que je me fasse extraire une dent.*
V + A	You must take out a driving licence. *Il faut que vous obteniez votre permis de conduire.*
V + A + P	Help me to take this nail out of my shoe. *Aide-moi à ôter ce clou de ma chaussure.*

IN

V + A	Help! Our boat is taking in the water! *Au secours ! Notre bateau prend l'eau !*
V + A	Shall we take in Eton? *Et si on passait par Eton ?*
V + P	Take interest in : *s'intéresser à* ; take pride in : *s'enorgueillir de* ; take refuge in : *s'abriter de.*

OFF

V + A	Isn't it exciting to feel the plane taking off? *C'est impressionnant, hein, de sentir l'avion décoller ?*
V + A	I'd like to take my Monday off. *J'aimerais bien prendre mon lundi.*
V + P	Well, you'll take my name off the list! *Bon, rayez mon nom de la liste !*

On retiendra les expressions : take eyes off something : *détourner* ; take one's mind off (something) : *ne plus penser à quelque chose.*

ON

V + A	Passengers will soon be called to take on. *On va bientôt commencer l'embarquement des passagers.*
V + A	My father did take on when he heard the bad news. *Mon père fut dans tous ses états quand il entendit la mauvaise nouvelle.*

V + A	I'll take on the responsibilities for this. *Je vais m'en charger.*
V + P	I'll take you on the bus. It's too far to walk. *Je te conduirai au bus. C'est trop loin pour y aller à pied.*
V + P	You'll have to take it on yourself to invite her. *Il faudra prendre sur toi pour l'inviter.*

Expressions de take formées avec on :
– to take action on something : *agir sur quelque chose ;*
– to take a chance on something : *prendre le risque de quelque chose.*

Les particules to et from ne sont employées que comme prépositions.

TO

V + P	I have to take a cheque to the bank. *J'ai un chèque à déposer à la banque.*
V + P	Sorry to hear that he has taken to drinking. *Je suis désolé d'apprendre qu'il s'est mis à boire.*

FROM

V + P	Take that box from the baby please. *Enlève cette boîte au bébé, s'il te plaît.*
V + P	If you take seven from twenty-one what does it leave? *Si tu enlèves 7 de 21, qu'est-ce qu'il reste ?*

Expressions de take formées avec une particule adverbiale ou adjectivale :

You may take it home. *Vous pouvez l'emmener chez vous.*
Take it easy! *Tout doux ! Du calme !*
He took the news ill. *Il a mal pris la nouvelle.*

150 Expressions idiomatiques avec *take*

Don't take it out on me! *Ne t'en prends pas à moi !*
He took to tennis like a duck to water.
Il est devenu un mordu du tennis.
We all take a (firm) stand on human rights.
Nous tenons tous beaucoup aux droits de l'homme.
This song takes me back a few years!
Cette chanson me rappelle de vieux souvenirs !

I do think that people will take to the street.
Je pense vraiment que les gens vont descendre dans la rue.
Let's try to take it on the skin. *Tâchons de tenir le coup.*
I take it for granted. *Je considère ça (comme) normal.*

LE VERBE GET

151 Le verbe de base

Au sens premier, get exprime une action, un mouvement du sujet, concret ou abstrait, pour obtenir, transmettre ou changer quelque chose.

Did you get the bread? *Tu as acheté le pain ?*
He's getting old. *Il vieillit.*

152 Les particules associées

Ces particules ont pour effet de dévier le mouvement, de le diriger vers le haut, le bas, vers l'intérieur ou l'extérieur, etc. Ces modifications concernent le sens propre comme le sens figuré.

OFF

V + A	Please, excuse me, I get off at the next stop. *Excusez-moi, s'il vous plaît, je descends à la prochaine.*
V + A	This year I've got every Monday off. *Cette année, on me laisse libre tous les lundis.*
V + A + P	Paul got off with a fine. *Paul s'en est tiré avec une contravention.*
V + P	Could you get that dirty mark off the wall? *Pourriez-vous enlever cette tache du mur ?*

UP

V + A	His car had difficulty getting up the slope. *Sa voiture n'arrivait pas à monter la côte.*
V + A	I must go and get up my notes soon. *Il faut que j'aille vite mettre mes notes au point.*
V + A + P	She's always getting up to mistakes. *Elle ne peut s'empêcher de faire des bêtises.*

DOWN

V + A	Try and get the medecine down, it's good for you! Essaie d'avaler ce médicament, ça te fera du bien !
V + A	This sort of weather is getting me down. Ce genre de temps me donne le cafard.
V + A + P	Let's get down to work. Mettons-nous au travail.

IN

V + A_1	She couldn't get a word in. Elle n'a pas pu placer un mot.
V + A_2	He was pleased to get in at his first election. Il fut content d'être élu dès la première fois.
V + A + P	Do try to get in with the director. Essaie donc de te mettre bien avec le directeur.
V + P	Get in the car, I'll take you for a drive. Monte dans la voiture, je t'emmène faire un tour.

OUT

V + A	The door is locked, I can't get out. Le porte est fermée à clé, je ne peux pas sortir.
V + A	Yes, the scandal has now got out. Oui, le scandale a maintenant éclaté.
V + A + P	She must have got out of the bed on the wrong side. Elle a dû se lever du pied gauche.

Comme préposition, out est employée dans une expression telle que out of sight, out of mind : loin des yeux, loin du cœur.

ON

V + A_1	Get your coat on quickly, the taxi is waiting. Dépêche-toi de mettre ton manteau, le taxi attend.
V + A_2	How is your work getting on? Comment avance ton travail ?
V + A + P	He's getting on for fifty. Il approche la cinquantaine.
V + P	Your mother is always getting on my back. J'ai toujours ta mère sur le dos.

- Through est utilisée au sens propre (*traverser*) et au sens figuré (*réussir*), ainsi que la plupart des particules mineures (along, over, round, etc.).
- On rencontre quelques adjectifs utilisés comme particules adverbiales, comme get free : *se libérer* ; get loose : *s'échapper* ; get hot : *s'échauffer*.
- On notera quelques noms composés tels que a getaway : *une évasion* ; a get-together : *une soirée entre amis* ; a get-out : *une sortie*.

153 Expressions idiomatiques avec *get*

Get along with you! *Qu'est-ce que tu me racontes là !*
I've got beyond caring. *J'ai cessé de m'en faire.*
Let's get down to brass tacks. *Venons-en au fait.*
Are you getting back into harness soon?
Est-ce que vous reprenez bientôt le boulot ?
He's always getting above himself.
Il a toujours une trop bonne opinion de lui-même.

LE VERBE PUT

154 Le verbe de base

- Au sens propre, le verbe put signifie *mettre, poser quelque chose*.
  He put a lot of money in real estate.
  Il a placé beaucoup d'argent dans l'immobilier.
- Au sens figuré, il veut dire *proposer une idée, un plan*.
  Let's put it he is innocent. *Mettons qu'il soit innocent.*

155 Les particules associées

Les deux paires de particules de sens opposé up/down et in/out sont de loin les plus fréquentes.

UP	
V + A	Posters have been put up all over the town. *On a collé des affiches dans toute la ville.*
V + A	Can you put me up for the night? *Pouvez-vous me loger pour la nuit ?*
V + A + P	I won't put up with this. *Je ne tolérerai pas cela.*

DOWN

V + A	I've put down my name for the mixed doubles. *Je me suis inscrit(e) pour le double mixte.*
V + A	Don't put me down in front of the boss. *Ne me critiquez pas devant le patron.*
V + A + P	He put his mistakes down to overwork. *Il a mis ses erreurs sur le compte du surmenage.*

IN

V + A	He had a new water heater put in last month. *Il a fait poser un nouveau chauffe-eau le mois dernier.*
V + A	"He's loyal," she put in. *« Il est loyal », fit-elle remarquer.*
V + A + P	Will the ship put in for repairs? *Le bateau va-t-il faire escale pour réparations ?*
V + P	That tune put her in mind of last Summer. *Cet air lui rappela l'été.*

On trouve aussi des expressions telles que put in order : *mettre en ordre* ; put in mind : *suggérer* ; put in motion : *faire bouger*, etc.

OUT

V + A	Don't forget to put out the fire. *N'oublie pas d'éteindre le feu.*
V + A	She's always putting herself out for them. *Elle se met toujours en quatre pour eux.*
V + A + P	The accident has put many men out of work. *L'accident a mis beaucoup d'ouvriers en chômage technique.*

Les emplois sont comparables avec off, dans le sens de repousser.

Don't be put off by that.

Ne vous laissez pas décourager pour autant.

Les particules away, back, through, moins productives, expriment l'éloignement, le retour, la traversée ou la réussite, au propre et au figuré.

V + A	We had a little money put away for a rainy day. *Nous avions mis un peu d'argent de côté pour les mauvais jours.*

V + A	We have to put away our holiday plans. *Il faut que nous renoncions à nos projets de vacances.*
V + A	I had just put the receiver back when he came in. *Je venais de raccrocher quand il entra.*
V + A	He'll soon put back all the weight that he had lost. *Il va bientôt retrouver le poids qu'il a perdu.*
V + A	She has put them through a lot of troubles. *Elle leur a fait traverser une période très difficile.*
V + P	All the junior executives will be put through the mill. *Tous les jeunes cadres devront franchir toutes les étapes.*

To et into ne sont employés que comme particules prépositionnelles. Par exemple :
- to put to the blush : *faire rougir* ;
- to put to the right : *apporter une solution de droit* ;
- to put to sleep : *endormir* ;
- to put into action : *mettre en activité* ;
- to put an idea into someone's head : *mettre une idée dans la tête de quelqu'un* ;
- to put one's heart and soul into : *s'engager corps et âme dans.*

156 Expressions idiomatiques avec *put*

- to put the clock back : *être vieux jeu* ;
- to put down one's tools : *arrêter le travail* ;
- to put one's best foot forward : *s'activer* ;
- to put one's best face on : *faire semblant d'être content* ;
- to put someone off his stroke : *déstabiliser quelqu'un* ;
- to put somebody up to a job : *recommander quelqu'un pour un poste* ;
- to be put to it : *être fauché, être dans une mauvaise passe* ;
- to put oneself out : *se donner beaucoup de mal.*

LE VERBE SET

157 Le verbe de base

Set peut être considéré comme terminant une série d'actes ; **get**, pour obtenir une chose ; **take**, pour la prendre ; **put**, pour la mettre quelque part ; **set**, pour l'installer, la fixer.

- Au sens propre :

  My village is set on the top of the hill.
  Mon village est situé au sommet de la colline.

- Au sens figuré :

  It set me thinking. *Cela m'a donné à réfléchir.*

158 Les particules associées

UP

V + A	He set up a business in Liverpool. *Il a monté une affaire à Liverpool.*
V + A	They set up house together. *Ils se sont mis en ménage.*
V + A + P	It takes money to set up as a doctor. *Il faut de l'argent pour ouvrir un cabinet de médecin.*

DOWN

V + A	Shall I set you down at the corner of the street? *Est-ce que je vous dépose au coin de la rue ?*
V + A	I easily set him down as a foreigner. *Je l'ai facilement pris pour un étranger.*
V + A + P	Peter doesn't set down his success only to hard work. *Peter n'attribue pas son succès qu'à un travail acharné.*

OUT

V + A	These flowers should be set out separately. *Ces fleurs devraient être exposées séparément.*
V + A	Try to set out your answers more neatly. *Essaie de présenter tes réponses plus nettement.*

V + A + P — She set out for work two hours ago.
Elle est partie travailler il y a deux heures.

OFF

Set off connaît des emplois comparables à set out. He sets off for work a le même sens de *se mettre en route*, et set off signifie aussi *exposer, mettre en valeur.*

IN

V + A — You should set in the glass in the frame carefully.
Il faut placer soigneusement le verre dans le cadre.

V + A — Come before the winter sets in.
Viens avant que l'hiver ne s'installe.

Il y a lieu d'ajouter plusieurs emplois de in comme particule prépositionnelle, ainsi dans to be set in one's habits : *être esclave de ses habitudes*, et to set someone in mind of : *rappeler quelque chose à quelqu'un.*

At, on et to sont le plus souvent employées aussi comme prépositions.
- to set someone at ease : *mettre quelqu'un à l'aise ;*
- to set an animal at liberty : *libérer un animal ;*
- to set something at naught : *réduire quelque chose à zéro ;*
- to set one's mind on something : *se fixer comme objectif ;*
- to set someone on his way : *montrer le chemin à quelqu'un ;*
- to set one's cards on the table : *jouer cartes sur table ;*
- to set one's hand to : *se mettre à ;*
- to set one's mind to : *travailler dur à.*

Comme les autres verbes de base, set peut s'associer à des particules mineures :
- to set something/someone above : *placer quelque chose, quelqu'un au dessus de ;*
- to be set against : *être opposé à ;*
- to set apart/aside : *mettre de côté [des vêtements].*

Enfin, on trouve plusieurs emplois de set accompagné d'adjectifs. Ainsi, dans to set loose : *mettre en liberté* ; to set right : *réparer, rectifier* ; to set straight : *corriger, mettre de l'ordre dans.*

159 Expressions idiomatiques avec *set*

He never set the Thames on fire. *Il n'a pas inventé la poudre.*

She has set her sights on becoming a doctor.
Elle veut absolument devenir médecin.

This dress doesn't set off her eyes.
Cette robe ne met pas ses yeux en valeur.

It's no use setting your cap on him: he's only set on his work.
Tu as bien tort d'essayer de mettre le grappin sur lui : il ne s'intéresse qu'à son travail.

Les particules

Les particules sont classées par ordre alphabétique en deux groupes :
- les plus productives, qui peuvent aussi bien avoir une valeur adverbiale que prépositionnelle : about, away, back, by, down, in, off, on, out, over, through, up ;
- quelques particules le plus souvent prépositionnelles : at, from, to, with.

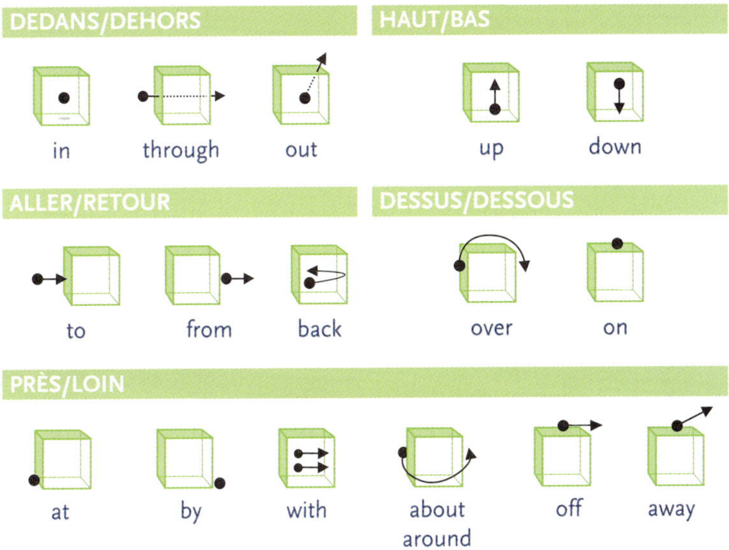

La place des particules

- Avec un verbe intransitif, la particule se place presque toujours immédiatement après le verbe.

  Come in and sit down. *Entrez et asseyez-vous.*

  Parfois elle se place en tête de phrase, pour insister sur la rapidité du mouvement.

  Off we go. *Et nous voilà partis.*

- Avec un verbe transitif, il convient de faire la différence entre **particule adverbiale** et **particule prépositionnelle**.

La particule adverbiale

- Si le complément est un groupe nominal court, on trouve la particule adverbiale soit avant, soit après.

  Bring up the chair. Bring the chair up. *Remonte la chaise.*

- Si le complément est un pronom, elle est toujours placée après.

  Bring it up. *Remonte-la.*

- Elle ne peut se trouver séparée du verbe par un complément long.

  Bring up the chair that you put yesterday in the garden.

  Remonte la chaise que tu as mise hier dans le jardin.

La particule prépositionnelle

Elle se place évidemment avant le complément, sauf dans une proposition relative et à la forme interrogative.

This is the person (whom) I brought the chair for.

Voici la personne pour qui j'ai apporté la chaise.

Who(m) shall I give the chair to? *À qui vais-je donner la chaise ?*

LES PARTICULES ABOUT/(A)ROUND

161 Le sens de base

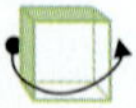

Ces deux particules apportent souvent un sens équivalent sur la proximité d'un emplacement, un déplacement, au sens propre.

Par exemple : She is somewhere about ou She is around somewhere.

Les deux phrases signifient : *Elle n'est pas loin.*

Au figuré, about peut ajouter au verbe le sens *d'être sur le point de.*

162 Les verbes associés

BE	
V + A	There are lot of flues about/around at the moment. *Il y a beaucoup de grippes dans l'air en ce moment.*
V + P	I've just been about/around the district. *Je viens d'aller faire un tour dans le quartier.*

STAND	
V + A	I met him standing about/around at the bus stop. *Je l'ai rencontré en attendant le bus.*

GO	
V + A	In this city it is easy to go about/get around by bike. *Dans cette ville, il est facile de se déplacer à vélo.*
V + P	Tell Jim to go about his business! *Dites à Jim de s'occuper de ses affaires !*

COME	
V + A	Your birthday will come around soon. *Ce sera bientôt ton anniversaire.*
V + A	Tell me how it came about. *Raconte-moi comment ça s'est passé.*

RUN	
V + A	Children like to run about (in) the garden. *Les enfants aiment bien s'amuser au jardin.*
V + P	The poor animals are just running round/around their cage. *Les pauvres bêtes passent leur journée à tourner en rond dans leur cage.*

FALL	
V + A	My children fell about laughing. *Mes enfants ont éclaté de rire.*
V + P	It's a pity that all your plans fell about/around your ears. *C'est bien dommage que tous vos plans aient échoué.*

TAKE	
V + A	He will take me round seeing Hyde Park. *Il m'emmènera faire un tour dans Hyde Park.*
V + P	Take your time about preparing the dinner. *Prenez votre temps pour préparer le dîner.*

GET	
V + A	She is better now and able to get about/round. *Elle va mieux maintenant et est capable de se déplacer.*

V + P	Don't try to get round the question. N'essayez pas d'esquiver la question.
V + A + P	After a long delay I got round to writing. Après un long délai j'ai trouvé le temps d'écrire.

PUT

V + A	The ship put about to sail against the wind. Le bateau fit demi-tour pour naviguer contre le vent.

Avec le verbe put, il n'existe pas d'emploi prépositionnel des particule about/around.

SET

V + A	Somebody has been setting stories about. On a fait courir des bruits/rumeurs.
V + P	How do you set about building a shelter? Comment vous y prenez-vous pour construire un abri ?

163 Expressions idiomatiques et noms composés avec *about* et *around*

What goes around comes around. *On récolte ce que l'on a semé.*
Their wedding anniversary is just around the corner.
C'est bientôt leur anniversaire de mariage.
How do you go about getting permission?
Comment s'y prend-on pour avoir l'autorisation ?
There's something about that girl that we like very much.
Cette fille a un je-ne-sais-quoi que nous aimons beaucoup.
They often argue but it does not take them long to come around.
Ils se disputent souvent, mais ne mettent pas longtemps à se réconcilier.

On notera deux mots composés intéressants :

I don't know his whereabouts. *Je ne sais pas où il est exactement.*
A roundabout : un rond-point.

LA PARTICULE AWAY

164 Le sens de base

Away ne compte pas parmi les particules les plus riches. Elle associe souvent aux verbes de base une idée d'éloignement d'un lieu, une absence, ou une sorte de fatigue, d'épuisement.

165 Les verbes associés

BE

V + A	You should try to be away by noon (ou twelve). *Tu devrais essayer d'être parti avant midi.*
V + A	Today, three students are away with some illness. *Aujourd'hui, trois étudiants sont absents pour cause de maladie.*

STAND

V + A	Please, stand away from the patient. *Ne vous approchez pas du malade, s'il vous plaît.*

GO

V + A	I opened the door and he went away. *J'ouvris la porte et il s'en alla.*
V + A + P	Don't go away with the idea that you are wrong. *Ne partez pas en croyant que vous avez tort.*

COME

V + A	He tried to take up the suitcase but the handle came away. *Il essaya de soulever la valise, mais la poignée lui resta dans la main.*
V + A + P	Why don't you come away with me on holiday? *Pourquoi ne partez-vous pas en vacances avec moi ?*

RUN

V + A	My dog has an unfortunate habit of running away every evening. *Mon chien a la manie de s'enfuir tous les soirs.*
V + A + P	Suddenly her temper ran away with her. *Tout d'un coup, elle perdit son sang-froid.*

FALL

V + A	All is calm now that the wind has fallen away. *Tout est calme maintenant que le vent est tombé.*
V + A + P	Heavy rocks had fallen away from the moutain. *De lourds rochers s'étaient détachés de la montagne.*

TAKE

V + A	Please, take the dirty plates away. *S'il vous plaît, enlevez les assiettes sales.*
V + A + P	Take seven away from twenty it leaves thirteen. *7 ôté de 20, il reste 13.*

GET

V + A	The runners have just got away. *Les coureurs viennent de prendre le départ.*
V + A + P	I could not get away from them before you arrived. *Je n'ai pas pu me débarrasser d'eux avant votre arrivée.*

PUT

V + A	You must put all your things away before going out. *Il faut que vous enleviez toutes vos affaires avant de sortir.*
V + A	It's surprising to see how much he can put away in a single meal. *C'est étonnant de voir tout ce qu'il peut ingurgiter en un seul repas.*

SET

La particule **away**, qui implique plutôt un mouvement, ne peut s'associer avec le verbe **set** dont le sens est le plus souvent statique.

166 Expressions idiomatiques avec *away*

To be well away to have a good look. *Être loin d'avoir bonne mine.*
To get away from it all. *S'en aller pour être tranquille.*
His car runs away with a lot of petrol.
Sa voiture consomme énormément.
Get away with you! *Tu ne me feras jamais croire ça !*
The news took his breath away. *La nouvelle lui a coupé le souffle.*
She's away with the idea that... *La voilà partie avec l'idée que...*

LA PARTICULE BACK

167 Le sens de base 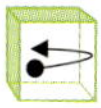

Back, très prolifique, apporte à chaque verbe de base une notion de mouvement de retour, de position de retrait, de reprise, au sens propre comme au figuré.

168 Les verbes associés

BE	
V + A	You'll be back before dinner, won't you? *Vous serez de retour avant le dîner, n'est-ce pas ?*
V + A	Long hair will be back in a few years. *Les cheveux longs seront de retour dans quelques années.*

STAND	
V + A	The town hall stands back from the high street. *L'hôtel de ville est à l'écart de la grand-rue.*
V + A	Their teacher often stands back to let them speak. *Leur professeur s'abstient souvent pour les laisser parler.*

GO	
V + A	Will you go back there some time? *Y retournerez-vous un jour ?*
V + A + P	Her family goes back to the 18th century. *Sa famille remonte au XVIIIe siècle.*

COME

V + A	I didn't get what you said, please come back. *Je n'ai pas compris ce que tu as dit, répète s'il te plaît.*
V + A + P	His name came back to me after a minute. *Son nom me revint à l'esprit une minute après.*

RUN

V + A	Don't worry: he will run you back. *Ne t'inquiète pas, il va te reconduire.*
V + A + P	You must not run back over what you said. *Ne revenez pas sur ce que vous avez dit.*

FALL

V + A	Prices rarely fall back! *Les prix baissent rarement !*
V + A + P	We always try to keep a little money to have something to fall back on. *Nous essayons toujours de mettre de côté un peu d'argent pour avoir une petite réserve.*

TAKE

V + A	Would you mind taking this book back? *Puis-je vous demander de rapporter ce livre ?*
V + A + P	This novel will take me back to my youth. *Ce roman me rappellera ma jeunesse.*

GET

V + A	It's the year when the Labour got back. *C'est l'année où les travaillistes sont revenus au pouvoir.*
V + A + P	Do get back to what you have promised. *Revenez donc à ce que vous avez promis.*

PUT

V + A	Their holidays put (set) them back 1, 000 (one thousand) pounds. *Leurs vacances leur coûtèrent 1 000 livres.*

V + A	I'm afraid we'll have to put you back one year. *J'ai bien peur que nous ayons à vous faire redoubler l'année.*

SET

V + A	Could you set your chair a little back? *Pourriez-vous reculer un peu votre chaise ?*
V + A + P	Their wedding has been set back to July. *Leur mariage a été reporté à juillet.*

169 Expressions idiomatiques et noms composés avec *back*

To go back to square one.
Revenir à zéro/à la case départ.
To go back at somebody.
Répondre sèchement à quelqu'un.
You should never go back on your friends.
Il ne faut jamais trahir ses amis.
Let's get/put the clock back!
Revenons au bon vieux temps !
Now, we have to go back to the grindstone/into harness.
Maintenant, il nous faut reprendre le collier.

Observons que back a donné naissance à de très nombreux mots composés, noms, verbes ou adjectifs, tels que backbone : *la colonne vertébrale* ; backbite : *médire, diffamer* ; back-breaking : *épuisant, exténuant*. Back a valeur de verbe dans les sens de *reculer, soutenir*, etc.

LA PARTICULE BY

170 Le sens de base

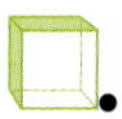

By peut indiquer un événement passé ou en réserve, une proximité, une méthode, une direction.

171 Les verbes associés

Cette particule prend irrégulièrement une valeur d'adverbe et/ou de préposition. C'est dans notre liste la moins riche d'emplois de toutes les particules.

BE

V + A
I called for help but no one was by.
J'ai appelé à l'aide mais personne ne se trouvait à proximité.

GO

V + A
Holidays seem to go by so quickly!
Les vacances semblent passer si vite !

V + P
We know the rules and we always go by the book.
Nous connaissons le règlement et le suivons toujours à la lettre.

STAND

V + A
The crowd stood by while the bank was being held up.
La foule est restée sans agir pendant le hold-up de la banque.

V + P
He always stands by his word.
On peut toujours compter sur sa parole.

COME

V + A
You could very well come by this afternoon.
Tu pourrais très bien faire un saut cet après-midi.

V + P
How did you come by that job?
Comment avez-vous obtenu ce boulot ?

RUN

La particule by ne s'associe pas avec le verbe run.

FALL

V + P
Last month the pound fell by ten per cent.
Le mois dernier la livre a perdu 10 pour 100.

PUT

V + A
His question was strange. I decided to put it by.
Sa question était étrange. J'ai décidé de l'éluder.

TAKE

V + P	You should take the bull by the horn! *Vous devriez prendre le taureau par les cornes !*

GET

V + A	I think that this repair will get by. *Je crois que cette réparation tiendra.*
V + P	We were not able to get by the crowd. *Il nous était impossible de passer devant la foule.*

SET

V + A	I think we should set the journey by. *Je pense que nous devrions remettre le voyage.*
V + P	Let's set our armchairs by the window. *Installons nos fauteuils près de la fenêtre.*

172 Expressions idiomatiques et noms composés avec *by*

- by the bye : *à propos, soit dit en passant ;*
- a by-law : *un arrêté municipal ;*
- a bypass : *une dérivation ;*
- a by-product : *un sous-produit ;*
- in the bygone days : *au temps jadis ;*
- let bys be bys : *oubliions le passé, passons l'éponge.*

LA PARTICULE DOWN

173 Le sens de base 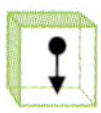

- Au sens propre, down exprime un mouvement vers le bas.

  I'm sure he fell down.

  Je suis certain qu'il est tombé.

- Au sens figuré, down indique une diminution, une réduction, un échec.

  Prices seldom go down.

  Les prix baissent rarement.

Les verbes associés

BE

V + A	Is Steve down yet? His tea is getting cold! *Steve n'est pas encore descendu ? Son thé refroidit !*
V + A + P	She is down on you, I'm afraid. *Elle t'en veut, j'en ai peur.*

STAND

L'association **stand down** est assez rare, à part le sens de *se désister, renoncer*, et, dans la langue militaire, de *Repos !*

GO

L'association **go down** est fréquente.

V + A	How far does his garden go down? *Jusqu'où s'étend son jardin ?*
V + A + P	I have to go down to the country tomorrow. *Il faut que j'aille à la campagne demain.*

COME

V + A	The doctor asked me if my weight had come down. *Le médecin m'a demandé si j'avais perdu du poids.*
V + A + P	When will they finally come down to details? *Quand en arriveront-ils enfin aux détails ?*

RUN

V + A	She feels a little run down. *Elle se sent à plat/mal fichue.*
V + P	Johnny, please, run down to the station now. *Johnny, s'il te plaît, file donc à la gare maintenant.*

FALL

V + A	Your plan fell down, it was too costly. *Ton plan a échoué, il était trop coûteux.*

V + A + P	He fell down badly on chemistry. *Il a vraiment raté sa chimie.*

TAKE

V + A	You will have to take this engine down. *Il va falloir que vous démontiez ce moteur.*
V + A	I have taken down all that you said. *J'ai pris note de tout ce que vous avez dit.*

GET

V + A	Don't let things get you down. *Ne te laisse pas abattre.*
V + A + P	We'll have to get down to repairing the house. *Il faut que nous nous mettions à repeindre la maison.*

PUT

V + A	Her latest essay has been severely put down. *Son dernier essai a été très critiqué.*
V + A + P	I put him down as a crook. *Je le prends pour un escroc.*

SET

V + A + P	These price limits are not set down by law. *Ces limitations de prix ne sont pas fixées par la loi.*
V + A + P	What date has been set down for the meeting? *Quel jour a-t-on fixé pour la réunion ?*

De même que up, la particule down est employée comme verbe avec le sens de *faire tomber, battre [en sport], avaler une boisson* ou *cesser le travail* (to down tools).

Elle participe à certains noms composés comme down-to earth : *qui a les pieds sur terre* ; down under : *aux antipodes* ; downtown : *au centre-ville* ; downtime : temps mort.

175 Expressions idiomatiques avec *down*

– to go down to x : [sport] *être battu par x* ;
– to run it down : *dire la vérité, tout « déballer »* ;
– to run down some lines : *« baratiner »* ;
– to fall down on something : *faiblir, échouer* ;
– to get down : *sortir de table* ;
– to put down roots : *établir résidence.*

Et aussi :

He's down and out. *Il est sans le sou.*
I'm down on my luck. *Je n'ai pas de chance.*

LA PARTICULE IN

176 Le sens de base 

Avec in, il s'agit surtout de décrire des positions à l'intérieur d'un lieu ou d'une période, au sens propre et, particulièrement, au sens figuré.

Is there anybody in? *Il y a quelqu'un ?*
We're in the money. *Nous sommes riches.*

177 Les verbes associés

BE

On compte de nombreux emplois avec ce verbe d'état par excellence, particulièrement avec in en préposition.

Our candidate is in!
Notre candidat est élu !

Et aussi :

to be in the dark : *ne pas comprendre* ; in deep water : *être en difficulté* ; in force : *en application*, etc.

STAND

V + A + P	Can he stand in for me tomorrow? *Peut-il me remplacer demain ?*
V + P	The car has stood in the garage a whole year. *La voiture est restée au garage une année entière.*

GO	
V + A	What time have they to go in every day? *À quelle heure doivent-ils commencer le travail tous les jours ?*
V + A + P	He doesn't go in for reading very much. *Il ne s'intéresse pas beaucoup à la lecture.*

COME	
V + A	She has come in first. *Elle a eu le premier prix.*
V + A + P	Do come in for dinner with us tomorrow. *Venez donc dîner avec nous demain.*

RUN	
V + A	Let us run in and see your mother now. *Prenons la voiture et allons voir ta mère maintenant.*
V + A + P	This accident has run me in for a large repair bill. *Après cet accident, j'ai dû payer une grosse facture de réparation.*

FALL	
V + A	The world fell in when he lost his wife. *Le monde s'est effondré quand il a perdu sa femme.*
V + A + P	They fell in with party-goers at the hotel. *Ils se sont joints à des fêtards à l'hôtel.*

TAKE	
V + A	She could not take in the situation. *Elle n'arrivait pas à comprendre la situation.*
V + A	The poor man took in all her lies. *Le pauvre homme avalait tous ses mensonges.*

GET	
V + A	He wasn't sorry to get in so late last night. *Il ne s'excusa pas d'être rentré si tard hier soir.*
V + A + P	She's got in with bad company. *Elle a de mauvaises fréquentations.*

PUT

V + A	I put in three hours a day looking after him. *Je passe trois heures par jour à m'occuper de lui.*
V + A + P	I hope she's putting in a claim for damage! *J'espère qu'elle porte plainte pour dommages !*

SET

V + A	This book is set in a very pleasant type. *Ce livre est imprimé en caractères très agréables.*
V + A + P	The rain has now set in for the night. *Maintenant il va pleuvoir toute la nuit*

In intervient également dans des expressions et mots composés.
- the ins and outs of a question : *les tenants et les aboutissants* ;
- to be in on it : *être dans le coup* ;
- in-group : *groupe fermé* ;
- in-joke : *plaisanterie à usage interne* ;
- in-laws : *belle famille*.

178 Autres expressions idiomatiques avec *in* et *into*

- to come in useful/handy : *être (bien) utile* ;
- to come in on the ground-floor : *commencer à la base* ;
- to run in for : *entraîner quelqu'un dans des difficultés* ;
- a take-in : *une arnaque*.

Into marque le passage d'un état à un autre :
- to come into focus : *devenir clair* ;
- to fall into kinds : *être divisible [en catégories]*.

LA PARTICULE OFF

179 Le sens de base 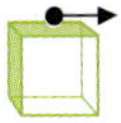

Off apporte au verbe une idée de départ, d'éloignement, d'absence, de cessation d'activité, d'une façon un peu comparable avec la particule away.

180 Les verbes associés

Les associations de off sont particulièrement nombreuses avec be, go, take et get, rares avec stand et come.

BE

V + A	Tomorrow I'll be off before dinner. *Demain je serai libéré avant le dîner.*
V + A + P	We'll soon be off with our old car. *Nous serons bientôt débarrassés de notre vieille voiture.*
V + P	Our children have been off school the whole week. *Nos enfants ont manqué l'école toute la semaine.*

STAND

On trouve quelques emplois dans le sens de *se tenir à l'écart, être au chômage* (→ stand off 134).

GO

V + A	He went off without even saying goodbye. *Il s'en alla sans même dire au revoir.*
V + A + P	He suddenly went off into loud laughter. *Il partit soudain d'un grand éclat de rire.*
V + P	Good! You've gone off the beaten track! *C'est bien ! Vous êtes sorti des sentiers battus !*

COME

V + A	I don't think that dirty stain will come off. *Je ne crois pas que cette tache va s'en aller.*
V + P	Look! The long branch has come off the apple tree. *Regardez ! La longue branche est tombée du pommier.*

RUN

V + A	Don't run off! Ne t'échappe pas !
V + A + P	The burglar has just run off with the jewels. Le cambrioleur vient de s'enfuir avec les bijoux.
V + P	He's run his car off the road. Sa voiture est sortie de la route.

FALL

V + A	The meadow falls off from here towards the brook. La prairie descend d'ici vers le ruisseau.
V + P	Be careful! you might fall off your chair! Faites attention ! Vous pourriez tomber de votre chaise !

TAKE

V + A	Please, take your shoes off before coming in. S'il vous plaît, enlevez vos chaussures avant d'entrer.
V + P	Be careful, don't take your eyes off the children. Attention, ne quittez pas les enfants des yeux !

GET

V + A	I didn't get off before midnight last night. Hier soir, je ne me suis pas endormi avant minuit.
V + A + P	You're lucky to get off with a little burn. Vous avez de la chance de vous en tirer avec une petite brûlure.
V + P	Get off my back! Ne restez pas dans mon dos !

PUT

V + A	The concert has been put off till next Sunday. Le concert a été remis à dimanche prochain.
V + P	The smell of their cigarettes put me off my cake. L'odeur de leurs cigarettes m'a dégoûté de mon gâteau.

SET

V + A	When will you set off for work? Quand vous mettez-vous au travail ?

181 Expressions idiomatiques et noms composés avec *off*

To be off somebody. *Ne plus avoir envie de fréquenter quelqu'un.*
To take off the gloves with somebody.
Ne pas prendre de gants avec quelqu'un.
To get off on the right foot. *Partir du bon pied.*
To go off one's head/one's nut. *Devenir fou/cinglé.*
He is badly off. *Il est dans la gêne.*
Mais : They are comfortably off. *Ce sont des gens aisés.*

On trouve de très nombreux mots composés avec cette particule.
Adjectifs : offhand, *désinvolte* ; off-key, *anormal...*
Noms : offshoot, *rejeton* ; offspring, *progéniture...*

LA PARTICULE ON

182 Le sens de base

Avec on, il existe deux catégories de sens à ne pas confondre.

- L'une évoque un état de contact, au propre et au figuré :
  Put your hat on. *Mets ton chapeau.*
  She put a good face on. *Elle a fait bonne figure.*
- L'autre marque une progression, une continuité :
  Read on. *Continue à lire.*
  I'll follow on after you. *J'enchaînerai après vous.*

183 Les verbes associés

BE	
V + A	Two policemen will be on after midnight. *Deux policiers seront de service après minuit.*
V + A + P	Tell me what she is on about this time. *Dis-moi de quoi elle parle cette fois.*

STAND	
V + A	The boat stood on for two hours. *Le bateau garda le même cap pendant deux heures.*

V + P	We should stand on our principles. Nous devrions nous en tenir à nos principes.

GO

V + A	How long did the play go on? Combien de temps la pièce a-t-elle été jouée ?
V + A + P	It's going on for midnight, put the boy to bed. Il n'est pas loin de minuit, mets le petit au lit.

COME

V + A	Suddenly the rain came on. Il s'est soudain mis à pleuvoir.
V + P	We'll come on the first of May. Nous viendrons le premier mai.
V + A + P	Come on over next week, will you? Viens nous voir la semaine prochaine, s'il te plaît.

RUN

V + A	Grandfather ran on and on about her. Grand-père n'en finissait pas de parler d'elle.
V + A + P	The story is running on over ten pages. L'histoire se poursuit sur dix pages.

FALL

V + A	All our calls fell on death ears. On fit la sourde oreille à tous nos appels.
V + P	He always seemed to fall on his feet. Il avait l'air de toujours retomber sur ses pieds.

TAKE

V + A	I feel that I am taking on too much. J'ai l'impression d'en prendre trop.
V + P	Do you have enough money to take a chance on that horse? As-tu assez d'argent pour jouer sur ce cheval ?

GET

V + A	How did you get on? Ça s'est bien passé ? Ça a marché ?
V + A + P	I always get on with her easily. Je m'entends toujours facilement avec elle.

PUT

V + A	The Stratford Theatre has put *Macbeth* on. On joue *Macbeth* à Stratford.
V + A + P	They put me on a good deal. Ils m'indiquèrent une bonne adresse.

SET

V + P	They've set the police on the wrong track. Ils ont dirigé la police sur une fausse piste.
V + A	He is always setting his friends on. Il excite toujours ses camarades.

184 Expressions idiomatiques et noms composés avec *on*

We had a drink on the house. Le patron a offert la tournée.
He's back on cigarettes. Il s'est remis à fumer.
She's on the pill. Elle prend la pilule.
You're on! Tope-là !
We see them on and off. On les voit de temps à autre.
Are we on for lunch? On va déjeuner ensemble ?

On trouve des noms composés avec la particule on, tels que onlooker : badaud, spectateur ; online : en réseau ; onshore : à terre ; oncoming : approchant ; ongoing : en cours.

LA PARTICULE OUT

185 Le sens de base

Au propre comme au figuré, la particule **out** associe au verbe une idée de mouvement vers l'extérieur ou de position « en dehors ».

The ball is out. *La balle est sortie du terrain.*

He feels out of it. *Il se sent en marge.*

186 Les verbes associés

BE	
V + A	Our apple tree is out. *Notre pommier est en fleurs.*
V + A + P	He is out in his calculations. *Il s'est trompé dans ses calculs.*

STAND	
V + A	The miners have decided to stand out. *Les mineurs ont décidé de résister.*
V + A + P	The teacher asked my friend to stand out of line. *Le professeur demanda à mon ami de sortir du rang.*

GO	
V + A	In a minute the poor man went out like a light. *En une minute le pauvre homme perdit connaissance.*
V + A + P	Our hearts go out to you, dear friends. *Nous sommes de tout cœur avec vous, chers amis.*

COME	
V + A	It came out that he was penniless. *On a appris qu'il était sans le sou.*
V + A + P	He finally came out on the wrong side. *Il a finalement fait une mauvaise affaire.*

RUN	
V + A	The hot water has run out again. *Il n'y a de nouveau plus d'eau chaude.*
V + A + P	His wife has run out on him. *Sa femme l'a quitté.*

FALL	
V + A	There is a danger of atomic dust falling out. *Il y a un risque de retombées radioactives.*
V + A + P	Bad habits are not easy to fall out of. *Il n'est pas facile de perdre ses mauvaises habitudes.*

TAKE	
V + A	Over what age can you take out a licence? *À partir de quel âge peut-on obtenir le permis ?*
V + A + P	Has the decision been taken out of his hands? *La décision lui a-t-elle échappé ?*

GET	
V + A	The news has just got out that... *Je viens d'apprendre que...*
V + A + P	Original clothes get out of date quickly. *Les vêtements originaux sont vite démodés.*

PUT	
V + A	Could you put out a better system? *Pourriez-vous proposer un meilleur système ?*
V + A + P	Try to put your mistakes out of your heads. *Essayez d'oublier vos erreurs.*

SET	
V + A	That wasn't what I set out to do. *Ce n'est pas ce que j'avais prévu de faire.*
V + A + P	All the ladies had set themselves out in their best dresses. *Toutes les dames s'étaient mises sur leur trente et un.*

La particule out est encore plus robuste que up. Elle peut prendre une valeur de verbe, au sens d'*éjecter*, *expulser*, *révéler*, et elle entre dans la formation de verbes comme outbid : *surenchérir* ; outclass : *surclasser* ; outdo : *faire mieux* ; outfit : *s'équiper* ; outlive : *survivre à*.

Elle contribue à former de nombreux noms, adjectifs ou expressions composés tels que outbreak : *déclenchement de violence* ; outcast : *proscrit* ; out-dated : *suranné* ; outmost : *très éloigné* ; out-of-the-way : *isolé, insolite* ; out-of-towner : *étranger*...

187 Expressions idiomatiques avec *out*

La seule association fall out, par exemple, a de quoi surprendre. À côté des emplois cités ci-dessus, cette particule a le sens imprévisible de : *se passer, arriver, avoir pour résultat*.

It so fell out that they were not to meet again.
Il se trouva qu'il ne devaient plus se rencontrer.

Fall out a aussi le sens de *se disputer*.

They fall out every two weeks but their quarrels never last.
Ils se font une scène tous les quinze jours mais leurs disputes ne durent jamais.

LA PARTICULE OVER

188 Le sens de base 

- Au sens propre, over évoque un mouvement par-dessus un obstacle ou le résultat de ce mouvement avec les **verbes d'état**.

V + P	The plane is flying over London. *L'avion survole Londres.*
V + A	The flight is now over. *Le vol est maintenant terminé.*

- Au sens figuré, over peut décrire une évolution dans le temps ou ce qui reste d'un tout. S'exprime aussi une idée de renversement, voire d'excès.

V + P	Over the last ten years he has travelled a lot. *Il a beaucoup voyagé ces dix dernières années.*
V + A	Take what is left over. *Prenez ce qui reste.*

D'une façon générale, over ne génère qu'un nombre réduit de sens. On trouve très peu d'associations V + A + P.

189 Les verbes associés

BE

V + A	The snow will soon be over. La neige va bientôt cesser de tomber.
V + P	Will you be long over that letter? Est-ce que cette lettre vous prendra beaucoup de temps ?

STAND

V + A	We'll let that problem stand over till tomorrow. Nous laisserons le problème en suspens jusqu'à demain.
V + P	She always stands over me when I am writing. Elle reste toujours à me regarder quand je suis en train d'écrire.

GO

V + A	He didn't keep still and the boat went over. Il ne s'est pas tenu tranquille et le bateau a chaviré.
V + P	I think the joke went over their heads. Je crois qu'ils n'ont rien compris à la plaisanterie.

COME

V + A	Do you think my speech came over? Crois-tu que mon discours est bien passé ?
V + P	What came over her? Qu'est-ce qu'il lui a pris ?

RUN

V + A	Be careful: the bath water is running over! Attention, l'eau de la baignoire déborde !
V + A + P	He's always running over with ideas. Il est toujours débordant d'idées.

FALL

V + A	Young Bill's house of cards has fallen over. Le château de cartes du jeune Bill est tombé.
V + P	He fell over a rock and hurt himself. Il a trébuché sur un caillou et il est tombé.

TAKE	
V + A	Will you take my letter over to the post office? *Veux-tu aller mettre ma lettre à la poste ?*
V + P	He took over the shop from his father. *Il a repris le magasin de son père.*

GET	
V + A	We could not get over, the traffic was too busy. *Nous n'avons pas pu traverser, la circulation était trop dense.*
V + P	I can't get over the fact that he got through. *Je n'en reviens pas qu'il ait réussi.*

PUT	
V + A	We'll have to put the lesson over. *Il va falloir remettre la leçon à plus tard.*
V + P	You should put a warm cover over the boy. *Vous devriez mettre une couverture chaude sur le petit.*

Over sert de préfixe à de nombreux verbes comme overwork : *surmener* ; overcook : *trop cuire* ; overlook : *laisser échapper*, etc.

190 Expressions idiomatiques avec *over*

They think you're all over the hill when you are seventy.
Ils pensent qu'on est fichu après 70 ans.
He's gone over the edge. *Il a dépassé les bornes.*
He's falling over himself to help us.
Il se met en quatre pour nous aider.
Let's get this over! *Finissons-en !*
The match will then be all over and done with, too bad!
La partie sera alors bel et bien finie, dommage !

LA PARTICULE THROUGH

191 Le sens de base 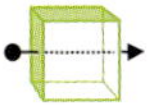

Through suggère un mouvement qui traverse un obstacle, un lieu, une époque ou la mise en œuvre d'une action, au propre et au figuré.

192 Les verbes associés

BE

V + A	When you are through come to see me. *Quand tu auras fini, viens me voir.*
V + A	You are through now. *Vous avez votre correspondant.*

STAND

Il n'existe pas d'association de ce verbe avec through.

GO

V + A	Be careful, the nail could go through! *Attention, le clou pourrait traverser !*
V + A	The law has not gone through yet. *La loi n'a pas encore été votée.*
V + A + P	He's finally got through with this difficult competition. *Il a finalement réussi ce difficile concours.*
V + P	A strange story has gone through the city. *Une étrange histoire s'est répandue dans la ville.*

COME

V + A	Has the Dover train come through? *Le train de Douvres est-il arrivé ?*
V + P	Unfortunately the rain has come through the roof. *Malheureusement la pluie a traversé le toit.*

RUN

V + A	Has the terrible news run through to you? *La terrible nouvelle vous est-elle parvenue ?*

V + P	How can you have run through so much money? Comment avez-vous pu gaspiller tant d'argent ?

FALL

V + A	What a pity, all their plans have fallen through. Quel dommage, tous leurs plans ont échoué.
V + P	When I knew the story I fell through the floor. Quand j'ai appris la nouvelle, je suis tombé(e) des nues.

TAKE

V + P + A	It will be difficult to take the idea through to completion. Ce sera difficile de porter cette idée à son terme. Could you take me through this History chapter ? Pourriez-vous m'aider à revoir ce chapitre d'histoire ?
V + P	Help me to take through this scene. Aidez-moi à répéter cette scène.

GET

V + A	He tried to call me but did not get through. Il a essayé de m'appeler mais n'a pas réussi à m'avoir.
V + A + P	We have not got through with painting the kitchen. Nous n'avons pas terminé de peindre la cuisine.
V + P	Come and see me when you've got through your work. Venez me voir quand vous aurez fini votre travail.

PUT

V + A	My teacher has been successful enough to put all his students through. Ma professeur a été assez heureuse pour faire réussir tous ses étudiants.
V + P	Why did you put a pencil through his name? Pourquoi avez-vous barré son nom ?

193 Expressions idiomatiques avec *through*

To get through fire and water for someone.
Faire des pieds et des mains pour aider quelqu'un.
To be through with someone. *« Plaquer » quelqu'un.*
To put someone through the hoops.
Tester quelqu'un ou lui faire passer un mauvais quart d'heure.
It was all through him that I got the job.
C'est grâce à lui si j'ai eu le travail.
I am through with football! *Le football, c'est fini pour moi !*
After all he has gone through! *Après tout ce qu'il a enduré !*

LA PARTICULE UP

194 Le sens de base 

- Au sens concret, up exprime souvent un mouvement vers le haut ou une position en hauteur, assez facile à interpréter.
  The road is up. *La route est en travaux.*
- Au sens abstrait ou figuré, up associe au verbe une idée d'achèvement, de perfection, de paroxysme moins évidente.
  What's up? *Que se passe-t-il ?*

On ne retiendra donc ici que des exemples de sens abstrait.

195 Les verbes associés

BE	
V + A	Are eggs up again this week? *Les œufs vont-ils encore augmenter cette semaine ?*
V + A + P	It's up to you to decide. *C'est à toi de décider.*

STAND	
V + A	Would his story stand up in court? *Son histoire tiendrait-elle au tribunal ?*
V + A + P	She stood up very well to her operation. *Elle a très bien supporté son opération.*

GO

V + A	Did that politician go up in your esteem really? *Est-ce que cet homme politique a vraiment remonté dans votre estime ?*
V + A + P	I want to go up to town now. *Je veux aller en ville maintenant.*

COME

V + A	He has come up the hard way all his life. *Il en a vu de dures toute sa vie.*
V + A + P	"What's the time?" "Coming up to ten o'clock." *« Quelle heure est-il ? – Bientôt dix heures. »*

RUN

V + A	Can you run up this addition for me? *Pouvez-vous me faire rapidement cette addition ?*
V + A + P	Our bill could run up to a hundred pounds. *Notre addition pourrait s'élever à 100 livres.*

TAKE

V + A	All the children took up the song. *Tous les enfants ont repris en chœur.*
V + A + P	I'd take you up on your invitation, but... *J'accepterais bien votre invitation, mais...*

GET

V + A	There is a wind getting up, don't you think? *Le vent se lève, vous ne trouvez pas ?*
V + A + P	What page have you got up to? *À quelle page en êtes-vous ?*

PUT

V + A	Could you put me up for the night? *Pourriez-vous me loger pour la nuit ?*
V + A	I'll put your idea up to him. *Je lui ferai part de votre idée.*

SET

V + A	They set up house together. *Ils se sont mis en ménage.*
V + A + P	He set up as a shoemaker. *Il s'est installé comme cordonnier.*

Les emplois de up comme particule prépositionnelle sont assez rares. Retenons go up the wall : *être très en colère.*

Au contraire, up entre dans de très nombreux noms et verbes composés tels que upbringing : *éducation* ; upheaval : *bouleversement* ; to update : *mettre à jour* ; to uphold : *soutenir.*
Cette particule peut même assumer seule le rôle d'un verbe.

I upped and told her what I thought of her.
Sans plus attendre, je lui ai dit ce que je pensais d'elle.

196 Expressions idiomatiques avec *up*

The House is up. *La Chambre (le Parlement) ne siège pas.*
Don't try to come up. *N'essaie pas de faire le malin.*
I don't feel up to it. *Je ne m'en sens pas le courage.*
... and then the balloon went up.
... et c'est alors que les ennuis ont commencé.
Isn't it good to take up the threads of our friendship?
N'est-ce pas agréable de renouer les fils de notre amitié ?
He is not a tall man but he seems to be well set up.
Il n'est pas grand mais il a l'air très costaud.
Put up or shut up! *Ton argent et tais-toi ! ou « ferme-la » !*

LA PARTICULE AT

197 Le sens de base

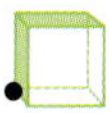

At peut apporter au verbe une idée de direction ou d'arrivée en un lieu, à un certain moment, ou suggérer une activité, une manière d'être ou de faire.

198 Les verbes associés

BE

V + P	The kids are at it again. *Les gosses remettent ça.*

At est utilisée dans plusieurs expressions telles que
– to be at attention : être au garde-à-vous ;
– to be at home : être chez soi.

STAND

V + P — Stand at ease. Repos!

GO

V + P — Our dog always goes at the policemen in the street.
Notre chien attaque toujours les policiers dans la rue.

COME

V + P — These shelves are too high, I can't come at them!
Ces étagères sont trop hautes, je ne peux pas les atteindre !

RUN

V + P — His school-marks are now running at top level.
Ses notes scolaires ont maintenant atteint le plus haut niveau.

FALL

V + P — He suddenly fell at his father's feet.
Il tomba soudain aux pieds de son père.

PUT

V + P — I put his wife's jewels at fifty pounds.
J'estime les bijoux de sa femme à 50 livres.

TAKE

La particule at ne s'associe pas avec le verbe take.

GET

V + P — Do you think it is so difficult to get at the truth?
Penses-tu qu'il soit si difficile d'obtenir la vérité ?

SET

V + P — The price of that model has been set at ten thousand euros.
Le prix de ce modèle a été fixé à 10 000 euros.

199 Expressions idiomatiques avec *at*

– to set someone at his ease : *mettre quelqu'un à l'aise ;*
– to set at naught : *considérer comme nul ;*
– to set at premium : *attacher une grande valeur ;*
– to set something at its face value : *fixer un prix à vue de nez.*

LA PARTICULE FROM

200 Le sens de base 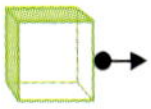

From marque le point de départ d'un lieu, d'un temps, d'un événement, d'un état, aux sens propre et figuré.

201 Les verbes associés

Outre un emploi fréquent comme particule prépositionnelle seule (P), from est parfois associé à une particule adverbiale (A + P).

BE	
V + P	At this moment you were three hours from London. *Vous étiez alors à trois heures de Londres.*
V + A + P	Our boat was two miles out from the coast. *Notre bateau se trouvait à deux nautiques de la côte.*

GO	
V + P	Don't you think that something has gone from the English way of life? *Ne pensez-vous pas que quelque chose a disparu de la vie à l'anglaise ?*

COME	
V + P	Paul comes from a long line of musicians. *Paul descend d'une longue lignée de musiciens.*

RUN	
V + P	He's running from the police. *Il fuit la police.*

V + A + P

You should let the water run away from the house.
Vous devriez laisser l'eau s'écouler hors de la maison.

FALL

V + P

His secretary has now fallen from grace.
Il a maintenant perdu confiance en sa secrétaire.

TAKE

V + P

I believe the vicar has taken his text from Saint Mark's.
Je crois que le curé a extrait son texte de l'Évangile selon saint Marc.

GET

V + P

Who did you get this letter from?
Qui vous a envoyé cette lettre ?

V + A + P

We wanted to get away from life in a city.
Nous voulions échapper à la vie en ville.

202 Expressions idiomatiques avec *from*

They are living from hand to mouth. Ils vivent au jour le jour.
She did it herself from start to finish.
Elle l'a fait elle-même du début à la fin.
Keep him from talking to her. Empêche-le de lui parler.
Take your pick from my detective stories.
Faites votre choix dans mes romans policiers.
I'd run a mile from being a chairman!
Je ferais tout pour ne pas être président-directeur général !

LA PARTICULE TO

203 Le sens de base 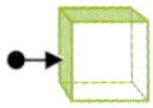

To illustre le plus souvent, au sens propre comme au figuré, la direction d'un mouvement et, éventuellement, son aboutissement.

204 Les verbes associés

To ne compte que de rares emplois adverbiaux. Associée à plusieurs verbes, cette particule donne de nombreuses expressions courantes.

BE

V + P — Have you been to London? *Êtes-vous allé à Londres ?*

STAND

V + P — It stands to reason that she's got her promotion.
Il va sans dire qu'elle a eu sa promotion.

GO

V + P — Does this train go to Liverpool?
Est-ce le train pour Liverpool ?

On trouve également les emplois tels que go to work: *aller au travail* ; go to press : *partir à la composition* ; go to the dogs : *être ruiné…*

COME

V + A — She came to after a few minutes.
Elle a repris connaissance quelques minutes après.

V + P — To come to hand. *Se trouver à proximité.*

V + P — To come to the point. *En venir au fait.*

RUN

V + P — Her taste runs to luxury cars.
Elle a un faible pour les voitures de luxe.

Également to run to seed : *se dégrader* ; to run to fat : *avoir tendance à grossir…*

FALL	
V + A	If you let the curtain go off it will fall to. *Si vous lâchez le rideau, il tombera tout seul.*
V + P	The temperature has now fallen to zero. *La température est maintenant tombée à zéro.*

TAKE	
V + P	He had to take the engine to bits. *Il lui a fallu démonter entièrement le moteur.*

GET	
V + P	How can I get it to him? *Comment le lui faire parvenir ?*

PUT	
V + A	To put the door to. *Fermer la porte.*
V + P	To put to sleep. *Anesthésier.*

SET	
V + A	Get a pencil and set to. *Prends un crayon et mets-toi au travail.*
V + P	To set a good/bad example. *Donner le bon/mauvais exemple.*

205 Expressions idiomatiques avec *to*

What would you say to a beer? *Que diriez-vous d'une bière ?*
Here's to you! *À la vôtre !*
There's nothing to it! *Rien de plus facile !*
The Prime Minister has decided to go to the counts.
Le Premier ministre a décidé de lancer les élections générales.

LA PARTICULE WITH

206 Le sens de base

With indique en général l'accompagnement entre personnes et choses, mais aussi un moyen, une manière d'être ou de faire.

207 Les verbes associés

Cette particule est employée soit à la suite d'une particule adverbiale, soit isolément.

BE

V + A + P	Jane was down with a cold last week. *Jane a dû garder la chambre la semaine dernière.*
V + P	"Are you still with me?" asked the chairman. *« Vous me suivez toujours ? » demanda le président.*

STAND

V + A + P	He asked me to stand up with him at his wedding. *Il m'a invité à son mariage.*
V + A (+ P)	How does he stand (in) with her? *Quelles sont ses relations avec elle ?*

GO

V + P	Why doesn't she go with the times? *Pourquoi ne vit-elle pas avec son temps ?*

COME

V + A + P	To come up with somebody. *Rattraper quelqu'un.*

RUN

V + P	Are you ready to run with the winner? *Es-tu prêt à courir avec le vainqueur ?*

FALL

V + A + P	Yesterday I fell in with a party of climbers. *Hier j'ai rencontré un groupe de grimpeurs.*

TAKE

V + P	She was suddenly taken with a fit of coughing. *Elle fut soudain prise d'une quinte de toux.*

GET

V + A + P	Try to get on well with him. *Essaie de te mettre bien avec lui.*
V + P	Come on, don't be old fashioned, get with it! *Allons, ne sois pas vieux jeu, reste dans le coup !*

PUT

V + A + P	Couldn't you put up with him a little longer? *Ne pourriez-vous pas le supporter un peu plus longtemps ?*

SET

V + A + P	Our school has been set up with books. *Notre école est maintenant bien fournie en livres.*
V + P	The fairy's gown was set with dozens of stars. *La robe de la fée était parsemée de dizaines d'étoiles.*

208 Expressions idiomatiques avec *with*

Go along with you! *Je ne vous crois pas !*
Did the exam go ill with you? *Ça n'a pas marché, ton examen ?*
To run with the hare and hunt with the hounds.
Courir deux lièvres à la fois. ou *Jouer sur les deux tableaux.*
Go with it. He's lying to you. *Ouvre les yeux. Il te ment.*

Remarquez aussi les verbes withdraw : *se retirer* ; withstand : *supporter* ; withhold : *retenir, cacher*.

Dictionnaire des verbes

COMMENT UTILISER CE DICTIONNAIRE
4 300 VERBES DE A À Z

Bescherelle
ANGLAIS

Les numéros renvoient aux paragraphes.

COMMENT UTILISER CE DICTIONNAIRE

Ce dictionnaire rassemble un grand nombre de verbes anglais, ceux de la langue courante parlée et écrite, mais également ceux de la langue littéraire ou technique. Nous avons pris le parti de l'efficacité plutôt que celui de l'exhaustivité : on ne trouvera pas certains verbes devenus rares, ni de verbes dont le sens est transparent ou qui ne posent pas de problèmes de construction.

À chaque verbe est associé, de manière systématique, un ensemble d'informations concernant son utilisation.

Toutes les informations utiles

do (es), did, done [du:], vt, *faire* ; vi, *faire, convenir* ; *aux.* (→ 43-46)

verbe anglais — forme particulière de la 3e pers. du sing. — prétérit et part. passé irréguliers — transcription phonétique — construction — traduction — type de verbe — renvoi aux paragraphes

• do **away ▸ with**, vt, *se débarrasser de*

verbe à particule — particule prépositionnelle introduisant un compl. d'objet 1er

• do **over**, vt, *refaire*

particule adverbiale

• do **up**, vt, *retaper* [une maison] *(fam.)*, *emballer*

domaine d'emploi — niveau de langue

accept (▸▸ as) [ək'sept], vt, *accepter (en tant que)*

particule prépositionnelle introduisant un compl. d'objet 2nd

bat (tt) [bæt], vt, *frapper* ; vi, [cricket] *être à la batte*

redoublement de la consonne finale à la forme en -ing, au prétérit et part. passé des verbes réguliers

cancel (GB ll) ['kænsl], vt, *annuler*

redoublement de la consonne finale seulement en anglais britannique

colour (US **-or**) ['kʌlə], vt, *colorer* ; vi, [personne] *rougir*

forme américaine

Abréviations utilisées

vt	verbe transitif
vi	verbe intransitif
aux.	auxiliaire
(GB)	forme britannique
(US)	forme américaine
(fam.)	familier
(GB ll)	verbes réguliers dont la dernière consonne est redoublée en anglais britannique au prétérit et participe passé.
(ll)	redoublement de la consonne finale à la forme en -ing, prétérit et participe passé des verves irréguliers
(ie)	transformation du y final en ie à la troisième personne du singulier
(es)	terminaison en -es et non -s à la troisième personne du singulier

A

abandon [ə'bændən], vt, *abandonner*

abase [ə'beɪs], vt, *(s')abaisser, (s')humilier*

abate [ə'beɪt], vi, *s'apaiser*

abbreviate (▸▸ to) [ə'bri:vɪeɪt], vt, *abréger (qqch. en)*

abdicate ['æbdɪkeɪt], vt, vi, *abdiquer*

abduct [æb'dʌkt], vt, *kidnapper*

abet (tt) [ə'bet], vt, *aider, encourager*

- abet ▸▸ **in**, vt, *inciter, pousser à*

abhor (rr) [əb'hɔ:], vt, *abhorrer*

abide, abode/abided, abode/abided [ə'baɪd], vt, vi, *souffrir, supporter*

- abide ▸ **by**, vt, *respecter [une loi/décision]*

abjure [əb'dʒʊə], vt, *abjurer, renier*

abolish (es) [ə'bɒlɪʃ], vt, *abolir*

abominate [ə'bɒmɪneɪt], vt, *abominer*

abort [ə'bɔ:t], vt, vi, *(faire) avorter, échouer*

abound [ə'baʊnd], vi, *abonder*

- abound ▸ **in/with**, vi, *regorger de*

abrade [ə'breɪd], vt, *abraser, érafler*

abridge [ə'brɪdʒ], vt, *abréger*

abrogate ['æbrəgeɪt], vt, *abroger*

abseil ['æbseɪl], vi, *descendre en rappel*

absent ['æbsənt], vt, *s'absenter*

absolve [əb'zɒlv], vt, *absoudre*

- absolve ▸ **from/of**, vt, *absoudre de*

absorb [əb'sɔ:b], vt, *absorber*

abstain [əb'steɪn], vi, *s'abstenir*

- abstain ▸ **from**, vi, *s'abstenir de*

abstract ['æbstrækt], vt, *extraire*

abuse [ə'bju:s], vt, *maltraiter*

abut (tt) [ə'bʌt], vi, *être contigu*

- abut (tt) ▸ **on/against**, vi, *être contigu à*

accede [æk'si:d], vi, *accéder*

accelerate [ək'seləreɪt], vt, vi, *accélérer*

accent ['æksent], vt, *[phonétique] accentuer*

accentuate [æk'sentjʊeɪt], vt, *accentuer, mettre l'accent sur*

accept (▸▸ as) [ək'sept], vt, *accepter (en tant que)*

access (es) ['ækses], vi, *accéder*

acclaim [ə'kleɪm], vt, *acclamer*

acclimatise (US **-ize**) [ə'klaɪmətaɪz], vt, vi, *(s')acclimater, (s')habituer*

accommodate [ə'kɒmədeɪt], vt, *loger, satisfaire* ; vi, *s'adapter*

accompany (ie) **(▸▸ with)** [ə'kʌmpənɪ], vt, *accompagner (de)*

accomplish (es) [ə'kʌmplɪʃ], vt, *accomplir*

accord [ə'kɔ:d], vt, *accorder* ; vi, *être en accord avec*

accost [ə'kɒst], vt, *accoster*

account [ə'kaʊnt], vt, *estimer, considérer*

- account ▸ **for**, vt, *représenter, expliquer*

accredit [ə'kredɪt], vt, *attribuer, habiliter, accréditer*

- accredit ▸▸ **to**, vt, *accréditer auprès de*

accrue [ə'kru:], vt, *accumuler* ; vi, *[finance] s'accroître*

- accrue ▸ **to**, vi, *[bénéfices, intérêts] revenir à*

accumulate [ə'kju:mjʊleɪt], vt, vi, *(s')accumuler*

accuse [ə'kju:z], vt, *accuser*

- accuse ▸▸ **of**, vt, *accuser qqn de qqch.*

accustom [ə'kʌstəm], vt, *habituer*

- accustom ▸▸ **to** [ə'kʌstəm], vt, *habituer qqn à qqch.*

ache [eɪk], vi, *[douleur] faire mal*

- ache ▸ **for**, vi, *se languir de*

achieve [ə'tʃi:v], vt, *atteindre, accomplir*

acidify (ie) [ə'sɪdɪfaɪ], vt, *acidifier*

acknowledge [ək'nɒlɪdʒ], vt, *reconnaître, admettre*

acquiesce [ækwɪ'es], vi, *acquiescer, consentir*

- acquiesce ▸ **in/to**, vi, *acquiescer à, consentir à*

acquire [ə'kwaɪə], vt, *acquérir*

acquit (tt) **(▸▸ of)** [ə'kwɪt], vt, *(s')acquitter (de)*

act [ækt], vi, *agir, [théâtre] jouer*

- act ▸ **on**, vt, *agir sur la base de*
- act **out**, vt, *reconstituer, réaliser [un fantasme]*

act up, vi, *faire des siennes*

activate ['æktɪveɪt], vt, *activer*

actuate ['æktjʊeɪt], vt, *déclencher*

adapt [ə'dæpt], vt, vi, *(s')adapter*

add [æd], vt, vi, *(s')ajouter*

• add **up**, vt, *additionner* ; vi, *compter, s'ajouter, être cohérent*

addle ['ædəl], vt, vi, *(s')embrouiller*

address (es) [ə'dres], vt, *(s')adresser (à)*

adhere [əd'hɪə], vi, *adhérer*

adjoin [ə'dʒɔɪn], vt, *jouxter*

adjourn [ə'dʒɜːn], vt, *ajourner* ; vi, *lever la séance*

adjudge [ə'dʒʌdʒ], vt, *adjuger, déclarer*

adjudicate (on/upon) [ə'dʒuːdɪkeɪt], vt, vi, *statuer (sur), se prononcer (sur)*

adjure [ə'dʒʊə], vt, *adjurer, supplier*

adjust [ə'dʒʌst], vt, *régler, ajuster* ; vi, *s'adapter*

ad-lib [æd'lɪb], vt, vi, *improviser*

administer [əd'mɪnɪstə], vt, *administrer*

administrate [əd'mɪnɪstreɪt], vt, *administrer*

admire [əd'maɪə], vt, *admirer*

admit (tt) [əd'mɪt], vt, *admettre*

• admit ▸ **to**, vt, *avouer*

admonish (es) [əd'mɒnɪʃ], vt, *réprimander*

adopt [ə'dɒpt], vt, *adopter*

adore [ə'dɔː], vt, *adorer*

adorn [ə'dɔːn], vt, *orner*

adulate ['ædjʊleɪt], vt, *aduler*

adulterate [ə'dʌltəreɪt], vt, *frelater*

advance [əd'vɑːns], vt, *avancer, promouvoir* ; vi, *progresser*

advantage [əd'vɑːntɪdʒ], vt, *avantager*

adventure [əd'ventʃə], vt, *hasarder, risquer* ; vi, *se lancer*

advert [əd'vɜːt], vi, *se référer*

advertise ['ædvətaɪz], vt, vi, *faire de la publicité*

advise [əd'vaɪz], vt, *conseiller*

advocate ['ædvəkeɪt], vt, *recommander*

aerate ['eəreɪt], vt, *aérer*

affect [ə'fekt], vt, *affecter*

affiliate ▸▸ **to/with** [ə'fɪlɪət], vt, *(s')affilier*

affirm [ə'fɜːm], vt, *affirmer*

affix (es) [ə'fɪks], vt, *apposer [sa signature], coller [un timbre]*

afflict [ə'flɪkt], vt, *affecter*

• be afflicted **with**, vt, *souffrir de*

afford [ə'fɔːd], vt, *avoir les moyens de, se permettre de*

afforest [æ'fɒrɪst], vt, *boiser*

affront [ə'frʌnt], vt, *faire un affront à*

age [eɪdʒ], vt, vi, *vieillir*

agglomerate [ə'glɒməreɪt], vt, vi, *(s')agglomérer*

agglutinate [ə'gluːtɪneɪt], vt, vi, *(s')agglutiner*

aggravate ['ægrəveɪt], vt, *aggraver, agacer*

aggregate ['ægrɪgeɪt], vt, *rassembler, s'élever à [un total de]*

agitate ['ædʒɪteɪt], vt, *agiter, perturber*

• agitate ▸ **against/for**, vi, *faire campagne contre/pour*

agonise (US **-ize**) ['ægənaɪz], vi, *agoniser, être au supplice*

• agonise ▸ **about/over**, vi, *se tourmenter pour*

agree [ə'griː], vt, vi, *être d'accord* ; vt, *convenir de*

• agree ▸ **with sb (▸▸ about sth)**, vi, *être d'accord avec qqn (sur qqch.)*

aid [eɪd], vt, *venir en aide à*

ail [eɪl], vt, *faire souffrir* ; vi, *être souffrant*

aim ▸▸ **at** [eɪm], vt, *lancer [un projectile]*

• aim **(▸ at)**, vi, *viser*

air [eə], vt, *aérer, faire connaître, diffuser* ; vi, *être diffusé*

airmail ['eəmeɪl], vt, *poster par avion*

alarm [ə'lɑːm], vt, *alarmer*

• be alarmed ▸ **at**, vt, *s'alarmer de*

alcoholise (US **-ize**) ['ælkəhɒlaɪz], vt, *alcooliser*

alert [ə'lɜːt], vt, *alerter*

alienate ['eɪljəneɪt], vt, *(s')aliéner*

alight [ə'laɪt], vi, *se poser, mettre pied à terre*

• alight **on**, vt, *trouver par hasard*

align [əˈlaɪn], vt, vi, *(s')aligner*

allay [əˈleɪ], vt, *apaiser*

allege [əˈledʒ], vt, *prétendre*

alleviate [əˈliːvɪeɪt], vt, *alléger, apaiser*

allocate [ˈæləkeɪt], vt, *allouer, répartir*

allot (tt) [əˈlɒt], vt, *assigner, répartir*

allow [əˈlaʊ], vt, *permettre*

- allow ▸ **for**, vt, *tenir compte de, prévoir*
- allow ▸ **of**, vt, *admettre*

allude ▸ to [əˈluːd], vi, *faire allusion à*

allure [əˈljʊə], vt, *charmer, séduire*

ally (ie) [əˈlaɪ], vt, vi, *(s')allier*

alphabetise (US **-ize**) [ˈælfəbətaɪz], vt, *alphabétiser*

alter [ˈɔːltə], vt, vi, *changer, (se) modifier*

alternate [ˈɔːltəneɪt], vt, vi, *alterner*

amalgamate [əˈmælgəmeɪt], vt, vi, *fusionner*

amass [əˈmæs], vt, *amasser*

amaze [əˈmeɪz], vt, *stupéfier*

amble [ˈæmbəl], vi, *aller d'un pas tranquille*

ambush (es) [ˈæmbʊʃ], vt, *tendre une embuscade*

ameliorate [əˈmiːljəreɪt], vt, *améliorer, remédier à*

amend [əˈmend], vt, vi, *(s')amender, (se) corriger*

americanize [əˈmerɪkənaɪz], vt, *américaniser*

amortise (US **-ize**) [əˈmɔːtaɪz], vt, *[comptabilité] amortir*

amount ▸ to [əˈmaʊnt], vt, *équivaloir à, se monter à*

amplify (ies) [ˈæmplɪfaɪ], vt, *amplifier*

amputate [ˈæmpjʊteɪt], vt, *amputer*

amuse [əˈmjuːz], vt, *amuser*

anaesthetise/anesthetise (US **-ize**) [æˈniːsθətaɪz], vt, *anesthésier*

analyse [ˈænəlaɪz], vt, *analyser*

anathematise (US **-ize**) [əˈnæθəmətaɪz], vt, *jeter l'anathème sur*

anatomise (US **-ize**) [əˈnætəmaɪz], vt, *disséquer*

anchor [ˈæŋkə], vt, *arrimer* ; vi, *jeter l'ancre*

anger [ˈæŋgə], vt, *rendre furieux*

angle [ˈæŋgəl], vt, *pêcher, orienter* ; vi, *s'orienter*

- angle ▸ **for**, vt, *chercher à obtenir*

anglicise (US **-ize**) [ˈæŋglɪsaɪz], vt, *angliciser*

animate [ˈænɪmeɪt], vt, *animate*

annex (es) [æˈneks], vt, *annexer*

annihilate [əˈnaɪəleɪt], vt, *annihiler, anéantir*

annotate [ˈænəteɪt], vt, *annoter*

announce [əˈnaʊns], vt, *annoncer*

- announce ▸ **for**, vi, (US) *se déclarer candidat à*

annoy [əˈnɔɪ], vt, *ennuyer, agacer*

annul (ll) [əˈnʌl], vt, *annuler*

anoint [əˈnɔɪnt], vt, *oindre*

answer [ˈɑːnsə], vt, vi, *répondre*

- answer **back**, vi, *répliquer*
- answer ▸ **for**, vt, *répondre de*
- answer ▸ **to**, vt, *correspondre à*

antagonise (US **-ize**) [ænˈtægənaɪz], vt, *contrarier*

antedate [æntɪˈdeɪt], vt, *dater d'avant, antidater*

anticipate [ænˈtɪsɪpeɪt], vt, *s'attendre à, anticiper*

ape [eɪp], vt, *singer*

apologise (US **-ize**) **▸ for** [əˈpɒlədʒaɪz], vi, *s'excuser (de)*

appal (ll) [əˈpɔːl], vt, *atterrer*

appeal [əˈpiːl], vi, *faire appel*

- appeal ▸ **to**, vi, *supplier, tenter, plaire à*

appear [əˈpɪə], vi, *apparaître*

appease [əˈpiːz], vt, *apaiser*

append [əˈpend], vt, *joindre, annexer*

appertain [æpəˈteɪn], vi, *appartenir à, relever de*

applaud [əˈplɔːd], vt, *applaudir*

apply (ie) [əˈplaɪ], vt, *appliquer*

- apply ▸ **to**, vi, *poser sa candidature pour, s'appliquer à, s'adresser à*

appoint (▸▸ to) [əˈpɔɪnt], vt, *nommer (à un poste)*

apportion [əˈpɔːʃən], vt, *distribuer*

appraise [əˈpreɪz], vt, *évaluer, estimer*

appreciate [əˈpriːʃɪeɪt], vt, *apprécier, être reconnaissant/conscient de* ; vi, *prendre de la valeur*

apprehend [æprɪˈhend], vt, *appréhender, comprendre*

apprentice [əˈprentɪs], vt, *être en apprentissage*

- apprentice ▸ **to**, vt, *être en apprentissage chez*

apprise ▸▸ of [ə'praɪz], vt, *informer qqn de qqch.*

approach (es) [ə'prəʊtʃ], vt, vi, *(s')approcher*

approbate ['æprəbeɪt], vt, (US) *approuver*

appropriate [əpr'əʊprɪeɪt], vt, *s'approprier*

approve [ə'pru:v], vt, *approuver* ; vi, *être d'accord*

- approve ▸ **of**, vt, *approuver*

approximate ▸ to [ə'prɒksɪmeɪt], vi, *se rapprocher de, ressembler à*

arbitrate ['ɑ:bɪtreɪt], vt, vi, *arbitrer*

arc [ɑ:k], vi, *décrire un arc*

arch (es) [ɑ:tʃ], vt, *arquer* ; vi, *s'arquer, faire une voûte*

argue ['ɑ:gju:], vi, *se disputer, argumenter* ; vt, *débattre*

arise, arose, arisen [ə'raɪz], vi, *survenir*

arm [ɑ:m], vt, *armer*

arouse [ə'raʊz], vt, *susciter*

arraign [ə'reɪn], vt, *traduire en justice*

arrange [ə'reɪndʒ], vt, *organiser* ; vi, *prévoir de*

- arrange ▸ **for**, vi, *s'arranger pour que*

array [ə'reɪ], vt, *disposer, étaler*

arrest [ə'rest], vt, *arrêter*

arrive [ə'raɪv], vi, *arriver*

- arrive ▸ **at**, vt, *parvenir à*

arrogate ['ærəgeɪt], vt, *s'arroger*

articulate [ɑ:'tɪkjʊleɪt], vi, *articuler* ; vt, *exprimer*

ascertain [æsə'teɪn], vt, *vérifier*

ascribe [ə'skraɪb], vt, *attribuer*

ask [ɑ:sk], vt, vi, *demander*

- ask ▸ **after**, vt, *demander des nouvelles de*
- ask **along**, vt, *inviter*
- ask ▸ **around**, vi, *se renseigner, faire son enquête*
- ask ▸ **for**, vt, *demander qqch.*
- ask **out**, vt, *inviter à sortir*

aspirate ['æspəreɪt], vt, *[prononciation] aspirer*

aspire ▸ to [ə'spaɪə], vi, *aspirer à*

assail [ə'seɪl], vt, *assaillir*

assassinate [ə'sæsɪneɪt], vt, *assassiner*

assault [ə'sɔ:lt], vt, *attaquer, violenter*

assemble [ə'sembəl], vt, vi, *(s')assembler*

assent [ə'sent], vi, *donner son assentiment*

assert [ə'sɜ:t], vt, *affirmer*

assess (es) [ə'ses], vt, *évaluer*

assign [ə'saɪn], vt, *assigner*

assimilate [ə'sɪmɪleɪt], vt, vi, *(s')assimiler*

assist [ə'sɪst], vt, *aider, secourir*

- assist ▸▸ **in/with**, vt, *aider à*

associate [ə'səʊʃɪeɪt], vt, vi, *(s')associer*

assort [ə'sɔ:t], vt, *classer* ; vi, *s'assortir*

assume [ə'sju:m], vt, *supposer*

assure [ə'ʃʊə], vt, *assurer, garantir*

astonish (es) [ə'stɒnɪʃ], vt, *stupéfier*

astound [ə'staʊnd], vt, *sidérer*

atomise (US **-ize**) ['ætəmaɪz], vt, *atomiser*

atone ▸▸ for [ə'təʊn], vi, *expier*

atrophy (ies) ['ætrəfɪ], vt, vi, *(s')atrophier*

attach (es) [ə'tætʃ], vt, *attacher*

attack [ə'tæk], vt, *attaquer*

attain [ə'teɪn], vt, *atteindre, réaliser*

attempt [ə'tempt], vt, vi, *essayer*

attend [ə'tend], vt, *assister à, soigner*

- attend ▸ **on**, vt, *être au service de*
- attend ▸ **to**, vt, *s'occuper de*

attenuate [ə'tenjʊeɪt], vt, vi, *(s')atténuer*

attest [ə'test], vi, *attester*

- attest ▸ **to**, vi, *témoigner de*

attire [ə'taɪə] ▸▸ **in/with**, vt, *vêtir de*

attract [ə'trækt], vt, *attirer*

attribute [ə'trɪbju:t], vt, *attribuer*

attune [ə'tju:n], vt, *accorder, mettre en accord*

auction ['ɔ:kʃən], vt, *mettre aux enchères*

- auction **off**, vt, *vendre aux enchères*

audit ['ɔ:dɪt], vt, *auditer, vérifier*

audition [ɔ:'dɪʃən], vt, vi, *auditionner*

augment [ɔ:g'ment], vt, vi, *augmenter*

augur ['ɔ:gə], vt, vi, *(laisser) augurer de*

auscultate [ˈɔːskəlteɪt], vt, *ausculter*

authenticate [ɔːˈθentɪkeɪt], vt, *établir l'authenticité de*

author [ˈɔːθə], vt, *être l'auteur de*

authorise (US **-ize**) [ˈɔːθəraɪz], vt, *autoriser*

autograph [ˈɔːtəgrɑːf], vt, *dédicacer*

automate [ˈɔːtəmeɪt], vt, *automatiser*

automatise (US **-ize**) [ɔːˈtɒmətaɪz], vt, *automatiser*

avail oneself of [əˈveɪl], vt, *profiter de*

avalanche [ˈævəlɑːnʃ], vi, *tomber en avalanche*

avenge [əˈvendʒ], vt, *venger*

average [ˈævərɪdʒ], vt, *faire en/la moyenne*

- average **out**, vi, *faire la moyenne, arrondir*

avert [əˈvɜːt], vt, *éviter, détourner*

avoid [əˈvɔɪd], vt, *éviter*

await [əˈweɪt], vt, *attendre*

awake, awoke, awoke [əˈweɪk], vt, vi, *(s')éveiller*

awaken [əˈweɪkən], vt, vi, *(s')éveiller*

award [əˈwɔːd], vt, *décerner*

awe [ɔː], vt, *impressionner*

axe [æks], vt, *couper, supprimer, virer (fam.)*

B

baa [bɑː], vi, *bêler*

babble [ˈbæbl], vt, vi, *babiller, bafouiller*

- babble **on**, vi, *parler sans cesse (de), jacasser*
- babble **out**, vt, *bafouiller, avouer un secret*

baby [ˈbeɪbɪ], vt, *dorloter*

baby-sit (tt), baby-sat, baby-sat [ˈbeɪbɪ sɪt], vi, *garder des enfants*

back [bæk], vt, *reculer, soutenir* ; vi, *faire marche arrière*

- back **away**, vi, *(se) reculer*
- back **down**, vi, *concéder*
- back **off**, vi, *reculer (fig.)*
- back **out**, vi, *faire marche arrière, se dérober*
- back **up**, vt, vi, *(faire) reculer, soutenir*

backdate [bækˈdeɪt], vt, *antidater*

backfire [bækˈfaɪə], vi, *pétarader, mal tourner*

backpack [ˈbækpæk], vi, *voyager avec un sac à dos* ; vt, *transporter dans un sac à dos*

backspace [ˈbækspeɪs], vi, *faire un retour arrière [au clavier]*

backtrack [ˈbæktræk], vi, *rebrousser chemin*

badger [ˈbædʒə], vt, *harceler*

baffle [ˈbæfl], vt, *déconcerter*

bag (gg) [bæg], vt, vi, *emballer, goder*

bail [beɪl], vt, *libérer sous caution*

- bail **out**, vt, *tirer d'affaire*

bait [beɪt], vt, *amorcer, appâter*

bake [beɪk], vt, vi, *(faire) cuire au four*

balance [ˈbæləns], vt, *équilibrer* ; vi, *être en équilibre*

- balance **out/up**, vi, *s'équilibrer, contrebalancer*

bale [beɪl], vt, *empaqueter, emballer*

- **bale out**, vt, *écoper* ; vi, *sauter en parachute*

balk [bɔːk], vi, *refuser, hésiter* ; vt, *contrarier*

- balk ▸ **at**, vt, *se dérober devant*

balloon [bəˈluːn], vi, *gonfler*

ballot [ˈbælət], vt, vi, *(faire) voter, sonder*

ban (nn) [bæn], vt, *interdire, exclure*

band [bænd], vt, vi, *(se) grouper*

bandage [ˈbændɪdʒ], vt, *panser*

bang [bæŋ], vt, vi, *frapper, claquer, détoner*

banish (es) [ˈbænɪʃ], vt, *bannir*

bank [bæŋk], vt, *amonceler* ; vi, *avoir un compte en banque*

- bank ▸ **on**, vt, *compter sur*

bankrupt [ˈbæŋkrʌpt], vt, *ruiner*

banter [ˈbæntə], vi, *frimer, badiner*

baptise (US **-ize**) [bæpˈtaɪz], vt, *baptiser*

bar (rr) [bɑː], vt, *barrer, exclure*

barbecue [ˈbɑːbɪkjuː], vt, *cuire au barbecue*

bard [bɑːd], vt, *[cuisine] barder*

bare [beə], vt, *dénuder*

bargain [ˈbɑːgeɪn], vi, *marchander*

- bargain **away**, vt, *brader*

- bargain ▸ **for**, vi, s'attendre à
- bargain ▸ **on**, vi, compter sur

barge in [bɑ:dʒ], vi, faire irruption

- barge ▸ **into**, vi faire irruption dans
- barge **past**, vi, bousculer en passant
- barge **across**/▸ **through**, vi, traverser en trombe

bark [bɑ:k], vt, vi, aboyer

- bark ▸ **at**, vi, aboyer contre

barricade ['bærɪ'keɪd], vt, barricader

barter ['bɑ:tə], vt, vi, troquer, marchander

- barter **away**, vt, vendre

base [beɪs], vt, baser

bash (es) [bæʃ], vt, cogner

- bash **about**, vt, maltraiter
- bash **in**, vt, cabosser
- bash **up**, vt, tabasser, bousiller (fam.)

bask [bɑ:sk], vi, lézarder (fig.)

bat (tt) [bæt], vt, frapper ; vi, [cricket] être à la batte

- bat **around**, vt, parler à bâtons rompus

batch (es) [bætʃ], vt, grouper

bath [bɑ:θ] , vt, vi, donner/prendre un bain

bathe [beɪð], vt, vi, (se) baigner

batter ['bætə], vt, vi, battre, maltraiter

- batter **about**, vt, rouer de coups
- batter **in**, vt, défoncer

battle ['bætl], vt, combattre ; vi, lutter

bawl [bɔ:l], vt, vi, brailler

- bawl **out**, vt, passer un savon (fam.)

bay [beɪ], vi, aboyer

be, was/were, been [bi:] *aux.* (→ 36-37)

- *verbe à particule* (→ 130-132)

beach (es) [bi:tʃ], vt, s'échouer

bead [bi:d], vt, décorer de perles ; vi, perler

beam [bi:m], vt, vi, émettre, faire un grand sourire

bear, bore, born/bore [beə], vt, vi, porter, supporter

- bear **down** ▸ **on**, vi, peser sur, se ruer sur
- bear **out**, vt, confirmer qqch.
- bear **up**, vi, tenir le coup

beat, beat, beat/beaten [bi:t], vt, vi, battre

- beat **down**, vt, enfoncer, faire baisser un prix
- beat **off**, vt, repousser
- beat **up**, vt, tabasser (fam.)

beatify (ie) [bi:'ætɪfaɪ], vt, béatifier

beautify (ie) ['bju:tɪfaɪ], vt, embellir

beckon ['bekən], vt, vi, faire signe

become, became, become [bɪ'kʌm], vt, vi, devenir

bed (dd) [bed], vt, fixer

- bed **down**, vt, implanter ; vi, se coucher

bedeck [bɪ'dek], vt, parer

bedevil (ll), [bɪ'devəl], vt, tourmenter

beef [bi:f], vi, râler

- beef **up**, vt, renforcer

beep [bi:p], vt, vi, émettre un bip, klaxonner

beetle ['bi:təl], vi, courir précipitamment

- beetle **off**, vi, filer

befall, befell, befallen [bɪ'fɔ:l], vt, vi, advenir (à qqn)

befit (tt) [bɪ'fɪt], vt, convenir à

befriend [bɪ'frend], vt, se lier d'amitié

befuddle [bɪ'fʌdəl], vt, brouiller les idées

beg (gg) [beg], vt, vi, mendier

- beg ▸ **for**, vt, quémander qqch.

begin (nn), began, begun [bɪ'gɪn], vt, vi, commencer

beguile [bɪ'gaɪl], vt, envoûter

behave [bɪ'heɪv], vi, se comporter, se conduire

- behave ▸ **towards**, vi, se comporter à l'égard de

behead [bɪ'hed], vt, décapiter

behold, beheld, beheld [bɪ'həʊld], vt, apercevoir

belch [beltʃ], vi, roter ; vt, [flammes, volcan] vomir

belie (belying) [bɪ'laɪ], vt, démentir

believe [bɪ'li:v], vt, vi, croire

belittle [bɪ'lɪtəl], vt, déprécier

bellow ['beləʊ], vt, vi, *brailler*

belong [bɪ'lɒŋ], vi, *être à sa place*

- belong ▸ **to**, vi, *appartenir à*

belt [belt], vt, *ceinturer, frapper avec une ceinture* ; vi, *filer [à toutes jambes]*

- belt **along**, vi, *aller à toute vitesse*
- belt **down**, vt, *dévaler*
- belt **out**, vt, *chanter à tue-tête/à pleins poumons*
- belt **up**, vi, *se taire, « la fermer » (fam.)*

bemuse [bɪ'mju:z], vt, *déconcerter*

bend, bent, bent [bend], vi, vt, *(se) plier*

- bend **down**, vi, *se baisser*
- bend **over**, vi, vt, *se pencher sur*

benefit ['benɪfɪt], vt, *être utile à*

- benefit ▸ **by/from**, vi, *tirer avantage de*

benumb [bɪ'nʌm], vt, *engourdir*

bequeath [bɪ'kwi:ð], vt, *léguer*

berate [bɪ'reɪt], vt, *réprimander*

bereave, bereft (bereaved), bereft (bereaved) [bɪ'ri:v], vt, *déposséder*

- bereave ▸▸ **of**, vt, *priver qqn de qqch.*

berth [bɜ:θ], vi, vt, *(faire) accoster*

beseech (es), besought (beseeched), besought [bɪ'si:tʃ], vt, *supplier*

beset (tt), beset, beset [bɪ'set], vt, *harceler [forme passive]*

- beset ▸▸ **with**, vt, *assaillir de [forme passive]*

besiege (▸▸ with) [bɪ'si:dʒ], vt, *assiéger (de) [forme passive]*

besmirch (es) [bɪ'smɜ:tʃ], vt, *entacher, diffamer*

best (▸▸ at) [best], vt, *surpasser (en)*

bestow [bɪ'stəʊ], vt, *accorder [une faveur]*

- bestow ▸▸ **on/upon**, vt, *conférer [un titre] à qqn*

bestrew, bestrewed, bestrewn (bestrewed) [bɪ'stru:], vt, *joncher*

bestride, bestrode, bestridden [bɪ'straɪd], vt, *enfourcher*

bet (tt), bet, bet [bet], vt, vi, *parier*

betray [bɪ'treɪ], vt, *trahir*

betroth [bɪ'trəʊð], vt, *fiancer*

better ['betə], vt, vi, *améliorer*

beware (▸ of) [bɪ'weə], vt, vi, *se méfier (de)*

bewilder [bɪ'wɪldə], vt, *déconcerter*

bewitch (es) [bɪ'wɪtʃ], vt, *ensorceler*

bicker ['bɪkə], vi, *se chamailler*

bicycle ['baɪsɪkəl], vi, *faire du vélo*

bid (dd), bade/bid, bidden/bid [bɪd], vt, vi, *faire une offre financière, une enchère*

bifurcate ['baɪfəkeɪt], vt, vi, *bifurquer*

bike [baɪk], vi, *aller à vélo*

bilk [bɪlk], vt, *contrecarrer*

bilk ▸▸ of, vt, *escroquer qqn de qqch.*

bill [bɪl], vt, *facturer*

billet ['bɪlɪt], vt, *[troupes] cantonner*

billow ['bɪləʊ], vi, *se gonfler*

bind, bound, bound [baɪnd], vt, *attacher*

- bind **down**, vt, *lier*
- bind **over**, vt, *mettre en liberté conditionnelle*
- bind **up**, vt, *panser*

bisect [baɪ'sekt], vt, *couper en deux*

bitch (es), vt, *gâcher* ; vi, *râler (fam.)*

- bitch ▸ **about**, vi, *rouspéter après*

bite, bit, bit/bitten [baɪt], vt, vi, *mordre*

- bite **back**, vt, *se retenir de dire qqch.*
- bite **off**, vt, *arracher d'un coup de dents*

bivouac ['bɪvʊæk], vi, *bivouaquer*

blab (bb) [blæb], vt, *divulguer* ; vi, *jaser*

black [blæk], vt, *noircir, cirer [des chaussures]*

- black **out**, vt, *plonger dans l'obscurité, oublier*

blacken ['blækən], vt, *noircir*

blacklist ['blæklɪst], vt, *mettre sur liste noire*

blackmail ['blækmeɪl], vt, *faire chanter*

blame [bleɪm], vt, *blâmer*

- blame ▸▸ **for**, vt, *rendre qqn responsable de qqch.*

blanch (es) [blɑ:ntʃ], vt, *[cuisine] blanchir* ; vi, *blêmir*

blanket [ˈblæŋkɪt], vt, *recouvrir*

• blanket **out**, vt, *noyer*

blare [bleə], vi, *beugler*

• blare **away/out**, vi, *beugler à tue-tête*

blaspheme [blæsˈfiːm], vi, *blasphémer*

blast [blɑːst], vt, *faire exploser*

• blast **off**, vi, *[fusée] décoller*

• blast **out,** vt, vi, *[sono] beugler*

blather [ˈblæðə], vt, vi, *raconter des bêtises*

blaze [bleɪz], vi, *flamber* ; vt, *proclamer*

• blaze **up**, vi, *s'enflammer*

blazon [ˈbleɪzn], vt, *claironner*

• blazon **forth/out**, vt, *proclamer haut et fort*

bleach (es) [bliːtʃ], vt, vi, *passer à l'eau de Javel, décolorer*

bleat [bliːt], vt, vi, *bêler, geindre*

bleed, bled, bled [bliːd], vt, vi, *saigner*

• bleed ▸ **into**, vi, *déteindre sur qqch.*

• bleed **out**, vi, *perdre beaucoup de sang*

bleep [bliːp], vt, vi, *biper*

blemish (es) [ˈblemɪʃ], vt, *gâter, entacher*

blend [blend], vt, vi, *(se) mélanger*

• blend **in**, vi, *s'harmoniser*

bless (es) [bles], vt, *bénir*

blight [blaɪt], vt, *gâcher, anéantir*

blind [blaɪnd], vi, *aveugler*

• blind ▸▸ **to**, vt, *empêcher qqn de voir qqch.*

blindfold [ˈblaɪndfəʊld], vt, *bander les yeux à*

blink [blɪŋk], vt, vi, *cligner des yeux*

• blink ▸ **at**, vi, *regarder qqn ou qqch. en clignant des yeux*

blister [ˈblɪstə], vi, *cloquer*

blitz (es) [blɪts], vt, *bombarder*

block [blɒk], vi, *bloquer*

• block **off**, vt, *boucher, condamner*

• block **out**, vt, *refouler [des souvenirs]*

• block **up**, vt, vi, *(se) boucher*

blockade [blɒˈkeɪd], vt, *faire le blocus de*

bloom [bluːm], vi, *s'épanouir, être en forme*

• bloom ▸ **into**, vi, *devenir*

blossom [ˈblɒsəm], vi, *s'épanouir, fleurir*

• blossom ▸ **into/out**, vi, *devenir*

blot (tt) [blɒt], vt, *sécher*

• blot **out**, vt, *effacer*

• blot **up,** vt, *essuyer*

blow, blew, blown [bləʊ], vt, vi, *souffler*

• blow **away**, vt, vi, *(faire) s'envoler*

• blow **down**, vt, *[vent] renverser*

• blow **out**, vi, *éclater* ; vt, *souffler*

• blow **up**, vi, *exploser, sauter* ; vt, *faire sauter, agrandir [une photo]*

bludgeon [ˈblʌdʒən], vt, *matraquer*

bluff [blʌf], vt, vi, *bluffer*

blunder [ˈblʌndə], vi, *gaffer, avancer à tâtons*

blunt [blʌnt], vt, *émousser*

blur (rr) [blɜː], vt, vi, *(s')estomper*

blurt [blɜːt], vt, *lâcher*

• blurt **out**, vt, *laisser échapper [des paroles]*

blush (es) (with) [blʌʃ], vi, *rougir (de)*

bluster [ˈblʌstə], vt, *intimider* ; vi, *faire rage, fulminer, fanfaronner*

board [bɔːd], vt, *monter à bord de, prendre en pension* ; vi, *être pensionnaire*

• board **up**, vt, *couvrir de planches*

• board ▸ **with**, vi, *être en pension chez*

boast [bəʊst], vt, vi, *se vanter*

boat [bəʊt], vt, vi, *se déplacer en bateau*

bob (bb) [bɒb], vi, *flotter*

• bob **up and down**, vi, *danser à la surface de l'eau*

bodge [bɒdʒ], vt, *bousiller, rafistoler (fam.)*

bog (gg) down [bɒg], vt, *empêcher, entraver*

boggle [ˈbɒgl], vi, *être abasourdi*

• boggle ▸ **at**, vi, *hésiter*

boil [bɔɪl], vt, vi, *(faire) bouillir*

• boil **down** ▸ **to**, vt, *se réduire à*

• boil **over**, vi, *déborder*

bolster [ˈbəʊlstə], vt, *soutenir*

• bolster **up**, vt, *étayer*

bolt [bəʊlt], vt, *verrouiller* ; vi, *se précipiter*

• bolt **down**, vt, *avaler à toute vitesse*

• bolt **in**, vt, *enfermer à clé*

bomb [bɒm], vt, *bombarder* ; vi, *filer à toute vitesse*

bombard [bɒm'bɑːd], vt, *bombarder*

bond [bɒnd], vt, *lier, créer des liens entre* ; vi, *adhérer, former des liens*

bone [bəʊ], vt, *désosser*

boo (▸ at) [buː], vt, vi, *huer, siffler*

boob [buːb], vi, *gaffer*

book [bʊk], vt, vi, *réserver*

• book **in**, vi, *se faire enregistrer [à l'hôtel]*

• book **out**, vi, *quitter [l'hôtel]*

• book **up**, vt, *réserver complètement*

boom [buːm], vt, vi, *tonner*

boomerang ['buːməræŋ], vi, *faire boomerang*

boost [buːst], vt, *accroître*

boot [buːt], vt, *donner des coups de pieds, faire démarrer*

bootleg (gg) ['buːtleg], vt, *vendre en contrebande* ; vi, *faire de la contrebande*

border ['bɔːdə], vt, *border, avoir une frontière commune*

bore [bɔː], vt, *ennuyer* ; vi, *forer*

• bore ▸ **through**, vi, *percer*

borrow (▸▸ from) ['bɒrəʊ], vt, *emprunter (qqch. à qqn)*

boss (es) [bɒs], vt, *donner des ordres à*

• boss **about**, vt, *mener à la baguette*

botanise (US **-ize**) ['bɒtənaɪz], vi, *herboriser*

botch (es) [bɒtʃ], vt, *foirer*

bother ['bɒðə], vt, *ennuyer* ; vi, *prendre la peine de*

bottle ['bɒtl], vt, *mettre en bouteille*

• bottle **up**, vt, *refouler [une émotion]*

bottle-feed, bottle-fed, bottle-fed ['bɒtəlfiːd], vt, *nourrir au biberon*

bottom ['bɒtəm], vi, *toucher le fond*

• bottom **out**, vi, *atteindre son plus bas niveau*

bounce [baʊns], vt, vi, *(faire) rebondir*

bound [baʊnd], vt, *limiter* ; vi, *bondir*

bow [bəʊ], vt, *incliner* ; vi, *se courber, saluer*

• bow **down**, vt, *faire plier* ; vi, *s'incliner*

bowl [bəʊl], vt, *faire rouler (balle)* ; vi, *[cricket] lancer*

• bowl **down**, vt, *renverser*

• bowl **out**, vt, *[cricket] mettre hors jeu*

• bowl **over**, vt, *renverser, sidérer*

box (es) [bɒks], vt, *boxer, mettre dans une boîte* ; vi, *boxer*

• box **in**, vt, *confiner*

• box **off**, vt, *compartimenter*

• box **up**, vt, *enfermer*

brace [breɪs], vt, *consolider*

• brace ▸ **for**, vi, *se préparer à*

• brace **up**, vt, *réconforter* ; vi, *se ressaisir*

bracket ['brækɪt], vt, *mettre entre parenthèses*

brag (gg) [bræg], vi, *se vanter*

brake [breɪk], vi, *freiner*

branch (es) [brɑːntʃ], vi, *bifurquer*

• branch **out**, vi, *étendre ses activités*

brand [brænd], vt, *marquer au fer, étiqueter*

brandish (es) ['brændɪʃ], vt, *brandir*

brave [breɪv], vt, *braver*

brawl [brɔːl], vi, *se bagarrer*

breach (es) [briːtʃ], vt, *ouvrir un brèche dans, manquer à*

break, broke, broken [breɪk], vt, vi, *(se) briser*

• break **away** ▸ **from/off**, vt, vi, *(se) détacher*

• break **down**, vi, *tomber en panne, s'effondrer* ; vt, *abattre*

• break ▸ **into**, vt, *entrer par effraction dans*

• break **out**, vi, *se déclencher*

• break **through**, vi, *percer*

• break ▸ **through**, vi, *se frayer un chemin à travers*

• break **up**, vt, vi, *(se) disloquer*

• break ▸ **with**, vt, *rompre avec*

breakfast ['brekfəst], vi, *prendre son petit déjeuner*

• breakfast **on/off**, vi, *petit-déjeuner de*

breast-feed, breast-fed, breast-fed [brestfi:d], vt, vi, *nourrir au sein*

breathalyze ['breθəlaɪz], vt, *faire passer l'Alcootest*

breathe [bri:ð], vt, vi, *respirer*

- breathe **in**, vt, vi, *inspirer*
- breathe **out**, vt, vi, *expirer*

breed, bred, bred [bri:d], vt, *faire l'élevage de* ; vi, *se reproduire*

breeze [bri:z], vi, *aller à vive allure*

- breeze **through**, vt, vi, *réussir les doigts dans le nez (fam.)*

brew [bru:], vt, *faire infuser, brasser* ; vi, *fermenter*

- brew **up**, vi, *se tramer*

bribe [braɪb], vi, *soudoyer*

brick in/off/up [brɪk], vt, *murer*

bridge [brɪdʒ], vt, *jeter un pont sur, combler le fossé entre*

bridle ['braɪdəl], vt, *brider* ; vi, *s'indigner*

brief [bri:f], vt, *mettre au courant*

brighten ['braɪtən], vt, vi, *(s')illuminer, (s')égayer*

brim (mm) **with** [brɪm], vi, *déborder de*

bring, brought, brought [brɪŋ], vt, *apporter*

- bring **about**, vt, *provoquer*
- bring **back**, vt, *rapporter*
- bring **down**, vt, *(faire) baisser, abattre*
- bring **forth**, vt, *produire, présenter*
- bring **in**, vt, *faire entrer, faire appel à*
- bring **off**, vt, *mener à bien*
- bring **on**, vt, *causer, provoquer*
- bring **out**, vt, *faire ressortir, mettre en relief, publier*
- bring **round/to**, vt, *ranimer*
- bring **up**, vt, *élever [un enfant], soulever*

bristle ['brɪsl], vi, *se hérisser*

- bristle ▸ **with**, vi, *être hérissé de*
- bristle ▸ **at**, vi, *se hérisser à qqch.*

broach (es) [brəʊtʃ], vt, *aborder (un sujet)*

broadcast, broadcast, broadcast ['brɔ:dkɑ:st], vt, vi, *diffuser, émettre des programmes*

broaden ['brɔ:dən], vt, vi, *(s')élargir*

broil [brɔɪl], vt, *faire griller*

bronze [brɒnz], vt, vi, *(faire) bronzer*

brood [bru:d], vi, *couver, broyer du noir*

brood ▸ on, vt, *ressasser*

browbeat ['braʊbi:t], vt, *intimider*

brown [braʊn], vt, vi, *(faire) brunir*

browse [braʊz], vt, *flâner dans, feuilleter, naviguer [sur Internet]*

bruise [bru:z], vt, vi, *(se) meurtrir, faire des bleus*

brush (es) [brʌʃ], vt, *brosser, frôler*

- brush **aside**, vt, *écarter, repousser*
- brush **away**, vt, *essuyer*
- brush **off**, vt, *enlever, envoyer balader*
- brush **up**, vt, *rafraîchir, remettre à neuf*

brutalise (US **-ize**) ['bru:təlaɪz], vt, *brutaliser*

bubble ['bʌbəl], vi, *bouillonner, pétiller*

buck [bʌk], vi, *ruer*

- buck **up**, vt, *remonter le moral de* ; vi, *reprendre courage*

buckle ['bʌkl], vt, *attacher* ; vi, *se déformer*

- buckle **down (▸ to)**, vi, *s'y mettre*

bud (dd) [bʌd], vi, *bourgeonner*

budge [bʌdʒ], vt, vi, *(faire) bouger*

budget ['bʌdʒɪt], vt, *budgéter*

- budget ▸ **for**, vi, *inscrire qqch. au budget*

buffer ['bʌfə], vt, *protéger*

bug (gg) [bʌg], vt, *mettre sur écoute*

build, built, built [bɪld], vt, vi, *bâtir*

- build ▸ **on**, vt, *tirer parti de*
- build **up**, vt, *constituer, développer* ; vi, *s'accumuler*

bulge [bʌldʒ], vt, vi, *enfler*

bulk up [bʌlk], vt, *grouper des paquets*

- bulk **up**, vi, *(s')épaissir*

bulldoze ['bʊldəʊz], vt, *raser au bulldozer*

bully (ie) ['bʊlɪ], vt, *tyranniser, brutaliser*

bum (mm) **around** [bʌm], vi, *vadrouiller*

bump [bʌmp], vt, vi, *heurter*

- bump **along**, vi, *avancer en cahotant*
- bump ▸ **into**, vi, *tamponner, rentrer dans qqn*
- bump **up**, vt, *faire grimper [un prix]*

bunch (es) **up** [bʌntʃ], vi, vi, *[personnes] (s')entasser*

bundle ['bʌndl], vt, *pousser, fourrer dans*

- bundle **off**, vi, *expédier (qqn)*
- bundle **up**, vt, *faire un paquet de*

bungle ['bʌŋgl], vt, *rater*

bunk [bʌŋk], vi, *coucher*

- bunk **off**, vt, *sécher [les cours]*

buoy (GB) [bɔɪ], (US) ['bu:ɪ], vt, *marquer d'une bouée*

- buoy **up**, vt, *faire flotter, soutenir*

burble ['bɜ:bl], vi, vt, *marmonner*

burden ['bɜ:dn], vt, *charger, importuner*

- burden ▸▸ **with**, *accabler de*

burgeon ['bɜ:dʒən], vi, *bourgeonner*

burglarise (US **-ize**) ['bɜ:glәraɪz], vt, *cambrioler*

burgle ['bɜ:gl], vt, *cambrioler*

burn, burnt (burned), burnt (burned) [bɜ:n], vt, vi, *brûler*

- burn **down**, vt, *incendier*
- burn **out**, vi, *s'éteindre, s'épuiser*
- burn **up**, vi, *se désintégrer*

burnish (es) ['bɜ:nɪʃ], vt, *polir*

burp [bɜ:p], vt, *roter*

burrow ['bʌrәʊ], vi, *creuser*

burst, burst, burst [bɜ:st], vt, vi, *(faire) éclater*

- burst **in** ▸ **on**, vt, *interrompre brutalement*
- burst **out**, vi, *éclater*

bury (ie) ['berɪ], vt, *enterrer*

bus (ss/es) [bʌs], vt, *transporter en bus*

busk [bʌsk], vi, *chanter dans les rues*

bust [bʌst], vt, vi, *casser*

bustle [bʌst], vi, *s'affairer*

busy (ie) ['bɪzɪ], vt, *s'occuper de faire qqch.*

butcher ['bʊtʃә], vt, *massacrer*

butt [bʌt], vt, *donner un coup de tête à*

- butt **in**, vi, *interrompre*
- butt **in** ▸ **on**, vi, *s'immiscer dans*

butter ['bʌtә], vt, *beurrer*

- butter **up**, vt, *passer de la pommade à*

button ['bʌtn], vt, vi, *boutonner*

buttress (es) ['bʌtrɪs], vt, *étayer*

buy, bought, bought [baɪ], vt, *acheter*

- buy ▸ **into**, vt, *investir dans*
- buy **off**, vt, *amadouer, soudoyer*
- buy **out**, vt, *racheter [une entreprise]*
- buy **up**, vt, *acheter en grandes quantités*

buzz (es) [bʌz], vt, *appeler [à l'interphone]* ; vi, *bourdonner*

- buzz **off**, vi, *ficher le camp*

bypass (es) ['baɪpɑ:s], vt, *éviter*

C

cable ['keɪbl], vt, *câbler*

cache [kæʃ], vt, *cacher, [informatique] mettre en cache*

cackle ['kækl], vi, *glousser, caqueter*

cage [keɪdʒ], vt, *mettre en cage*

cajole [kә'dʒәʊl], vt, *enjôler, couvrir de flatteries*

calculate ['kælkjʊleɪt], vt, *calculer*

- calculate ▸ **on**, vt, *compter sur/compter faire*

calibrate ['kælɪbreɪt], vt, *calibrer*

calk [kɔ:k], vt, *décalquer*

call [kɔ:l], vt, vi, *appeler*

- call ▸ **at**, vt, *faire escale à*
- call **back**, vi, *repasser, revenir, rappeler*
- call ▸ **for**, vt, *passer chercher qqn ou qqch., faire venir, exiger*
- call **off**, vt, *annuler, mettre fin à* ; vi, *se décommander*
- call ▸ **on**, vt, *rendre visite à*
- call **out**, vi, *pousser un cri, appeler, faire appel à*
- call **up**, vt, *mobiliser [des troupes], téléphoner à*

calm (down) [kɑːm], vt, vi, *(se) calmer, (s')apaiser*

camp [kæmp], vi, *camper*

campaign [kæm'peɪn], vi, *faire campagne*

can[1] **(nn)** [kæn], vt, *mettre en conserve*

can [kæn], *modal* (→ **63-66**)

canalize ['kænəlaɪz], vt, *canaliser*

cancel (GB **ll**) ['kænsl], vt, *annuler*

cane [keɪn], vt, *donner des coups de canne*

cannibalise (US **-ize**) ['kænɪbəlaɪz], vt, *démonter [une machine] pour en réutiliser les pièces*

canonise (US **-ize**) ['kænənaɪz], vt, *canoniser*

cant [kænt], vt, *renverser, retourner, pencher* ; vi, *pencher*

canvass **(es)** ['kænvəs], vt, vi, *faire une tournée électorale, démarcher*

cap **(pp)** [kæp], vt, *coiffer [une casquette, un bonnet], secourir, surpasser*

caper ['keɪpə], vi, *cabrioler, gambader*

capitalise (US **-ize**) ['kæpɪtəlaɪz], vt, *capitaliser*

• capitalise ▸ **on**, vi, *tourner (qqch.) à son avantage*

capitulate [kə'pɪtjʊleɪt], vi, *capituler*

capsise (US **-ize**) [kæp'saɪz], vt, vi, *(faire) chavirer*

captain ['kæptɪn], vt, *commander*

caption ['kæpʃən], vt, *légender [une illustration]*

captivate ['kæptɪveɪt], vt, *captiver, séduire*

capture ['kæptʃə], vt, *capturer*

care [keə], vi, *se soucier, attacher de l'importance*

• care ▸ **for**, vt, *s'occuper de, soigner*

career [kə'rɪə], vi, *aller à toute allure*

carp [kɑːp], vi, *gloser*

• carp ▸ **at**, vi, *critiquer*

carpet ['kɑːpɪt], vt, *moquetter*

carry **(ie)** ['kærɪ], vt, vi, *porter*

• carry ▸▸ **forward** vt, *[comptabilité] reporter*

• carry **on**, vi, *continuer* ; vt, *mener [une recherche]*

1 Ne pas confondre l'auxiliaire modal **can** avec le verbe ordinaire **to can** : *mettre en conserve*.

• carry **off**, vt, *faire accepter, mener à bien*

• carry **out**, vt, *exécuter, effectuer*

cart [kɑːt], vt, *charrier, traîner*

carve [kɑːv], vt, *découper, graver*

• carve **up**, vt, *morceler*

cascade [kæs'keɪd], vi, *tomber en cascade*

case [keɪs], vt, *emballer*

cash **(es)** [kæʃ], vt, *encaisser*

• cash **in**, vt, *toucher [de l'argent]*

• cash **in** ▸ **on**, vt, *profiter de*

cast, **cast, cast** [kɑːst], vt, *jeter, lancer* ; vi, *[pêche] lancer sa ligne*

• cast **off**, vt, *se libérer de [restrictions]* ; vi, *larguer les amarres*

• cast **about/around** ▸ **for**, vi, *chercher*

castigate ['kæstɪgeɪt], vt, *châtier, fustiger*

castrate [kæs'treɪt], vt, *châtrer*

catapult ['kætəpʌlt], vt, *catapulter*

catch **(es), caught, caught** [kætʃ], vt, vi, *attraper, prendre*

• catch ▸ **at**, vi, *s'accrocher à*

• catch **on**, vi, *avoir du succès, piger (fam.)*

• catch **out**, vt, *piéger* ; vi, *se faire prendre*

• catch **up**, vt, *rattraper un retard, se mettre à jour* ; vi, *rattraper*

categorise (US **-ize**) ['kætɪgəraɪz], vt, *classer*

cater ['keɪtə], vi, *préparer des repas*

• cater ▸ **for**, vt, *approvisionner, pourvoir à*

catnap **(pp)** ['kætnæp], vi, *faire la sieste*

cause [kɔːz], vt, *causer, provoquer*

cauterise (US **-ize**) ['kɔːtəraɪz], vt, *cautériser*

caution ['kɔːʃən], vt, *avertir*

cave [keɪv], vi, *faire de la spéléologie*

• cave **in**, vi, *s'effondrer, céder*

cavil **(ll)** ['kævɪl], vi, *chicaner, ergoter*

cavort [kə'vɔːt], vi, *faire des cabrioles*

cease [siːs], vt, vi, *cesser*

celebrate ['selɪbreɪt], vt, *célébrer* ; vi, *faire la fête*

cement [sɪ'ment], vt, *cimenter, coller*

censor ['sensə], vt, *censurer*

censure ['senʃə], vt, *blâmer*

center ['sentə], vt, *centrer*

centralise (US **-ize**) ['sentrəlaiz], vt, *centraliser*

centre ['sentə], vt, *centrer*

certify (ie) ['sɜːtɪfaɪ], vt, *certifier ; faire une déclaration*

- certify ▸ **to**, vi, *attester*

chain [tʃeɪn], vt, *enchaîner*

chainsmoke ['tʃeɪnsməʊk], vi, *fumer à la chaîne*

chair [tʃeə], vt, *présider [une réunion]*

chalk [tʃɔːk], vt, *marquer à la craie*

challenge ['tʃælɪndʒ], vt, *défier*

champion ['tʃæmpɪən], vt, *défendre, se faire le champion de*

chance [tʃɑːns], vt, *faire par hasard*

- chance ▸ **on**, vt, *rencontrer par hasard*

change [tʃeɪndʒ], vt, vi, *changer*

channel (ll) ['tʃænl], vt, *canaliser, acheminer*

chant [tʃɑːnt], vt, *scander, psalmodier*

char (rr) [tʃɑː], vt, *carboniser* ; vi, *brûler*

charge [tʃɑːdʒ], vt, *inculper de, charger, attaquer* ; vi, *charger, aller à toute allure*

- charge ▸▸ **for**, vt, *faire payer*
- charge ▸▸ **with**, vt, *inculper de*

charm [tʃɑːm], vt, *charmer*

chart [tʃɑːt], vt, *faire la carte de*

charter ['tʃɑːtə], vt, *affréter*

chase [tʃeɪs], vt, *poursuivre*

- chase **away**, vt, *faire la chasse à*
- chase **up**, vt, *relancer qqn, rechercher*

chasten ['tʃeɪsn], vt, *châtier*

chastise [tʃæs'taɪz], vt, *réprimander, châtier*

chat (tt) [tʃæt], vi, *bavarder*

- chat **up**, vt, *draguer, baratiner*

chatter ['tʃætə], vi, *bavarder*

cheapen ['tʃiːpn], vt, *déprécier*

cheat [tʃiːt], vi, *tricher*, vt, *duper*

- cheat ▸ **on**, vt, *tromper, frauder*

check [tʃek], vt, vi, *vérifier*

- check **in**, vt, vi, *[hotel, bagages] (faire) enregistrer*
- check **off**, vt, *cocher*
- check **out**, vt, *se renseigner sur* ; vi, *régler sa note [d'hôtel]*
- check **up**, vi, *vérifier*

checkmate ['tʃekmeɪt], vt, *[jeu d'échecs] faire mat*

cheek [tʃiːk], vt, *dire des insolences à*

cheep [tʃiːp], vi, *piauler*

cheer [tʃɪə], vt, vi, *acclamer, applaudir*

- cheer **on**, vt, *encourager*
- cheer **up**, vt, *remonter le moral à* ; vi, *se dérider, reprendre courage*

chequer ['tʃekə], vt, *quadriller*

cherish (es) ['tʃerɪʃ], vt, *chérir*

chew [tʃuː], vt, *mâcher*

- chew ▸ **on**, vi, *mâchouiller, réfléchir sur*

chide, chid (chided), chidden (chided) [tʃaɪd], vt, *réprimander*

chill [tʃɪl], vt, *faire frissonner, réfrigérer* ; vi, *refroidir*

chime [tʃaɪm], vt, vi, *carillonner*

- chime **in**, vi, *placer son mot, intervenir*

chip (pp) [tʃɪp], vt, *(s')écailler* ; vi, *(s')ébrécher*

- chip **in**, vi, *apporter sa contribution*

chirp [tʃɜːp], vi, *gazouiller*

chisel (ll) ['tʃɪzl], vt, *ciseler*

chivvy (ie) ['tʃɪvɪ], vt, *harceler*

choke [tʃəʊk], vt, vi, *étouffer, étrangler*

- choke **up**, vt, *boucher*

chomp [tʃɒmp], vi, *mâcher bruyamment*

choose, chose, chosen [tʃuːz], vt, vi, *choisir*

chop (pp) [tʃɒp], vt, *trancher*

- chop **down**, vt, *abattre [un arbre]*

chortle ['tʃɔːtl], vi, *glousser de joie*

chorus (es) ['kɔːrəs], vt, vi, *reprendre en chœur*

christen ['krɪsn], vt, *baptiser*

chronicle ['krɒnɪkl], vt, *faire la chronique de*

chuck [tʃʌk], vt, *lancer, jeter*

- chuck **in**, vt, *plaquer, virer*
- chuck **out**, vt, *mettre à la porte*
- chuck **up**, vt, *lâcher [un emploi]*

chuckle ['tʃʌkl], vi, *rire sous cape*

chug (gg) [tʃʌg], vi, *haleter, faire « teuf teuf » (fam.)*

churn [tʃɜ:n], vt, *baratter*

- churn **out**, vt, *produire en grand nombre*

cipher ['saɪfə], vt, *chiffrer, coder*

circle ['sɜ:kl], vt, *faire le tour de, encercler* ; vi, *faire des cercles*

circulate ['sɜ:kjʊleɪt], vt, vi, *(faire) circuler*

circumcise ['sɜ:kəmsaɪz], vt, *circoncire*

circumnavigate [sɜ:kəm'nævɪgeɪt], vt, *[marine] contourner*

circumscribe ['sɜ:kəmskraɪb], vt, *limiter, circonscrire*

circumvent [sɜ:kəm'vent], vt, *circonvenir*

cite [saɪt], vt, *citer*

civilise (US **-ize**) ['sɪvɪlaɪz], vt, *civiliser*

clack ['klæk], vt, vi, *(faire) claquer*

claim [kleɪm], vt, *revendiquer, prétendre* ; vi, *faire une demande*

clamber ['klæmbər], vi, *grimper, se hisser*

clamour (US **-or**) ['klæmə], vi, *vociférer*

clamp [klæmp], vt, *serrer, mettre un sabot à [un véhicule]*

- clamp **down ▸ on**, vt, *sévir contre*

clank ['klæŋk], vi, *cliqueter*

clap (pp) [klæp], vi, *frapper dans ses mains, applaudir*

clarify (ies) ['klærɪfaɪ], vt, *clarifier*

clash (es) [klæʃ], vi, *s'entrechoquer, s'opposer*

clasp [klɑ:sp], vt, *serrer, étreindre*

class (es) [klɑ:s], vt, *classer*

classify (ie) ['klæsɪfaɪ], vt, *classifier, [document] classer secret*

clatter ['klætə], vt, *faire du bruit*, vi, *faire résonner*

claw [klɔ:], vt, *griffer*

- claw **▸ at**, vi, *agripper, saisir avec ses griffes*

clean [kli:n], vt, *nettoyer*

- clean **off**, vt, *enlever*
- clean **out**, vt, *décrasser*
- clean **up**, vt, *nettoyer, ranger*

cleanse [klenz], vt, *nettoyer, purifier*

clear [klɪə], vt, *dégager, déblayer, solder, innocenter* ; vi, *s'éclaircir*

- clear **off**, vt, *retirer* ; vi, *décamper*
- clear **out**, vt, *débarrassser* ; vi, *déguerpir*
- clear **up**, vt, *ranger* ; vi, *s'éclaircir, disparaître*

cleave, cleft/clove/cleaved, cleft/cloven/cleaved [kli:v], vt, vi, *(se) cliver, (se) fendre*

clench (es) [klentʃ], vt, *serrer qqch. [les dents, les poings]*

clerk [klɑ:k, US klɜ:rk], vi, *être employé de bureau*

click ['klɪk], vt, *faire claquer* ; vi, *faire un déclic*

- click **on**, vi, *piger (fam.)*

climb [klaɪm], vt, *grimper, augmenter* ; vi, *gravir*

- climb **down**, vt, vi, *(re)descendre*

cling ▸ to, clung, clung [klɪŋ], vi, *se cramponner, s'accrocher à*

clink [kliŋk], vt, vi, *(faire) tinter*

clip (pp) [klɪp], vt, *agrafer, tailler, couper*

clobber ['klɒbə], vt, *frapper*

clock [klɒk], vt, *chronométrer* ; vi, *faire un temps de*

- clock **in/off**, vi, *pointer (travail)*

clog (gg) [klɒg], vt, *obstruer*

- clog **up**, vi, *se boucher*

clone [kləʊn], vt, *cloner*

close [kləʊs], vt, vi, *(se) fermer*

- close **down**, vt, vi, *fermer définitivement [une entreprise]*
- close **in**, vi, *se rapprocher* ; vt, *clôturer*
- close **in ▸ on**, vi, *cerner de près*

clot (tt) [klɒt], vi, *coaguler*

clothe, clad/clothed, clad/clothed [kləʊð], vt, *habiller*

cloud [klaʊd], vt, *[liquide] troubler*

- cloud **over**, vi, *[ciel] se couvrir, s'assombrir*

clout [klaʊt], vt, *gifler*

clown (about, around) [klaʊn], vi, *faire le clown*

club (bb) [klʌb], vt, *matraquer*

clump [klʌmp], vt, vi, *(se) grouper en masse compacte*

cluster ['klʌstə], vt, *se rassembler*

clutch (es) [klʌtʃ], vt, *serrer fort*

• clutch ▸ **at**, vi, *se cramponner à*

clutter ['klʌtə], vt, *encombrer*

coach (es) [kəʊtʃ], vt, *entraîner, donner des leçons particulières à*

coagulate [kəʊ'ægjʊleɪt], vt, vi, *(se) coaguler*

coalesce [kəʊə'les], vi, *s'unir, fusionner*

coarsen ['kɔːsn], vt, vi, *devenir/rendre plus grossier*

coast [kəʊst], vi, *avancer en roue libre, faire qqch. sans effort, caboter*

coat [kəʊt], vt, *couvrir, enrober*

coax (es) [kəʊks], vt, *amadouer*

cobble ['kɒbl], vt, *paver de galets*

cocoon [kə'kuːn], vt, *emmitoufler, protéger*

coddle ['kɒdl], vt, *dorloter*

code [kəʊd], vt, *coder*

codify (ie) ['kəʊdɪfaɪ], vt, *codifier*

coerce [kəʊ'ɜːs], vt, *contraindre*

coexist ['kəʊɪg'zɪst], vi, *coexister*

cogitate ['kɒdʒɪteɪt], vi, *réfléchir*

cohabit [kəʊ'hæbɪt], vi, *cohabiter*

coil [kɔɪl], vt, *enrouler* ; vi, *se rouler en boule, serpenter*

coin [kɔɪn], vt, *inventer [des mots]*

coincide [kəʊɪn'saɪd], vi, *coïncider*

cold-shoulder ['kəʊld'ʃəʊldə], vt, *battre froid*

collaborate [kə'læbəreɪt], vi, *collaborer*

collapse [kə'læps], vi, *s'effondrer, faire faillite*

collar ['kɒlə], vt, *prendre au collet, coincer qqn*

collate [kɒ'leɪt], vt, *collationner*

collect [kə'lekt], vt, *ramasser, collectionner, aller chercher* ; vi, *se rassembler*

collide [kə'laɪd], vi, *entrer en collision*

• collide ▸ **with**, vi, *être en conflit [d'idées] avec*

colonise (US **-ize**) ['kɒlənaɪz], vt, *coloniser*

colour (US **-or**) ['kʌlə], vt, *colorer* ; vi, *[personne] rougir*

comb [kəʊm], vt, *peigner, passer au peigne fin*

combat ['kɒmbæt], vt, *combattre*

combine [kəm'baɪn], vt, *combiner* ; vi, *s'associer*

come, came, come [kʌm], vi, *venir*

• *verbe à particule* (➜ 139-141)

comfort ['kʌmfət], vt, *consoler, réconforter*

command [kə'mɑːnd], vt, *commander, imposer*

commandeer [kɒmən'dɪə], vt, *réquisitionner*

commemorate [kə'meməreɪt], vt, *commémorer*

commence [kə'mens], vt, vi, *commencer*

commend [kə'mend], vt, *louer, faire l'éloge de, recommander*

comment ['kɒment], vi, *commenter*

• comment ▸ **on**, vi, *faire des remarques sur, faire un commentaire de*

commercialise (US **-ize**) [kə'mɜːʃəlaɪz], vt, *commercialiser*

commiserate ▸ with [kə'mɪzəreɪt], vi, *témoigner sa sympathie à*

commission [kə'mɪʃən], vt, *commissionner, faire une commande de, charger de*

commit (tt) [kə'mɪt], vt, *commettre* ; vi, *s'engager*

• commit ▸▸ **to**, vi, *confier la garde*

commune ▸ with [kə'mjuːn], vi, *communier avec*

communicate [kə'mjuːnɪkeɪt], vi, *communiquer*

commute [kə'mjuːt], vt, *commuer* ; vi, *faire la navette [entre domicile et lieu de travail]*

compact ['kɒmpækt], vt, *compacter*

compare [kəm'peə], vt, *comparer* ; vi, *comparer, se distinguer*

compartmentalise (US **-ize**) [kɒmpɑːt'mentəlaɪz], vt, *compartimenter*

compel (ll) [kəm'pel], vt, *contraindre, obliger*

compensate ['kɒmpenseɪt], vt, *indemniser, dédommager*

• compensate ▸ **for**, vi, *compenser*

compete [kəm'piːt], vi, *concourir, rivaliser, être en compétition*

compile [kəm'paɪl], vt, *compiler*

complain (▸ for/of) [kəm'pleɪn], vi, *se plaindre (de)*

complement ['kɒmplɪmənt], vt, *compléter*

complete [kəm'pliːt], vt, *achever, terminer, remplir [un formulaire]*

complicate ['kɒmplɪkeɪt], vt, *compliquer*

compliment ▸▸ on ['kɒmplɪmənt], vt, *complimenter qqn sur/pour qqch.*

comply (ie) [kəm'plaɪ], vi, *s'exécuter*

- comply ▸ **with**, vi, *se conformer à*

compose [kəm'pəʊz], vt, *composer*

compost ['kɒmpɒst], vt, *composter*

compound [kəm'paʊnd], vt, *aggraver, accommoder*

- compound ▸ **with**, vt, *s'arranger avec qqn*

comprehend [kɒmprɪ'hend], vt, *comprendre*

compress (es) [kəm'pres], vt, vi, *(se) comprimer*

comprise [kəm'praɪz], vt, *contenir, être constitué de*

compromise ['kɒmprəmaɪz], vt, *compromettre* ; vi, *transiger, accepter un compromis*

compute [kəm'pjuːt], vt, vi, *calculer*

computerise (US **-ize**) [kəm'pjuːtəraɪz], vt, *informatiser*

con (nn) [kɒn], vt, *escroquer*

- con ▸▸ **out of**, vt, *soutirer qqch. à qqn*

concatenate [kon'kætəneit], vt, *concaténer*

conceal [kən'siːl], vt, *dissimuler*

concede [kən'siːd], vt, *admettre, concéder* ; vi, *céder*

conceive [kən'siːv], vt, *concevoir* ; vi, *devenir enceinte*

conceive, vi, *imaginer*

concentrate ['kɒnsəntreɪt], vt, vi, *(se) concentrer*

concern [kən'sɜːn], vt, *préoccuper, concerner*

concert [kən'sɜːt], vt, vi, *(se) concerter*

conciliate [kən'sɪlɪeɪt], vt, *(se) concilier*

conclude [kən'kluːd], vt, vi, *conclure*

concoct [kən'kɒkt], vt, *concocter, préparer*

concur (rr) [kən'kɜː], vi, *être d'accord, coïncider*

concuss (es) [kən'kʌs], vt, *commotionner, ébranler*

condemn [kən'dem], vt, *condamner*

condense [kən'dens], vt, vi, *(se) condenser*

condescend [kɒndɪ'send], vi, *daigner*

- condescend ▸ **to**, vi, *traiter avec condescendance, condescendre à*

condition [kən'dɪʃən], vt, *conditionner*

condole (▸ with) [kən'dəʊl, vi, *exprimer ses condoléances (à)*

condone [kən'dəʊn], vt, *fermer les yeux sur*

conduce ▸ to [kən'djuːs], vi, *contribuer à*

conduct [kən'dʌkt], vt, *mener, diriger*

confederate [kən'fedəreɪt], vt, vi, *(se) confédérer*

confer (rr) [kən'fɜː], vt, vi, *conférer*

confess (es) [kən'fes], vt, vi, *avouer*

- confess ▸ **to**, vi, *avouer avoir commis qqch.*

confide [kən'faɪd], vt, *confier*

- confide ▸ **in**, vi, *se confier à*

configure [kən'fɪgə], vt, *configurer*

confine [kən'faɪn], vt, *limiter, confiner*

confirm [kən'fɜːm], vt, *confirmer*

confiscate ['kɒnfɪskeɪt], vt, *confisquer*

conflict [kən'flɪkt], vi, *entrer en conflit, s'opposer*

conform [kən'fɔːm], vi, *se conformer*

confound [kən'faʊnd], vt, *confondre, déconcerter*

confront [kən'frʌnt], vt, *affronter*

confuse [kən'fjuːz], vt, *embrouiller les idées de, compliquer, confondre*

congeal [kən'dʒiːl], vt, vi, *(se) figer, (se) congeler*

congest [kən'dʒest], vt, vi, *(se) congestionner*

conglomerate [kən'glɒməreɪt], vt, vi, *(se) conglomérer*

congratulate (▸▸ on) [kən'grætjʊleɪt], vt, *féliciter (de)*

congregate ['kɒŋgrɪgeɪt], vi, *se rassembler, se réunir*

conjecture [kən'dʒektʃə], vt, vi, *conjecturer*

conjugate ['kɒndʒʊgeɪt], vt, *conjuguer*

conjure [ˈkʌndʒə], vt, *[magie] faire apparaître* ; vi, *faire des tours de passe-passe*

- conjure **up**, vt, *faire apparaître, évoquer [des souvenirs]*

conjure [kənˈdʒʊə], vt, *conjurer, prier [qqn], supplier*

connect [kəˈnekt], vt, *brancher, relier*

- connect ▸ **with**, vi, *[transports] assurer la correspondance avec, se comprendre*

connive [kəˈnaɪv], vi, *être de connivence*

connote [connote], vt, *suggérer*

conquer [ˈkɒŋkə], vt, *conquérir*

conscript [kənˈskrɪpt], vt, *enrôler*

consecrate [ˈkɒnsɪkreɪt], vt, *[religion] consacrer*

consent ▸ to [kənˈsent], vi, *consentir à*

conserve [kənˈsɜːv], vt, *conserver, préserver*

consider [kənˈsɪdə], vt, *considérer, envisager*

consign [kənˈsaɪn], vt, *remettre, expédier*

consist ▸ of [kənˈsɪst], vi, *se composer de*

console [kənˈsəʊl], vt, *consoler*

consolidate [kənˈsɒlɪdeɪt], vt, *consolider*

consort ▸ with [ˈkɒnsɔːt], vi, *frayer avec*

conspire [kənˈspaɪə], vi, *conspirer*

constipate [ˈkɒnstɪpeɪt], vt, *constiper*

constitute [ˈkɒnstɪtjuːt], vt, *constituer*

constrain [kənˈstreɪn], vt, *contraindre*

constrict [kənˈstrɪkt], vt, vi, *(se) resserrer*

construct [kənˈstrʌkt], vt, *construire*

construe [kənˈstruː], vt, *interpréter, concevoir*

consult [kənˈsʌlt], vt, vi, *consulter*

consume [kənˈsjuːm], vt, *consommer*

consummate [ˈkɒnsəmeɪt], vt, *consommer [le mariage], accomplir*

contact [ˈkɒntækt], vt, *se mettre en contact avec*

contain [kənˈteɪn], vt, *contenir, maîtriser*

contaminate [kənˈtæmɪneɪt], vt, *contaminer*

contemplate [ˈkɒntempleit], vt, *contempler, envisager*

contend [kənˈtend], vt, *soutenir que*

- contend ▸ **with**, vi, *affronter*

content ▸▸ with [kənˈtent], vt, *satisfaire, contenter*

contest [kənˈtest], vt, *contester, disputer*

continue [kənˈtɪnjuː], vt, vi, *continuer*

contort [kənˈtɔːt], vt, *[traits, visage] tordre*

contract [kənˈtrækt], vt, vi, *(se) contracter*

contradict [kɒntrəˈdɪkt], vt, *contredire*

contrast [kənˈtrɑːst], vt, vi, *(faire) contraster*

contravene [kɒntrəˈviːn], vt, *contrevenir à, enfreindre*

contribute [kənˈtrɪbjuːt], vt, vi, *contribuer*

contrive [kənˈtraɪv], vt, *trouver moyen de, inventer*

control (ll) [kənˈtrəʊl], vt, *maîtriser, commander [≠ contrôler]*

convalesce [kɒnvəˈles], vi, *relever de maladie*

convene [kənˈviːn], vt, *convoquer, assembler* ; vi, *se réunir*

converge [kənˈvɜːdʒ], vi, *converger*

converse [kənˈvɜːs], vi, *converser*

convert [kənˈvɜːt], vt, *convertir, transformer*

convey [kənˈveɪ], vt, *transmettre, communiquer*

convict (▸▸ of) [kənˈvɪkt], vt, *déclarer coupable (de)*

convince (▸▸ of) [kənˈvɪns], vt, *convaincre (de)*

convoke [kənˈvəʊk], vt, *convoquer*

convoy [ˈkɒnvɔɪ], vt, *convoyer*

convulse [kənˈvʌls], vt, *bouleverser* ; vi, *se contracter*

coo [kuː], vi, *roucouler*

cook [kʊk], vt, *faire cuire* ; vi, *cuisiner*

- cook **up**, vt, *inventer*

cool [kuːl], vt, vi, *(se) rafraîchir*

- cool **down**, vt, vi, *(s')apaiser*
- cool **off**, vi, *[sentiments] se refroidir*

coop up [kuːp], vt, *cloîtrer*

cooperate [kəʊˈɒpəreɪt], vi, *coopérer*

coopt [kəʊˈɒpt], vt, *coopter*

coordinate [kəʊˈɔːdɪneɪt], vt, *coordonner*

cop (pp) [kɒp], vt, *attraper, pincer*

cope [kəʊp], vi, *s'en sortir, tenir le coup*

• cope ▸ **with**, vi, *faire face à*

copulate [ˈkɒpjʊleɪt], vi, *copuler*

copy (ie) [ˈkɒpɪ], vt, *copier*

• copy **down**, vt, *prendre des notes*

• copy **out**, vt, *recopier*

copyright [ˈkɒpɪraɪt], vt, *réserver les droits de*

cordon off [ˈkɔːdn], vt, *interdire l'accès de, tenir à l'écart*

corner [ˈkɔːnə], vt, *acculer, coincer*

correct [kəˈrekt], vt, *corriger*

correlate [ˈkɒrɪleɪt], vt, vi, *mettre/être en corrélation*

correspond [kɒrɪsˈpɒnd], vi, *correspondre*

corroborate [kəˈrɒbəreɪt], vt, *corroborer*

corrode [kəˈrəʊd], vt, vi, *(se) corroder*

corrupt [kəˈrʌpt], vt, *corrompre, altérer*

cosh (es) [kɒʃ], vt, *matraquer*

cosset [ˈkɒsɪt], vt, *dorloter*

cost, cost, cost [kɒst], vt, *coûter*

co-star (rr) [ˈkəʊstɑː], vi, *partager la vedette*

couch (es) [kaʊtʃ], vt, *formuler*

cough [kɒf], vi, *tousser*

• cough **up**, vt, *expectorer, raquer (fam.)* ; vi, *casquer (fam.)*

could [kʊd], *modal* (➜ 63-66)

counsel (GB ll) [ˈkaʊnsl], vt, vi, *conseiller*

count [kaʊnt], vt, vi, *compter*

• count **up**, vt, *compter, additionner*

counter [ˈkaʊntə], vt, *contrer* ; vi, *répliquer*

counteract [kaʊntəˈrækt], vt, *neutraliser, contrebalancer*

counterbalance [kaʊntəˈbæləns], vt, *faire contrepoids à*

counterfeit [ˈkaʊntəfɪt], vt, *contrefaire*

countersign [ˈkaʊntəsaɪn], vt, *contresigner*

couple [ˈkʌpl], vt, *associer, atteler, coupler*

court [kɔːt], vt, *courtiser*

court-martial (GB ll) [ˈkɔːtˈmɑːʃl], vt, *traduire en cour martiale*

cover [ˈkʌvə], vt, *couvrir, faire un reportage sur, parcourir*

• cover ▸ **for**, vt, *remplacer*

• cover **up**, vt, vi, *couvrir, dissimuler*

covet [ˈkʌvɪt], vt, *convoiter*

cow [kaʊ], vt, *intimider*

cower [ˈkaʊə], vi, *se tapir*

crack [kræk], vt, *casser, fêler, déchiffrer* ; vi, *se casser, craquer (fam.)*

• crack **down** ▸ **on**, vi, *prendre des mesures plus énergiques contre*

• crack **up**, vi, *craquer, s'écrouler*

crackle [ˈkrækl], vi, *crépiter*

cradle [ˈkreɪdl], vt, *bercer*

cram (mm) [kræm], vt, *fourrer, bourrer* ; vi, *bachoter*

• cram **in**, vt, vi, *(s')entasser*

crane [kreɪn], vt, vi, *tendre le cou*

crash (es) [kræʃ], vt, *avoir un accident de voiture* ; vi, *s'écraser*

• crash **out**, *pioncer (fam.)*

crave [kreɪv], vt, *avoir très envie/grand besoin de*

• crave (▸ **for**), vi, *avoir grand besoin de*

crawl [krɔːl], vi, *marcher à quatre pattes, avancer lentement, ramper, rouler au pas*

creak [kriːk], vi, *grincer, craquer*

cream [kriːm], vt, *écrémer, ajouter de la crème à* ; vi, *se couvrir de crème*

• cream **off**, vt, *prélever la meilleure part de*

crease [kriːs], vt, vi, *(se) plisser, (se) chiffonner*

• crease **up**, vt, vi, *(faire) se tordre de rire*

create [krɪˈeɪt], vt, *créer, susciter*

credit [ˈkredɪt], vt, *créditer, ajouter foi à, croire*

• credit ▸▸ **with**, *attribuer [une qualité] à qqn*

creep, crept, crept [kriːp], vi, *se glisser, ramper*

• creep **up** ▸ **on**, vi, *prendre à l'improviste*

cremate [krɪˈmeɪt], vt, *incinérer*

crew [kruː], vt, *[équipage] armer*

• crew ▸ **for**, vi, *servir d'équipier à*

crib (bb) [krɪb], vt, vi, *copier, tricher*

• crib ▸ **from**, vi, *plagier*

cringe [krɪndʒ], vi, *avoir un mouvement de recul*

crinkle ['krɪŋkl], vt, *chiffonner* ; vi, *se plisser*

cripple ['krɪpl], vt, *handicaper, estropier*

crisscross (es) ['krɪskrɒs], vt, *sillonner, quadriller* ; vi, *s'entrecroiser*

criticise (US **-ize**) ['krɪtɪsaɪz], vt, *critiquer*

croak [krəʊk], vi, *coasser, croasser, parler d'une voix rauque, clamser (fam.)*

crook [krʊk], vt, *recourber*

croon [kru:n], vt, vi, *fredonner, susurrer*

crop (pp) [krɒp], vt, *tailler, tondre* ; vi, *donner une récolte*

• crop **up** [krɒp], vi, *surgir*

cross (es) [krɒs], vt, *traverser, croiser, barrer, contrarier* ; vi, *traverser*

• cross **off/out**, vt, *barrer, rayer*

• cross **over**, vi, *traverser*

crossbreed, crossbred, crossbred ['krɒsbri:d], vt, vi, *(se) métisser*

cross-check ['krɒs'tʃek], vt, vi, *vérifier par recoupement*

cross-examine ['krɒsɪg'zæmɪn], vt, *faire subir un contre-interrogatoire*

cross-question ['krɒs'kwestʃən], vt, *faire subir un interrogatoire à*

cross-reference ['krɒs'refrəns], vt, *ajouter des renvois à [un livre, un dictionnaire]*

crouch (es) [kraʊtʃ], vi, *s'accroupir*

crow [krəʊ], vi, *[coq] chanter, pavoiser*

• crow ▸ **over**, vi, *se vanter de*

crowd [kraʊd], vt, *[personnes] entasser*

• crowd **in** ▸ **on**, vi, *[sentiments, souvenirs] assaillir*

• crowd **out**, vt, *ne pas laisser de place à*

crown [kraʊn], vt, *couronner*

crucify (ie) ['kru:sɪfaɪ], vt, *crucifier*

cruise [kru:z], vi, *croiser, naviguer, [taxi] être en maraude, draguer (fam.), faire une croisière*

crumble ['krʌmbl], vt, vi, *(s')émietter, (s')effriter, s'effondrer*

crumple ['krʌmpl], vt, *chiffonner*

• crumple **up**, vt, *faire une boule avec [du papier, un tissu]*

crunch (es) [krʌntʃ], vt, *croquer, ronger* ; vi, *crisser, craquer*

• crunch **up**, vt, *broyer*

crusade [kru:'seɪd], vi, *mener une croisade*

crush (es) [krʌʃ], vt, *écraser, presser, accabler* ; vi, *[foule] se bousculer, s'entasser*

crust [krʌst], vt, vi, *(se) couvrir d'une croûte*

cry (ie) [kraɪ], vt, vi, *pleurer, crier*

• cry **down**, vt, *décrier*

• cry **off**, vi, *se dédire, se décommander*

• cry **out**, vi, *crier, hurler*

crystallise (US **-ize**) ['krɪstəlaɪz], vt, vi, *(se) cristalliser, (se) concrétiser*

cube [kju:b], vt, *élever au cube*

cuddle ['kʌdl], vt, *câliner* ; vi, *se blottir l'un contre l'autre*

• cuddle **up (▸ to)**, vi, *se blottir (contre)*

cuff [kʌf], vt, *donner une tape sur*

culminate ['kʌlmɪneɪt], vi, *aboutir à*

cultivate ['kʌltɪveɪt], vt, *cultiver*

cup (pp) [kʌp], vt, *faire une coupe [de ses mains]*

curb [kɜ:b], vt, *contrôler, limiter, refréner*

curdle ['kɜ:dl], vt, vi, *cailler, figer*

cure (▸▸ of) ['kjʊə], vt, *guérir (de)*

curl [kɜ:l], vt, vi, *boucler*

• curl **up**, vi, *gondoler, se pelotonner*

curse [kɜ:s], vt, *maudire* ; vi, *jurer, blasphémer*

curtail [kɜ:'teɪl], vt, *écourter, réduire*

curve [kɜ:v], vt, *courber* ; vi, *s'incurver*

cushion ['kʊʃən], vt, *amortir*

customise (US **-ize**) ['kʌstəmaɪz], vt, *personnaliser*

cut (tt), cut, cut [kʌt], vt, vi, *couper*

• cut **back**, vt, *élaguer, réduire*

• cut **back** ▸ **on**, vt, *économiser sur*

• cut **down**, vt, *abattre [un arbre]*

- cut **down ▸ on**, vt, *réduire sa consommation de*
- cut **in**, vi, *s'immiscer dans la conversation, faire une queue de poisson*
- cut **in ▸ on**, vi, *couper la parole à*
- cut **off**, vt, *découper, supprimer*
- cut **up**, vt, *découper, disséquer, faire une queue de poisson*

cycle ['saɪk'ə'l], vi, *faire du vélo*

D

dab (bb) [dæb], vt, *appliquer par petite touches, se tamponner*

dabble ['dæbl], vi, *faire en dilettante*

dam (mm) [dæm], vt, *endiguer*

damage ['dæmɪdʒ], vt, *endommager, abîmer*

damn [dæm], vt, *condamner*

damp [dæmp], vt, *humecter*

dampen [dæmpen], vt, *humidifier, refroidir [des sentiments]*

dance [dɑ:ns], vt, vi, *danser*

dangle ['dæŋgl], vi, *pendiller* ; vt, *balancer, faire miroiter qqch. à qqn*

dapple ['dæpl], vt, *tacheter*

dare [deə], vt, *défier* ; *aux.*, *oser* (➜ 69)

darken ['dɑ:kən], vt, *teindre, foncer* ; vi, *s'obscurcir*

darn [dɑ:n], vt, *repriser*

dart [dɑ:t], vt, *lancer comme une flèche* ; vi, *aller comme une flèche*

dash (es) [dæʃ], vt, *lancer violemment* ; vi, *se précipiter*

date [deɪt], vt, *dater* ; vi, *sortir ensemble, vieillir (fig.)*

- date **back ▸ to**, vi, *remonter à*

daub [dɔ:b], vt, *barbouiller*

daunt [dɔ:nt], vt, *intimider*

dawn [dɔ:n], vi, *[aube, jour] se lever, poindre*

- dawn **▸ on**, vt, *venir à l'esprit*

daydream ['deɪdri:m], vi, *rêvasser*

daze [deɪz], vt, *hébéter, étourdir*

dazzle ['dæzl], vt, *éblouir, aveugler*

deactivate [di:'æktiveit], vt, *désactiver*

deaden ['dedn], vt, *amortir*

deafen ['defn], vt, *assourdir, rendre sourd*

deal, dealt, dealt [di:l], vt, *traiter, négocier, porter [un coup]* ; vi, *donner les cartes*

- deal **out**, vt, *distribuer*
- deal **with**, vi, *avoir affaire à, traiter de, s'occuper de*

debar (rr) [di'bɑ:], vt, *exclure*

debase [dɪ'beɪs], vt, *déprécier, avilir*

debate [dɪ'beɪt], vt, *débattre, se demander*

debauch (es) [dɪ'bɔ:tʃ], vt, *corrompre, débaucher*

debit ['debɪt], vt, *[banque] débiter*

debrief [di:'bri:f], vt, *demander un compte rendu de fin de mission à*

debug (gg) [di:'bʌg], vt, *déboguer*

debunk [di:'bʌŋk], vt, *discréditer, démythifier*

decamp [di:'kæmp], vi, *décamper*

decant [dɪ'kænt], vt, *décanter*

decapitate [dɪ'kæpɪteɪt], vt, *décapiter*

decay [dɪ'keɪ], vt, vi, *se décomposer, être en déclin*

decease [dɪ'si:s], vi, *décéder*

deceive [dɪ'si:v], vt, *tromper*

decelerate [di:'seləreɪt], vt, vi, *ralentir*

decentralise (US **-ize**) [di:'sentrəlaɪz], vt, *décentraliser*

decide [dɪ'saɪd], vt, vi, *(se) décider*

decimate ['desɪmeɪt], vt, *décimer*

decipher [dɪ'saɪfə], vt, *déchiffrer*

declaim [dɪ'kleɪm], vt, vi, *déclamer*

declare [dɪ'kleə], vt, *déclarer*

declassify (ie) [di:'klæsɪfaɪ], vt, *rendre public [un document secret]*

decline [dɪ'klaɪn], vt, *décliner [une invitation]* ; vi, *décliner, baisser*

declutch (es) [di:'klʌtʃ], vi, *débrayer*

decode [di:'kəʊd], vt, *décoder*

decompose [di:kəm'pəʊz], vi, *se décomposer*

decontaminate [di:kən'tæmɪneɪt], vt, *décontaminer*

decontrol [diːkənˈtrəʊl], vt, *libérer [les prix]*

decorate [ˈdekəreɪt], vt, *décorer, tapisser, peindre*

decorticate [diːˈkɔːtɪkeɪt], vt, *décortiquer*

decoy [dɪˈkɔɪ], vt, *leurrer*

decrease [dɪˈkriːs], vt, *réduire* ; vi, *diminuer*

decree [dɪˈkriː], vt, *décréter*

decry (ie) [dɪˈkraɪ], vt, *dénigrer*

dedicate [ˈdedɪkeɪt], vt, *consacrer, allouer, dédier*

deduce [dɪˈdjuːs], vt, *déduire, conclure*

deduct [dɪˈdʌkt], vt, *[comptabilité] déduire*

deepen [ˈdiːpn], vt, *approfondir* ; vi, *devenir plus profond, s'aggraver*

deface [dɪˈfeɪs], vt, *dégrader*

defame [dɪˈfeɪm], vt, *diffamer*

default [dɪˈfɔːlt], vi, *faire défaut*

defeat [dɪˈfiːt], vt, *battre, faire échouer*

defect [dɪˈfekt], vi, *s'enfuir, faire défection*

defend [dɪˈfend], vt, *défendre*

defer (rr) [dɪˈfɜː], vt, *différer, remettre à plus tard* ; vi, *déférer*

defile [dɪˈfaɪl], vi, *souiller, défiler*

define [dɪˈfaɪn], vt, *définir*

deflate [diːˈfleɪt], vt, vi, *(se) dégonfler*

deflect [dɪˈflekt], vt, *détourner, faire dévier*

deflower [diːˈflaʊə], vt, *déflorer*

defoliate [diːˈfəʊlɪeɪt], vt, *défolier*

deforest [diːˈfɒrɪst], vt, *déboiser*

deform [dɪˈfɔːm], vt, vi, *(se) déformer*

defraud [dɪˈfrɔːd], vt, vi, *frauder*

defray [dɪˈfreɪ], vt, *couvrir les frais de*

defreeze, defroze, defrozen [diːˈfriːz] ; vt, *décongeler*

defrost [diːˈfrɒst], vt, vi, *dégivrer*

defuse [diːˈfjuːz], vt, *désamorcer*

defy (ie) [dɪˈfaɪ], vt, *défier, braver*

degenerate [dɪˈdʒenəreɪt], vi, *dégénérer*

degrade [dɪˈgreɪd], vt, *avilir, dégrader*

dehumanise (US **-ize**) [diːˈhjuːmənaɪz], vt, *déshumaniser*

dehydrate [diːˈhaɪdreɪt], vt, vi, *(se) déshydrater*

deify (ie) [ˈdiːɪfaɪ], vt, *déifier*

deign [deɪn], vt, *daigner*

deject [dɪˈdʒekt], vt, *décourager*

delay [dɪˈleɪ], vt, *différer, retarder* ; vi, *tarder*

delegate [ˈdelɪgeɪt], vt, *déléguer*

delete [dɪˈliːt], vt, *effacer*

deliberate [dɪˈlɪbəreɪt], vi, *délibérer*

delight [dɪˈlaɪt], vt, *enchanter*

delimit [diːˈlɪmɪt], vt, *délimiter*

delineate [dɪˈlɪnɪeɪt], vt, *définir, esquisser*

deliver [dɪˈlɪvə], vt, *distribuer, livrer, prononcer [un discours]*

delude [dɪˈluːd], vt, *leurrer*

delve into [delv], vi, *fouiller dans*

demagnetise (US **-ize**) [diːˈmægnɪtaɪz], vt, *démagnétiser*

demand [dɪˈmɑːnd], vt, *réclamer, exiger*

demilitarise (US **-ize**) [diːˈmɪlɪtəraɪz], vt, *démilitariser*

demist [diːˈmɪst], vt, *désembuer*

demobilise (US **-ize**) [diːˈməʊbɪlaɪz], vt, vi, *démobiliser*

democratise (US **-ize**) [dɪˈmɒkrətaɪz], vt, vi, *(se) démocratiser*

demolish (es) [dɪˈmɒlɪʃ], vt, *démolir*

demonstrate [ˈdemənstreɪt], vt, *démontrer, prouver* ; vi, *manifester*

demoralise (US **-ize**) [dɪˈmɒrəlaɪz], vt, *démoraliser*

demote, vt, *rétrograder, reléguer*

demur (rr) [dɪˈmɜː], vi, *refuser, opposer une objection*

denationalise (US **-ize**) [diːˈnæʃənəlaɪz], vt, *dénationaliser*

denature [diːˈneɪtʃə], vt, *dénaturer*

denigrate [ˈdenɪgreɪt], vt, *dénigrer*

denominate [dɪˈnɒmɪneɪt], vt, *dénommer*

denote [dɪˈnəʊt], vt, *indiquer*

denounce [dɪˈnaʊns], vt, *dénoncer*

dent [dent], vt, *cabosser*

denude [dɪˈnjuːd], vt, *dénuder*

deny (ie) [dɪ'naɪ], vt, *nier, refuser, renier*

deodorise (US **-ize**) [diː'əʊdəraɪz], vt, *désodoriser*

depart [dɪ'pɑːt], vi, *partir*

depend [dɪ'pend], vi, *dépendre*

- depend ▸ **on**, vi, *dépendre de, compter sur*

depict [dɪ'pɪkt], vt, *représenter, dépeindre*

deplete [dɪ'pliːt], vt, *réduire*

deplore [dɪ'plɔː], vt, *déplorer*

deploy [dɪ'plɔɪ], vt, vi, *(se) déployer*

depopulate [diː'pɒpjʊleɪt], vt, *dépeupler*

deport [dɪ'pɔːt], vt, *déporter, expulser*

depose [dɪ'pəʊz], vt, *destituer*

deposit [dɪ'pɒzɪt], vt, *laisser en dépôt, verser [des arrhes], déposer, [géologie] former un dépôt de*

deprave [dɪ'preɪv], vt, *dépraver*

deprecate ['deprɪkeɪt], vt, *désapprouver [une action/conduite]*

depreciate [dɪ'priːʃɪeɪt], vt, vi, *(se) déprécier, (se) dévaloriser*

depress (es) [dɪ'pres], vt, *déprimer, faire baisser [les prix], abaisser [un levier]*

deprive ▸▸ **of** [dɪ'praɪv], vt, *priver qqn de qqch.*

depute [dɪ'pjuːt], vt, *députer*

deputise (US **-ize**) ▸ **for** ['depjʊtaɪz], vi, *assurer l'intérim*

derail [dɪ'reɪl], vt, *faire dérailler, faire échouer*

deride [dɪ'raɪd], vt, *tourner en dérision, ridiculiser*

derive ▸▸ **from** [dɪ'raɪv], vt, *tirer qqch. de ;* vi, *provenir de*

derogate ['derəgeɪt], vi, *déroger*

descend [dɪ'send], vt, vi, *descendre*

descend ▸ **on**, vt, *envahir, assaillir*

describe [dɪs'kraɪb], vt, *décrire*

desecrate ['desɪkreɪt], vt, *profaner*

desegregate [diː'segrɪgeɪt], vt, *supprimer la ségrégation raciale qqpart*

desensitise (US **-ize**) [diː'sensɪtaɪz], vt, *désensibiliser*

desert [dɪ'zɜːt], vt, *déserter, abandonner ;* vi, *déserter*

deserve [dɪ'zɜːv], vt, *mériter*

design [dɪ'zaɪn], vt, *concevoir, créer*

designate ['dezɪgneɪt], vt, *désigner*

desire [dɪ'zaɪə], vt, *désirer*

despair [dɪs'peə], vi, *(se) désespérer*

despatch (es) [dɪs'pætʃ], vt, *expédier, envoyer*

despise [dɪ'spaɪz], vt, *mépriser*

destine ['destɪn], vt, *destiner*

destroy [dɪs'trɔɪ], vt, *détruire*

destruct [dɪs'trʌkt], vt, vi, *(se) détruire*

detach (es) [dɪ'tætʃ], vt, *détacher*

detail ['diːteɪl], vt, *raconter en détail, énumérer*

detain [dɪ'teɪn], vt, *retenir, détenir*

detect [dɪ'tekt], vt, *dépister, détecter, percevoir*

deter (rr) [dɪ'tɜː], vt, *dissuader*

deteriorate [dɪ'tɪərɪəreɪt], vi, *se détériorer, se dégrader*

determine [dɪ'tɜːmɪn], vt, *déterminer*

detest [dɪ'test], vt, *détester*

dethrone [dɪ'θrəʊn], vt, *détrôner*

detonate ['detəneɪt], vt, vi, *(faire) exploser*

devalue [diː'væljuː], vt, *dévaluer*

devastate ['devəsteɪt], vt, *dévaster*

develop [dɪ'veləp], vt, *développer, mettre au point, [qualité, défaut, symptôme] présenter ;* vi, *se développer, se manifester*

deviate ▸▸ **from** ['diːvɪeɪt], vi, *dévier qqch./qqn de*

devise [dɪ'vaɪz], vt, *imaginer, concevoir*

devitalise (US **-ize**) [diː'vaɪtəlaɪz], vt, *[économie] affaiblir*

devolve [dɪ'vɒlv], vt, *déléguer ;* vi

- devolve ▸ **on**, vi, *incomber à*

devote ▸▸ **to** [dɪ'vəʊt], vt, *consacrer qqch. à, (se) dévouer à*

devour [dɪ'vaʊə], vt, *dévorer*

diagnose ['daɪəgnəʊz], vt, *diagnostiquer*

dial (GB ll) ['daɪəl], vt, vi, *composer [un numéro de téléphone]*

dictate, dɪk'teɪt, vt, *dicter, imposer*

- dictate ▸ **to**, vi, *imposer sa volonté à*

die (dying) [daɪ], vi, *mourir*

- die **away**, vi, *s'éteindre*
- die **down**, vi, *se calmer, s'apaiser*
- die **out**, vi, *disparaître*

diet ['daɪət], vi, *suivre un régime*

differ ['dɪfə], vi, *être différent, ne pas être d'accord*

differentiate [dɪfə'renʃɪəɪt], vt, *différencier* ; vi, *faire une différence*

diffuse [dɪ'fju:z], vt, *diffuser, répandre*

dig (gg), dug, dug [dɪg], vt, vi, *creuser*

- dig **around**, vi, *enquêter*
- dig **in**, vt, *enfoncer* ; vi, *se retrancher*
- dig **out**, vt, *dénicher*
- dig **up**, vt, *déterrer, dénicher*

digest [dɪ'dʒest], vt, vi, *(se) digérer*

digitise (US **-ize**) ['dɪdʒɪtaɪz], vt, *numériser*

dignify (ie) ['dɪgnɪfaɪ], vt, *donner de la dignité à*

digress (es) [daɪ'gres], vi, *faire une digression*

dilate [daɪ'leɪt], vt, vi, *(se) dilater*

dillydally (ie) ['dɪlɪdælɪ], vi, *lambiner*

dilute [daɪ'lu:t, dɪ'lu:t], vt, *diluer*

dim (mm) [dɪm], vt, vi, *[lumière] baisser*

diminish (es) [dɪ'mɪnɪʃ], vt, vi, *diminuer*

dine [daɪn], vi, *dîner*

- dine **out**, vi, *aller au restaurant*

dip (pp) [dɪp], vt, *tremper* ; vi, *plonger*

direct [dɪ'rekt, daɪ'rekt], vt, *diriger, réaliser [un film]*

dirty (ie) ['dɜ:tɪ], vt, *salir*

disable [dɪ'seɪbəl], vt, *estropier, désactiver*

disabuse [dɪsə'bju:z], vt, *détromper*

disadvantage [dɪsəd'vɑ:ntɪdʒ], vt, *désavantager*

disagree [dɪsə'gri:], vi, *ne pas être d'accord*

disappear [dɪsə'pɪə], vi, *disparaître*

disappoint [dɪsə'pɔɪnt], vt, *décevoir*

disapprove ▸ of [dɪsə'pru:v], vi, *désapprouver*

disarm [dɪs'ɑ:m], vt, vi, *désarmer*

disarrange [dɪsə'reɪndʒ], vt, *déranger, mettre en désordre*

disassemble [dɪsə'sembəl], vt, *démonter*

disavow [dɪsə'vaʊ], vt, *désavouer*

disband [dɪs'bænd], vt, *démobiliser, dissoudre [un mouvement]* ; vi, *se disperser, se séparer*

disbelieve [dɪsbɪ'li:v], vt, *ne pas croire*

disburse [dɪs'bɜ:s], vt, *débourser*

discard [dɪs'kɑ:d], vt, *se débarrasser de, abandonner, renoncer à*

discern [dɪ'sɜ:n], vt, *discerner*

discharge [dɪs'tʃɑ:dʒ], vt, *s'acquitter de, congédier, libérer*

discipline ['dɪsɪplɪn], vt, *discipliner*

disclaim [dɪs'kleɪm], vt, *décliner, rejeter*

disclose [dɪs'kləʊz], vt, *révéler, divulguer*

discolour (US **-or**) [dɪs'kʌlə], vt, vi, *(se) décolorer*

discomfit [dɪs'kʌmfɪt], vt, *décontenancer*

disconnect [dɪskə'nekt], vt, *débrancher*

discontinue [dɪskən'tɪnju:], vt, *cesser, interrompre*

discount [dɪs'kaʊnt, 'dɪskaʊnt], vt, *ne pas tenir compte de, réduire*

discourage [dɪs'kʌrɪdʒ], vt, *décourager, dissuader*

discover [dɪs'kʌvə], vt, *découvrir*

discredit [dɪs'kredɪt], vt, *mettre en doute, discréditer*

discriminate [dɪs'krɪmɪneɪt], vt, vi, *établir une distinction/discrimination*

discriminate ▸ against, vi, *faire de la discrimination envers*

discuss (es) [dɪs'kʌs], vt, *discuter, traiter*

disdain [dɪs'deɪn], vt, *dédaigner, mépriser*

disembark [dɪsem'bɑ:k], vt, vi, *débarquer*

disengage [dɪsɪn'geɪdʒ], vt, *dégager* ; vi, *se retirer, cesser le combat*

disentangle [dɪsɪn'tæŋgl], vt, *démêler*

disfigure [dɪs'fɪgə], vt, *défigurer*

disgorge [dɪs'gɔ:dʒ], vt, *déverser*

disgrace [dɪs'greɪs], vt, *déshonorer*

disguise [dɪs'gaɪz], vt, *déguiser, dissimuler*

disgust [dɪs'gʌst], vt, *dégoûter*

dish (es) [dɪʃ], vt, *verser dans un plat*

• dish **out**, vt, *servir, distribuer*

• dish **up**, vt, *servir, débiter [des informations]* ; vi, *servir*

dishonour (US **-or**) [dɪs'ɒnə], vt, *déshonorer*

disillusion [dɪsɪ'lu:ʒən], vt, *désenchanter*

disinfect [dɪsɪn'fekt], vt, *assainir, désinfecter*

disinherit [dɪsɪn'herɪt], vt, *déshériter*

disintegrate [dɪs'ɪntɪgreɪt], vi, *se désintégrer*

disinter (rr) [dɪsɪn'tɜ:], vt, *exhumer*

dislike [dɪs'laɪk], vt, *ne pas aimer*

dislocate ['dɪsləkeɪt], vt, *disloquer, désorganiser*

dislodge [dɪs'lɒdʒ], vt, *déloger, déplacer*

dismantle [dɪs'mæntl], vt, *démanteler, démonter*

dismast [dɪs'mɑ:st], vt, *démâter*

dismay [dɪs'meɪ], vt, *consterner*

dismember [dɪs'membə], vt, *démembrer, morceler*

dismiss (es) [dɪs'mɪs], vt, *congédier, renvoyer* ; vi, *rompre les rangs*

dismount [dɪs'maʊnt], vi, *mettre pied à terre*

disobey [dɪsə'beɪ], vt, *désobéir à*

disorder [dis'ɔ:də], vt, *mettre en désordre*

disorganise (US **-ize**) [dɪs'ɔ:gənaɪz], vt, *désorganiser*

disorientate [dɪs'ɔ:rɪənteɪt], vt, *désorienter*

disown [dɪs'əʊn], vt, *renier, désavouer*

disparage [dɪs'pærɪdʒ], vt, *dénigrer*

dispatch (es) [dɪs'pætʃ], vt, *expédier*

dispel (ll) [dɪs'pel], vt, *dissiper*

dispense [dɪs'pens], vt, *prodiguer, distribuer*

disperse [dɪs'pɜ:s], vt, vi, *(se) propager, (se) disperser*

dispirit [dɪs'pɪrɪt], vt, *décourager*

displace [dɪs'pleɪs], vt, *déplacer, remplacer*

display [dɪs'pleɪ], vt, *montrer, afficher*

displease [dɪs'pli:z], vt, *mécontenter*

dispose, dɪs'pəʊz], vt, vi, *disposer*

• dispose ▸ **of**, vt, *se débarrasser de, disposer de*

dispossess (es) [dɪspə'zes], vt, *déposséder*

• dispossess ▸▸ **of**, vt, *déposséder qqn de qqch.*

disprove [dɪs'pru:v], vt, *réfuter*

dispute [dɪs'pju:t], vt, *contester, discuter, disputer*

disqualify (ie) [dɪs'kwɒlɪfaɪ], vt, *disqualifier*

disregard [dɪsrɪ'gɑ:d], vt, *ne pas tenir compte de*

disrobe [dɪs'rəʊb], vi, *se déshabiller*

disrupt [dɪs'rʌpt], vt, *perturber*

dissatisfy (ie) [dɪ'sætɪsfaɪ], vt, *mécontenter*

dissect [dɪ'sekt, daɪ'sekt], vt, *disséquer*

dissemble [dɪ'sembl], vi, *dissimuler*

disseminate [dɪ'semɪneɪt], vt, *propager, disséminer*

dissent (▸ from) [dɪ'sent], vi, *contester*

dissimulate [dɪ'sɪmjʊleɪt], vt, vi, *dissimuler*

dissociate [dɪ'səʊsɪeɪt], vt, *dissocier*

dissolve [dɪ'zɒlv], vt, vi, *(se) dissoudre*

dissuade ▸▸ from [dɪ'sweɪd], vt, *dissuader qqn de*

distance [dɪ'stəns], vt, *distancer*

• distance oneself **from**, vt, *prendre du recul par rapport à*

distil (ll) (US **distill**), [dɪs'tɪl], vt, *distiller*

distinguish (es) [dɪs'tɪŋgwɪʃ], vt, vi, *distinguer*

distort [dɪs'tɔ:t], vt, *déformer*

distract [dɪs'trækt], vt, *déranger, distraire*

• distract ▸▸ **from**, vt, *distraire qqn de qqch.*

distress (es) [dɪs'tres], vt, *angoisser*

distribute [dɪs'trɪbju:t], vt, *distribuer*

distrust [dɪs'trʌst], vt, *se méfier de*

disturb [dɪs'tɜ:b], vt, *déranger, troubler*

disunite [dɪsjʊ'naɪt], vt, vi, *(se) désunir*

ditch (es) [dɪtʃ], vt, vi, *laisser tomber, se débarrasser de*

dither ['dɪðə], vi, *hésiter, tergiverser*

dive [daɪv], vi, *plonger*

diverge [daɪ'vɜ:dʒ], vi, *diverger, s'écarter*

diversify (ie) [daɪ'vɜ:sɪfaɪ], vt, *diversifier*

divert [daɪ'vɜ:t, dɪ'vɜ:t], vt, *dévier, divertir*

divide [dɪ'vaɪd], vt, *(se) diviser*

divorce [dɪ'vɔːs], vt, *divorcer*

divulge [daɪ'vʌldʒ], vt, *divulguer*

do (es), did, done [duː], vt, *faire* ; vi, *faire, convenir* ; *aux.* (→ 43-46)

- do **away ▸ with**, vt, *se débarrasser de*
- do **out**, vt, *[pièce] nettoyer à fond*
- do **over**, vt, *refaire*
- do **up**, vt, *retaper [une maison] (fam.), emballer*
- do ▸ **with**, vt, (après could) *avoir besoin de*, (après can't) *supporter*, (au present/past perfect) *en finir avec*
- do ▸ **without**, vt, *se passer de*

dock [dɒk], vt, vi, *(s')arrimer*

doctor ['dɒktə], vt, *soigner, dénaturer, falsifier, châtrer*

document ['dɒkjʊmənt], vt, *relater, documenter*

dodge [dɒdʒ], vt, vi, *esquiver*

dog (gg) [dɒg], vt, *suivre de près, poursuivre, harceler*

dole out [dəʊl], vt, *donner au compte-gouttes*

doll up [dɒl], vt, *se faire belle*

domesticate [də'mestɪkeɪt], vt, *domestiquer*

domicile ['dɒmɪsaɪl], vt, *domicilier*

dominate ['dɒmɪneɪt], vt, *dominer*

don (nn) [dɒn], vt, *revêtir*

donate [də'neɪt], vt, *faire don de*

doodle ['duːdl], vi, *griffonner*

doom [duːm], vt, *condamner*

dope [dəʊp], vt, *doper*

dot (tt) [dɒt], vt, *pointiller*

dote [dəʊt], vi, *être gâteux*

- dote ▸ **on**, vi, *être fou de*

double ['dʌbl], vt, vi, *doubler*

doubt [daʊt], vt, vi, *douter (de)*

douse [daʊs], vt, *asperger*

down [daʊn], vt, *abattre [un avion], descendre [une boisson] (fam.)*

downgrade ['daʊngreɪd], vt, *déclasser*

download [daʊn'ləʊd], vt, *télécharger*

doze [dəʊz], vi, *sommeiller*

- doze **off**, vi, *s'assoupir*

draft [drɑːft], vt, *faire le brouillon de*

- draft **in**, vt, *affecter [à un travail]*

drag (gg) [dræg], vt, *traîner, tirer* ; vi, *étirer*

- drag **on**, vi, *s'éterniser*

dragoon [drə'guːn], vt, *forcer à*

drain [dreɪn], vt, *drainer, vider* ; vi, *s'écouler*

dramatise (US **-ize**) ['dræmətaɪz], vt, *dramatiser, adapter [une œuvre]*

draw, drew, drawn [drɔː], vt, *dessiner, tirer* ; vi, *dessiner, faire match nul*

- draw **away**, vi, *s'éloigner*
- draw **back**, vi, *reculer, se retirer*
- draw **in**, vt, *mêler, impliquer* ; vi, *s'arrêter le long du trottoir, entrer en gare*
- draw ▸ **on**, vt, *avoir recours à, faire appel à*
- draw **on**, vi, *[temps] passer, avancer*
- draw **out**, vt, *retirer [de l'argent], faire parler* ; vi, *[temps] s'étirer*
- draw **up**, vi, *s'arrêter* ; vt, *établir, formuler*

drawl [drɔːl] vi, *parler d'une voix traînante*

dread [dred], vt, *redouter*

dream, dreamt/dreamed, dreamt/dreamed [driːm], vt, vi, *rêver*

- dream **up**, vt, *inventer*

drench (es) [drentʃ], vt, *tremper*

dress (es) [dres], vt, *habiller, panser, assaisonner* ; vi, *s'habiller*

- dress **down**, vi, *s'habiller décontracté*
- dress **up**, vt, *déguiser* ; vi, *se mettre sur son trente et un, se déguiser*

dribble ['drɪbl], vt, *dribbler, verser doucement* ; vi, *tomber goutte à goutte, dribbler*

drift [drɪft], vi, *dériver*

drill [drɪl], vt, *percer [un trou], faire faire des exercices à* ; vi, *forer*

drink, drank, drunk [drɪŋk], vt, vi, *boire*

- drink **in**, vt, *ne pas perdre une goutte/miette de*
- drink **up**, vi, *vider son verre*

drip (pp) [drɪp], vt, vi, *(faire) tomber goutte à goutte, (s')égoutter*

drive, drove, driven [draɪv], vt, vi, *conduire*

- drive ▸ **at**, vt, *vouloir dire, en venir à*
- drive **away**, vt, *faire fuir*
- drive **down**, vt, *faire baisser*
- drive **in**, vt, *enfoncer [un clou]*
- drive **off**, vt, *chasser*
- drive **on**, vt, *inciter* ; vi, *poursuivre sa route*
- drive **up**, vt, *faire monter*

drizzle ['drɪzl], vi, *bruiner*

drone [drəʊn], vi, *bourdonner, ronronner*

- drone **on**, vi, *parler d'une voix monocorde*

droop [dru:p], vi, *commencer à se faner, [paupières, épaules] tomber*

drop (pp) [drɒp], vt, *laisser tomber, baisser, déposer [des passagers]* ; vi, *tomber*

- drop **by/in**, vi, *faire un saut, passer*
- drop **off**, vt, *déposer qqn* ; vi, *s'assoupir*
- drop **out**, vi, *abandonner [une compétition, les études]*

drown [draʊn], vt, vi, *(se) noyer*

- drown **out**, vt, *couvrir [un son]*

drowse [draʊz], vi, *somnoler*

drug (gg) [drʌg], vt, *droguer*

drum (mm) [drʌm], vt, vi, *tambouriner*

dry (ie) [draɪ], vt, vi, *sécher*

- dry **off**, vt, vi, *sécher*
- dry **out**, vt, vi, *(s')assécher*
- dry **up**, vi, *se tarir, s'arrêter, essuyer [la vaisselle]*

dry-clean ['draɪ'kli:n], vt, *nettoyer à sec*

dub (bb) [dʌb], vt, *doubler [un film]*

duck [dʌk], vt, *esquiver*

- duck **down**, vi, *se baisser vivement, baisser subitement la tête*

dull [dʌl], vt, *engourdir, atténuer* ; vi, *s'assombrir, s'atténuer*

dumbfound [dʌm'faʊnd], vt, *sidérer*

dump [dʌmp], vt, *déverser, mettre à la déchetterie, se débarrasser de*

dunk [dʌŋk], vt, *tremper*

dupe [dju:p], vt, *duper*

duplicate ['dju:plɪkeit], vt, *reproduire, dupliquer*

dust [dʌst], vt, *épousseter*

dwarf [dwɔ:f], vt, *rapetisser, éclipser (fig.)*

dwell, dwelt, dwelt [dwel], vi, *demeurer*

- dwell ▸ **on**, vt, *s'éterniser sur*

dwindle ['dwɪndl], vi, *s'amenuiser*

dye [daɪ], vt, *teindre*

dynamite ['daɪnəmaɪt], vt, *dynamiter*

E

earmark ▸▸ **for** ['ɪəmɑ:k], vt, *réserver/destiner qqch. à qqn*

earn [ɜ:n], vt, *gagner [de l'argent], rapporter [un intérêt]*

ease [i:z], vt, *relâcher, détendre* ; vi, *se détendre*

- ease **off**, vi, *se calmer, diminuer*
- ease **up**, vi, *relâcher ses efforts*

eat, ate, eaten [i:t], vt, vi, *manger*

- eat **away** (▸ **at**), vt, *éroder, ronger*
- eat **out**, vi, *manger au restaurant*
- eat **up**, vt, *manger complètement, finir son plat*

eavesdrop (pp) ['i:vzdrɒp], vi, *écouter ce qui se dit*

ebb [eb], vi, *refluer, décliner*

echo (es) ['ekəʊ], vt, *répéter* ; vi, *résonner*

eclipse [ɪ'klɪps], vt, *éclipser*

economise (US **-ize**) [ɪ'kɒnəmaɪz], vi, *économiser*

edge [edʒ], vt, *aiguiser, déplacer lentement* ; vi, *bouger doucement*

- edge **away**, vi, *s'éloigner furtivement*
- edge **forward**, vi, *avancer petit à petit*
- edge **out**, vi, *battre de peu*
- edge **past**, vi, *se faufiler*

edit ['edɪt], vt, *préparer [un texte, une publication]*

educate ['edjʊkeɪt], vt, *instruire*

effect [ɪ'fekt], vt, *effectuer*

egg ▸▸ on [eg], vt, *encourager qqn à*

ejaculate [ɪ'dʒækjʊleɪt], vt, *s'écrier, éjaculer* ; vi, *pousser un cri*

eject [ɪ'dʒekt], vt, *expulser* ; vi, *s'éjecter*

elaborate [ɪ'læbərit], vt, *élaborer* ; vi, *donner plus de détails*

elapse [ɪ'læps], vi, *[temps] s'écouler*

elate [ɪ'leɪt], vt, *exalter*

elbow ['elbəʊ], vt, *pousser du coude*

• elbow **out**, vt, *évincer*

elect [ɪ'lekt], vt, *élire*

electrify (ie) [ɪ'lektrɪfaɪ], vt, *électrifier*

electrocute [ɪ'lektrəkju:t], vt, *électrocuter*

elevate ['elɪveɪt], vt, *élever, exalter*

elicit [ɪ'lɪsɪt], vt, *susciter, obtenir*

eliminate [ɪ'lɪmɪneɪt], vt, *éliminer*

elucidate [ɪ'lu:sɪdeɪt], vt, *élucider*

elude [ɪ'lu:d], vt, *éluder*

emanate ['eməneɪt], vi, *émaner*

emancipate [ɪ'mænsɪpeɪt], vt, *émanciper*

emasculate [ɪ'mæskjʊleɪt], vt, *émasculer*

embalm [ɪm'bɑ:m], vt, *embaumer*

embark [em'bɑ:k], vt, vi, *(s')embarquer*

embarrass (es) [ɪm'bærəs], vt, *embarrasser*

embed (dd) [ɪm'bed], vt, *encastrer*

embellish (es) [ɪm'belɪʃ], vt, *embellir*

embezzle [ɪm'bezl], vt, *détourner [des biens]* ; vi, *commettre des détournements*

embitter [ɪm'bɪtə], vt, *aigrir*

embody (ie) [ɪm'bɒdɪ], vt, *incarner, personnifier*

embolden [ɪm'bəʊldən], vt, *enhardir*

embrace [ɪm'breɪs], vt, *étreindre, embrasser (litt. et fig.), englober* ; vi, *s'embrasser*

embroider [ɪm'brɔɪdə], vt, vi, *broder*

emerge [ɪ'mɜ:dʒ], vi, *émerger*

emigrate ['emɪgreɪt], vi, *émigrer*

emit (tt) [ɪ'mɪt], vt, *émettre, exhaler*

empathize ▸ with ['empəθaɪz], vi, *s'identifier à*

emphasise (US **-ize**) ['emfəsaɪz], vt, *mettre l'accent sur*

employ [ɪm'plɔɪ], vt, *employer*

empower [ɪm'paʊə], vt, *donner le pouvoir de*

empty (ie) ['emptɪ], vt, vi, *(se) vider, (se) déverser*

emulate ['emjʊleɪt], vt, *imiter, émuler*

enable [ɪ'neɪbl], vt, *rendre capable de, donner la possibilité de, habiliter à*

enact [ɪ'nækt], vt, *[théâtre] jouer, décréter*

enamel (GB ll) [ɪ'næml], vt, *émailler*

encash (es) [ɪn'kæʃ], vt, *encaisser [un chèque]*

enchant [ɪn'tʃɑ:nt], vt, *enchanter, ensorceler*

enclose [ɪn'kləʊz], vt, *inclure, entourer*

encode [en'kəʊd], vt, *encoder*

encompass (es) [ɪn'kʌmpəs], vt, *entourer, englober*

encore [ɒŋ'kɔ:], vt, vi, *bisser*

encounter [ɪn'kaʊntə], vt, *rencontrer, affronter*

encourage [ɪn'kʌrɪdʒ], vt, *encourager*

encumber [ɪn'kʌmbə], vt, *encombrer*

end [end], vt, vi, *finir*

endanger [ɪn'deɪndʒə], vt, *mettre en danger*

endear [ɪn'dɪə], vt, *faire aimer*

endeavour [ɪn'devə], vi, *tenter de faire qqch.*

endorse [ɪn'dɔ:s], vt, *endosser [un chèque], approuver*

endow [ɪn'daʊ], vt, *doter*

endure [ɪn'dju:ə], vt, *endurer* ; vi, *perdurer*

energise (US **-ize**) ['enədʒaɪz], vt, *donner de l'énergie à, stimuler*

enervate ['enəveɪt], vt, *affaiblir*

enfold [ɪn'fəʊld], vt, *envelopper*

enforce [ɪn'fɔ:s], vt, *mettre en application, faire respecter [la loi]*

engage [ɪn'geɪdʒ], vt, *engager* ; vi, *s'adonner à*

engender [ɪn'dʒendə], vt, *engendrer, produire*

engineer [endʒɪ'nɪə], vt, *manigancer, construire*

engrave [ɪn'greɪv], vt, *graver*

engulf [ɪn'gʌlf], vt, *engloutir*

enjoin [ɪn'dʒɔɪn], vt, *enjoindre*

enjoy [ɪn'dʒɔɪ], vt, *prendre plaisir à, jouir de*

enlarge [ɪn'lɑːdʒ], vt, vi, *(s')agrandir*

enlighten [ɪn'laɪtn], vt, *éclairer*

enlist [ɪn'lɪst], vt, *recruter* ; vi, *s'engager [dans l'armée]*

enliven [ɪn'laɪvn], vt, *animer, égayer*

ennoble [ɪ'nəʊbl], vt, *anoblir, ennoblir*

enquire [ɪn'kwaɪə], vt, vi, → **inquire**

enrage [ɪn'reɪdʒ], vt, *exaspérer*

enrich (es) [ɪn'rɪtʃ], vt, *enrichir*

enrol (ll) (US **enroll**) [ɪn'rəʊl], vt, vi, *(s')enrôler*

enshrine [ɪn'ʃraɪn], vt, *enchâsser*

enslave [ɪn'sleɪv], vt, *asservir, réduire à l'esclavage*

ensue [ɪn'sjuː], vi, *s'ensuivre*

ensure [ɪn'ʃʊə], vt, *assurer*

entail ['enteɪl], vt, *entraîner, occasionner*

entangle [ɪn'tæŋgl], vt, *emmêler, empêtrer*

enter ['entə], vt, *entrer dans* ; vi, *entrer*

entertain [entə'teɪn], vt, *divertir, régaler*

enthral (ll) [ɪn'θrɔːl], vt, *passionner*

enthuse [ɪn'θjuːz], vi, vt, *(s')enthousiasmer*

entice [ɪn'taɪs], vt, *attirer, séduire*

entitle [ɪn'taɪtl], vt, *donner le droit de, intituler*

entrap (pp) [ɪn'træp], vt, *prendre au piège*

entreat [ɪn'triːt], vt, *implorer*

entrust ▸▸ with [ɪn'trʌst], vt, *charger qqn de*

entwine [ɪn'twaɪn], vt, vi, *(s')entrelacer*

enumerate [ɪ'njuːməreɪt], vt, *énumérer*

enunciate [ɪ'nʌnsɪeɪt], vt, *déclarer, énoncer, articuler*

envelop [ɪn'veləp], vt, *envelopper*

envenom [ɪn'venəm], vt, *envenimer*

envisage [ɪn'vɪzɪdʒ], vt, *envisager*

envy (ie) ['envɪ], vt, *envier*

epitomise (US **-ize**) [ɪ'pɪtəmaɪz], vt, *incarner, représenter*

equal (GB ll) ['iːkwəl], vt, *égaler*

equalise (US **-ize**) ['iːkwəlaɪz], vt, vi, *(s')égaliser*

equate [ɪ'kweɪt], vt, *égaler, assimiler à*

equilibrate [ɪ'kwɪlɪbreɪt], vt, vi, *(s')équilibrer*

equip (pp) [ɪ'kwɪp], vt, *équiper, préparer*

equivocate [ɪ'kwɪvəkeɪt], vi, *tergiverser*

eradicate [ɪ'rædɪkeɪt], vt, *extirper, éradiquer*

erase [ɪ'reɪz], vt, *effacer*

erect [ɪ'rekt], vt, *ériger*

erode [ɪ'rəʊd], vt, *éroder*

err [ɜː], vi, *faire erreur, pécher, s'égarer*

erupt [ɪ'rʌpt], vi, *entrer en éruption, exploser*

escalate ['eskəleɪt], vt, *[prix] monter en flèche, s'intensifier*

escape [ɪs'keɪp], vt, *échapper à* ; vi, *s'échapper*

escort ['eskɔːt], vt, *escorter*

establish (es) [ɪs'tæblɪʃ], vt, *établir, fonder, affermir, instaurer*

esteem [ɪs'tiːm], vt, *estimer, apprécier*

estimate ['estɪmeɪt], vt, *estimer, évaluer*

eulogise (US **-ize**) ['juːlədʒaɪz], vt, *faire le panégyrique*

evacuate [ɪ'vækjʊeɪt], vt, *évacuer*

evade [ɪ'veɪd], vt, *esquiver*

evaluate [ɪ'væljʊeɪt], vt, *évaluer*

evangelise (US **-ize**) [ɪ'væn'dʒəlaɪz], vt, *évangéliser*

evaporate [ɪ'væpəreɪt], vt, *faire évaporer* ; vi, *s'évaporer*

even ['iːvn], vt, *niveler, rendre égal*

- even **out**, vt, *répartir également* ; vi, *s'aplanir, s'égaliser*

evict [ɪ'vɪkt], vt, *expulser, évincer*

evince [ɪ'vɪns], vt, *manifester [un sentiment], montrer [une qualité]*

evoke [ɪ'vəʊk], vt, *évoquer, susciter*

evolve [ɪ'vɒlv], vt, *développer* ; vi, *se développer, évoluer*

exacerbate [eg'zæsəbeɪt], vt, *exacerber*

exact [ɪg'zækt], vt, *exiger, extorquer*

exaggerate [ɪg'zædʒəreɪt], vt, vi, *exagérer*

exalt [ɪg'zɔ:lt], vt, *exalter, élever [à un rang]*

examine [ɪg'zæmɪn], vt, *examiner*

exasperate [ɪg'zɑ:spəreɪt], vt, *exaspérer*

excavate ['ekskəveɪt], vt, *creuser*

exceed [ɪk'si:d], vt, *dépasser, surpasser*

excel (ll) [ɪk'sel], vt, *surpasser* ; vi, *exceller*

except [ɪk'sept], vt, *excepter*

excite [ɪk'saɪt], vt, *exciter, stimuler, intéresser vivement*

exclaim [ɪks'kleɪm], vt, vi, *s'écrier*

exclude [ɪks'klu:d], vt, *exclure*

excommunicate [ekskə'mju:nɪkeɪt], vt, *excommunier*

excrete [ɪks'kri:t], vt, *excréter*

exculpate ['ekskʌlpeɪt], vt, *disculper*

excuse [ɪks'kju:z], vt, *excuser*

execrate ['eksɪkreɪt], vt, *exécrer, maudire*

execute ['eksɪkju:t], vt, *exécuter*

exemplify (ie) [ɪg'zemplɪfaɪ], vt, *être l'illustration de*

exempt [ɪg'zempt], vt, *exempter*

exercise ['eksəsaɪz], vt, *exercer, pratiquer* ; vi, *s'entraîner*

exert [ɪg'zɜ:t], vt, *faire usage de*

exhale [eks'heɪl], vt, *exhaler, émettre* ; vi, *expirer, s'exhaler*

exhaust [ɪg'zɔ:st], vt, *éreinter, exténuer, épuiser*

exhibit [ɪg'zɪbɪt], vt, *exhiber, exposer, faire preuve de*

exhort [ɪg'zɔ:t], vt, *exhorter*

exhume [eks'hju:m], vt, *exhumer*

exile ['eksaɪl], vt, *exiler*

exist [ɪg'zɪst], vi, *exister*

exit ['eksɪt], vi, *[théâtre] faire sa sortie, sortir*

exonerate [ɪg'zɒnəreɪt], vt, *disculper, exonérer*

exorcise ['eksɔ:saɪz], vt, *exorciser*

expand [ɪks'pænd], vt, *dilater, élargir* ; vi, *se dilater, préciser sa pensée*

• expand ▸ **on**, vi, *développer [une idée/argumentation]*

expatiate [eks'peɪʃɪeɪt], vi, *discourir longuement*

expatriate [eks'pætrɪeɪt], vt, *(s')expatrier*

expect [ɪks'pekt], vt, *s'attendre à, escompter, demander, exiger*

expel (ll) [ɪks'pel], vt, *expulser*

experience [ɪks'pɪərɪəns], vt, *ressentir, faire l'expérience de*

experiment [ɪks'perɪmənt], vi, *expérimenter*

expiate ['ekspɪeɪt], vt, *expier*

expire [ɪks'paɪə], vt, vi, *expirer*

explain [ɪks'pleɪn], vt, *expliquer* ; vi, *donner des explications*

• explain **away**, vt, *donner une explication satisfaisante de*

explode [ɪks'pləʊd], vt, vi, *(faire) exploser*

exploit [eks'plɔɪt], vt, *exploiter*

explore [ɪks'plɔ:], vt, *explorer*

export [eks'pɔ:t], vt, vi, *exporter*

expose [ɪks'pəʊz], vt, *exposer, laisser sans abri, mettre à découvert*

expostulate [ɪks'pɒstjʊleɪt], vi, *faire des remontrances*

express (es) [ɪks'pres], vt, *exprimer, expédier*

expropriate [eks'prəʊprɪeɪt], vt, *exproprier*

expurgate ['ekspɜ:geɪt], vt, *expurger*

extemporise (US **-ize**) [ɪks'tempəraɪz], vt, vi, *improviser*

extend [ɪks'tend], vt, vi, *(s')étendre*

extenuate [ɪks'tenjʊeɪt], vt, *atténuer*

exteriorise (US **-ize**) [ɪks'tɪərɪəraɪz], vt, *extérioriser*

exterminate [ɪks'tɜ:mɪneɪt], vt, *exterminer*

externalise (US **-ize**) [ɪks'tɜ:nəlaɪz], vt, *exprimer [des sentiments]*

extinguish (es) [ɪks'tɪŋgwɪʃ], vt, *éteindre*

extirpate ['ekstɜ:peɪt], vt, *extirper, déraciner*

extol (ll) [ɪks'təʊl], vt, *exalter, vanter*

extort [ɪks'tɔ:t], vt, *extorquer*

extract [ɪks'trækt], vt, *extraire, arracher*

extradite ['ekstrədaɪt], vt, *extrader*

extrapolate [ek'stræpəleɪt], vt, *extrapoler*

extricate ['ekstrɪkeɪt], vt, *dégager, tirer d'affaire*

exult [ɪg'zʌlt], vi, *exulter*

- exult ▸ **at/in**, vi, *se réjouir de*

eye [aɪ], vt, *observer, mesurer du regard*

F

fabricate ['fæbrɪkeɪt], vt, *fabriquer de toutes pièces*

face [feɪs], vt, *affronter, faire face à* ; vi, *faire face*

- face **on** ▸ **to**, vi, *donner sur*
- face **out**, vt, *surmonter par soi-même, résister à*
- face **up** ▸ **to**, vi, *regarder en face*
- face ▸▸ **with**, vt, *confronter qqn à qqch.*

facilitate [fə'sɪlɪteɪt], vt, *faciliter*

fade [feɪd], vt, vi, *(se) faner, (se) décolorer, déteindre*

- fade **away**, vi, *s'affaiblir*
- fade **in**, vt, vi, *[cinéma] (faire) apparaître en fondu*
- fade **out**, vt, vi, *[cinéma] (faire) disparaître en fondu*

fail [feɪl], vt, vi, *(faire) échouer, faire défaut*

faint [feɪnt], vi, *s'évanouir*

fake [feɪk], vt, *simuler, feindre*

fall, fell, fallen [fɔːl], vi, *tomber, s'écrouler, diminuer*

- *verbe à particule* (➜ 145-147)

falsify (ie) ['fɔːlsɪfaɪ], vt, *falsifier*

falter ['fɔːltə], vt, *dire d'une voix hésitante* ; vi, *vaciller, hésiter, fléchir*

- falter **out**, vt, *balbutier*

familiarise (US **-ize**) [fə'mɪlɪəraɪz], vt, *faire connaître, familiariser*

fan (nn) [fæn], vt, *éventer, attiser*

- fan **out**, vt, vi, *(se) déployer en éventail*

fancy (ie) ['fænsɪ], vt, *s'imaginer, croire, avoir envie de*

fantasise (US **-ize**) ['fæntəsaɪz], vt, vi, *fantasmer*

fare [feər], vi, *s'en tirer, aller*

farm [fɑːm], vt, *cultiver* ; vi, *être cultivateur*

fart [fɑːt], vi, *lâcher un pet*

fascinate ['fæsɪneɪt], vt, *fasciner*

fast [fɑːst], vi, *jeûner*

fasten ['fɑːsn], vt, vi, *(s')attacher, (se) fixer*

father ['fɑːðə], vt, *engendrer, concevoir*

fathom ['fæðəm], vt, *sonder, comprendre*

fatten ['fætn], vt, vi, *engraisser*

fault [fɔːlt], vt, *prendre en défaut*

favour (US **-or**) ['feɪvə], vt, *préférer, favoriser*

fax [fæks], vt, *faxer*

fear [fɪə], vt, *craindre* ; vi, *avoir peur*

feast [fiːst], vt, *fêter (qqn)* ; vi, *festoyer*

feature ['fiːtʃə], vt, *[cinéma] avoir pour vedette* ; vi, *figurer*

federate ['fedəreɪt], vt, vi, *(se) fédérer*

feed, fed, fed [fiːd], vt, vi, *(se) nourrir*

- feed **back**, vt, *[informations] donner en retour*
- feed **in**, vt, *entrer [des données] dans un ordinateur*
- feed ▸ **on**, vt, *se nourrir de*
- feed **through**, vi, *se faire ressentir, se répercuter sur*
- feed **up**, vt, *engraisser [des animaux]*
- be fed **up** ▸ **with** *en avoir marre (fam.)*

feel, felt, felt [fiːl], vt, *ressentir, éprouver, tâter* ; vi, *se sentir*

- feel **about**, vi, *chercher à tâtons*
- feel **for**, vi, *compatir avec, chercher à tâtons*

feign [feɪn], vt, *feindre*

fell [fel], vt, *abattre [un arbre]*

fence [fens], vt, *clôturer* ; vi, *faire de l'escrime*

- fence **off**, vt, *séparer par une clôture*

fend ▸ **for oneself** [fend], vi, *se débrouiller*

- fend **off**, vt, *parer [un coup]*

ferment [fə'ment], vt, vi, *fermenter*

ferry (ie) ['ferɪ], vt, *faire passer par bateau*

fertilise (US **-ize**) ['fɜ:tɪlaɪz], vt, *fertiliser*

fester ['festə], vi, *suppurer, couver*

fetch (es) [fetʃ], vt, *aller chercher*

fête [feɪt], vt, *faire fête à*

fetter ['fetə], vt, *enchaîner, mettre aux fers*

feud [fju:d], vi, *se quereller*

fib (bb) [fɪb], vi, *raconter des bobards*

fictionalize ['fɪkʃənəlaɪz], vt, *romancer*

fiddle ['fɪdl], vi, *jouer du violon*

• fiddle **with**, vt, vi, *bidouiller, bricoler*

fidget ['fɪdʒɪt], vi, *ne pas tenir en place, s'énerver*

field [fi:ld], vt, *réunir [une équipe], arrêter [une balle de cricket]*

fight, fought, fought [faɪt], vt, *combattre*, vi, *se battre*

• fight **back**, vt, *refouler* ; vi, *résister*

• fight **down**, vt, *vaincre*

• fight **off**, vt, *repousser*

• fight **out**, vt, *régler [un problème] avec qqn*

figure ['fɪgə], (US) ['fɪgjə], vt, *imaginer, estimer, évaluer* ; vi, *figurer*

• figure ▸ **on**, vi, *compter sur, s'attendre à*

• figure **out**, vt, *calculer, résoudre*

• figure **up** ▸ **to**, vi, *[somme] s'élever à*

file [faɪl], vt, *classer*

filibuster ['fɪlɪbʌstə], vi, *faire de l'obstruction parlementaire*

fill [fɪl], vt, vi, *(se) remplir, (se) combler*

• fill **in**, vt, *remplir, boucher*

• fill **in** ▸ **for**, vi, *remplacer qqn*

• fill **out**, vt, *remplir [un formulaire], étoffer* ; vi, *grossir*

• fill **up**, vt, *remplir jusqu'au bord, faire le plein*

film [fɪlm], vt, *filmer*

• film **over**, vi, *se couvrir d'une pellicule*

filter ['fɪltə], vt, vi, *filtrer*

finalise (US **-ize**) ['faɪnəlaɪz], vt, *mettre au point*

finance [faɪ'næns, fɪ'næns], vt, *financer*

find, found, found [faɪnd], vt, *trouver*

• find **out**, vt, *découvrir, se rendre compte de, apprendre par hasard* ; vi, *se renseigner*

fine [faɪn], vt, *donner une amende*

fine-tune ['faɪntju:n], vt, *régler avec précision*

finger ['fɪŋgə], vt, *tâter, tripoter*

finish (es) ['fɪnɪʃ], vt, vi, *finir, (se) terminer, (s')achever*

finish ▸ **with**, vi, *ne plus avoir besoin de, en finir avec*

fire ['faɪə], vt, *tirer un coup de feu, virer (fam.), renvoyer* ; vi, *[arme à feu] tirer*

fish (es) [fɪʃ], vt, vi, *pêcher*

• fish **out/up**, vt, *repêcher, sortir*

fissure ['fɪʃə], vt, vi, *(se) fissurer*

fit (tt) [fɪt], vt, *adapter* ; vi, *s'adapter, convenir*

• fit **in**, vt, vi, *(s')adapter, cadrer, correspondre*

• fit **out** ▸▸ **with**, vt, *équiper*

• fit **up** ▸▸ **with**, vt, *pourvoir, aménager*

fix (es) [fɪks], vt, *fixer, réparer*

fizz (es) [fɪz], vi, *pétiller*

fizzle ['fɪzl], vi, *pétiller*

• fizzle **out**, vi, *ne pas aboutir, foirer (fam.)*

flabbergast ['flæbəgɑ:st], vt, *sidérer, stupéfier*

flag (gg) [flæg], vt, *pavoiser, faire signe à [un taxi], marquer* ; vi, *pendre mollement, faiblir*

• flag **down**, vt, *faire signe [à un véhicule] de s'arrêter*

• flag **up**, vt, *marquer, signaler*

flagellate ['flædʒəleɪt], vt, *flageller*

flake [fleɪk], vi, *s'écailler*

flame [fleɪm], vi, *flamber*

• flame **up**, vi, *s'enflammer, se mettre en colère*

flank [flæŋk], vt, *flanquer*

flap (pp) [flæp], vt, *agiter* ; vi, *[ailes] battre, [voile] claquer*

flare [fleə], vi, *flamboyer*

• flare **up**, vi, *s'embraser, se mettre en colère*

flash (es) [flæʃ], vt, [lumière, image] projeter ; vi, *étinceler, clignoter*

- flash **around**, vt, *faire étalage de*
- flash **back**, vi, [cinéma] *revenir en arrière, remonter le temps*

flatten ['flætn], vt, vi, (s')aplatir

flatter ['flætə], vt, *flatter*

flavour (US **-or**) ['fleɪvə], vt, assaisonner, *parfumer*

fleck [flek], vt, tacheter

flee, fled, fled [fli:], vt, vi, *s'enfuir (de)*

flesh (es) **out** [fleʃ], vt, *étoffer* ; vi, engraisser

flex (es), vt, *fléchir [les bras, un ressort], faire jouer [ses muscles]*

flick [flɪk], vt, *effleurer, donner une chiquenaude à*

- flick **on**, vt, allumer [les phares]
- flick **through**, vt, *feuilleter [des pages]*

flicker ['flɪkə], vi, [lumière] clignoter, vaciller

flinch (es) [flɪntʃ], vi, *fléchir, céder, tressaillir*

fling, flung, flung [flɪŋ], vt, lancer ; vi, *se précipiter*

- fling **open**, vt, ouvrir brusquement
- fling **up**, vt, abandonner

flip (pp) [flɪp], vt, donner une pichenette à ; vi, *flipper (fam.)*

- flip **out**, vi, sortir de ses gonds
- flip **over**, vt, *flipper, flasher sur (fam.)*
- flip **through**, vt, *feuilleter [des pages]*

flirt [flɜ:t], vi, *flirter*

flit (tt) [flɪt], vi, passer légèrement d'un endroit à un autre

float [fləʊt], vt, *flotter* ; vi, mettre à *flot*, *renflouer*

- float **around**, vi, [idée, rumeur] circuler

flock [flɒk], vi, s'attrouper

flog (gg) [flɒg], vt, *flageller*

- flog **off**, vt, vendre, liquider

flood [flʌd], vt, inonder ; vi, être en crue

- flood **back**, vi, *revenir en mémoire*

floor [flɔ:], vt, parqueter, envoyer [un adversaire] au tapis

flop (pp) [flɒp], vi, *faire plouf, se laisser tomber, échouer*

flounder ['flaʊndə], vi, patauger

flourish (es) ['flʌrɪʃ], vi, prospérer

flout [flaʊt], vt, se moquer de

flow [fləʊ], vi, s'écouler, couler

flower ['flaʊə], vi, *fleurir, s'épanouir*

fluctuate ['flʌktjʊeɪt], vi, *fluctuer*

flunk [flʌŋk], vt, vi, se *faire coller [à un examen]*

flush (es) [flʌʃ], vt, *faire jaillir [de l'eau], faire rougir* ; vi, rougir, tirer la chasse d'eau

fluster ['flʌstə], vt, vi, (s')énerver, paniquer

flutter ['flʌtə], vt, vi, voleter, palpiter, battre des ailes

fly (ie), flew, flown [flaɪ], vt, piloter [un avion] ; vi, voler

foam [fəʊm], vi, mousser, écumer

focus (es) ['fəʊkəs], vt, mettre au point, faire converger ; vi, *fixer [du regard]*

fog (gg) [fɒg], vt, vi, (s')embrumer, (s')embuer

foil [fɔɪl], vt, *faire échouer*

fold [fəʊld], vt, vi, (se) plier

- fold **away**, vi, vt, [rangement] (se) plier
- fold **back**, vt, vi, (se) rabattre
- fold **in**, vt, insérer, incorporer

follow ['fɒləʊ], vt, vi, suivre

- follow **on**, vi, continuer, suivre, s'ensuivre
- follow **out**, vt, exécuter [des ordres]
- follow **through**, vt, mener à terme [un projet]
- follow **up**, vt, poursuivre, donner une suite immédiate à ; vi, continuer

foment [fə'ment], vt, *fomenter*

fondle ['fɒndl], vt, caresser, câliner

fool [fu:l], vt, duper ; vi, *faire l'idiot*

- fool **about/around**, vi, *faire l'imbécile, être infidèle*
- fool ▸ **with**, vi, tripoter

forage ['fɒrɪdʒ], vi, *fourrager*

foray ['fɒreɪ], vi, *faire des raids*

forbear, forbore, forborne [fɔ:'beə], vt, vi, *s'abstenir de*

forbid (dd), forbade, forbidden [fə'bɪd], vt, *interdire*

force [fɔ:s], vt, *forcer, prendre par force*

force-feed, force-fed, force-fed ['fɔ:sfi:d], vt, *gaver*

ford [fɔ:d], vt, *traverser à gué*

forebode, vt, *présager, pressentir [un malheur]*

forecast, vt, forecast/forecasted, forecast/forecasted ['fɔ:kɑ:st], vt, *prévoir, prédire*

foresee, vt, foresaw, foreseen [fɔ:'si:], vt, *prévoir*

foreshadow [fɔ:'ʃædəʊ], vt, *présager*

forestall [fɔ:'stɔ:l], vt, *anticiper*

foretell, foretold, foretold [fɔ:'tel], vt, *prédire, présager*

forewarn [fɔ:'wɔ:n], vt, *prévenir, avertir*

for(e)gather [fɔ:'gæðə], vi, *s'assembler, se réunir*

forge [fɔ:dʒ], vt, *forger, contrefaire* ; vi, *faire un faux*

• forge **ahead**, vi, *avancer à toute vitesse*

forget (tt), forgot, forgotten/forgot [fə'get], vt, vi, *oublier*

forgive, forgave, forgiven [fə'gɪv], vt, vi, *pardonner*

for(e)go (es), forewent, foregone [fɔ:'gəʊ], vt, *renoncer à, s'abstenir de*

fork [fɔ:k], vi, *bifurquer*

• fork **out**, vi, *casquer* ; vt, *allonger [la monnaie] (fam.)*

form [fɔ:m], vt, vi, *(se) former*

formalise (US **-ize**) ['fɔ:məlaɪz], vt, *formaliser*

format ['fɔ:mæt], vt, *formater*

formulate ['fɔ:mjʊleɪt], vt, *formuler*

fornicate ['fɔ:nɪkeɪt], vi, *forniquer*

forsake, forsook, forsaken [fə'seɪk], vt, *abandonner*

forswear, forswore, forsworn [fɔ:'sweə], vt, *renier, renoncer à*

fortify (ie) ['fɔ:tɪfaɪ], vt, *fortifier*

forward ['fɔ:wəd], vt, *faire suivre [du courrier], favoriser*

fossilise (US **-ize**) ['fɒsɪlaɪz], vt, vi, *(se) fossiliser*

foster ['fɒstə], vt, *favoriser, protéger, prendre [un enfant] en famille d'accueil*

foul [faʊl], vt, *souiller* ; vi, *s'encrasser*

• foul **up**, vt, *dérégler* ; vi, *foirer (fam.)*

found [faʊnd], vt, *fonder*

fox (es) [fɒks], vt, *mystifier*

fracture ['fræktʃə], vt, vi, *(se) fracturer*

fragment [fræg'ment], vt, vi, *(se) fragmenter*

frame [freɪm], vt, *encadrer, monter un coup contre*

frank [fræŋk], vt, *affranchir [un courrier]*

fraternise (US **-ize**) ['frætənaɪz], vi, *fraterniser*

freak out [fri:k], vi, *se mettre en colère, paniquer, ne plus se sentir, s'éclater (fam.)*

freckle ['frekl], vt, vi, *(se) couvrir de taches de rousseur*

free [fri:], vt, *libérer*

freeze, froze, frozen [fri:z], vt, vi, *(se) geler*

• freeze **out**, vt, *évincer*

freight [freɪt], vt, *affréter*

frenchify (ie) ['frentʃɪfaɪ], vt, *franciser*

frequent [frɪ'kwent], vt, *fréquenter*

freshen ['freʃən], vt, vi, *(se) rafraîchir*

• freshen **up**, vi, *faire un brin de toilette* ; vt, *[couleur] raviver*

fret (tt) [fret], vt, vi, *(se) tracasser*

frighten ['fraɪtn], vt, *effrayer*

• frighten **away/off**, vt, *effaroucher*

fringe [frɪndʒ], vt, *franger, border*

• fringe ▸ **on**, vi, *friser, être à la limite de*

frisk [frɪsk], vi, *gambader, folâtrer*

frizz (es) [frɪz], vt, vi, *frisotter*

frizzle ['frɪzl], vt, *faire frire* ; vi, *grésiller*

frolic [frɒlik], vi, *s'ébattre, gambader*

frost [frɒst], vt, *givrer, geler*

• frost **over/up**, vi, *se couvrir de givre*

froth [frɒθ], vi, *écumer*

frown [fraʊn], vi, *froncer les sourcils*

• frown **on**, vi, *désapprouver*

fructify (ie) ['frʌktɪfaɪ], vt, vi, *(faire) fructifier*

frustrate [frʌs'treɪt], vt, *frustrer, faire échouer*

fry (ie) [fraɪ], vt, vi, *(faire) frire*

fuck [fʌk], vt, vi, *baiser (fam.)*

- fuck **about**, vi, *déconner, glander (fam.)*
- fuck **off**, vi, *aller se faire voir (fam.)*
- fuck **up**, vt, vi, *foirer (fam.)*

fudge [fʌdʒ], vt, *truquer, bousiller (fam.)*

fuel (GB ll) ['fjʊəl], vt, vi, *(se) ravitailler*

fulfil (ll) [fʊl'fɪl], vt, *accomplir, satisfaire*

fulminate ['fʌlmɪneɪt], vi, *fulminer*

fumble ['fʌmbl], vi, *farfouiller*

fume [fju:m], vi, *émettre de la fumée, rager* ; vi, *fumer*

function ['fʌŋkʃən], vi, *fonctionner*

fund [fʌnd], vt, *financer*

funnel (ll) ['fʌnl], vt, *canaliser* ; vi, *s'engouffer*

furbish (es) ['fɜ:bɪʃ], vt, *astiquer*

furnish (es) ['fɜ:nɪʃ], vt, *meubler, fournir*

further ['fɜ:ðə], vt, *promouvoir*

fuse [fju:z], vt, *mettre en fusion* ; vi, *fusionner*

fuss (es) [fʌs], vt, *tracasser* ; vi, *faire des histoires*

- fuss **about**, vi, *s'affairer*
- fuss **over**, vi, *être aux petits soins pour*

G

gab (bb) [gæb], vi, *bavarder, jaser*

gabble ['gæbl], vt, vi, *bredouiller*

- gabble **away**, vi, *baragouiner*

gag (gg) [gæg], vt, *bâillonner* ; vi, *faire des gags*

gain [geɪn], vt, *acquérir gagner* ; vi, *bénéficier (de)*

- gain ▸ **on**, vi, *gagner du terrain sur*

gainsay, gainsaid, gainsaid [geɪn'seɪ], vt, *contredire*

gall [gɔ:l], vt, *écorcher, irriter*

gallop ['gæləp], vt, vi, *(faire) galoper*

galvanise (US **-ize**) ['gælvənaɪz], vt, *galvaniser*

gamble ['gæmbl], vt, vi, *jouer de l'argent*

gambol (GB ll) ['gæmbl], vi, *gambader*

gaol [dʒeɪl], vt, *mettre en prison*

gape [geɪp], vi, *rester bouche bée*

- gape ▸ **at**, vi, *regarder bouche bée*

garble ['gɑ:bl], vt, *dénaturer, altérer [un texte, des faits]*

garden ['gɑ:dn], vi, *jardiner*

gargle ['gɑ:gl], vt, vi, *se gargariser*

garland ['gɑ:lənd], vt, *décorer de guirlandes*

garner ['gɑ:nə], vt, *stocker, engranger*

garnish (es) ['gɑ:nɪʃ], vt, *garnir, embellir*

garrotte [gə'rɒt], vt, *étrangler*

gas (ss) [gæs], vt, *gazer* ; vi, *jaser*

gash (es) [gæʃ], vt, *entailler, balafrer*

gasify (ie) ['gæsɪfaɪ], vt, vi, *(se) gazéifier*

gasp [gɑ:sp], vt, *haleter, avoir le souffle coupé* ; vi, *parler d'une voix entrecoupée*

gather ['gæðə], vt, vi, *(se) rassembler*

- gather **in**, vt, *rentrer*
- gather **up**, vt, *ramasser*

gauge [geɪdʒ], vt, *calibrer, jauger*

gawk [gɔ:k], vi, *rester bouche bée*

gawp [gɔ:p], vi, *rester bouche bée*

gaze [geɪz], vi, *regarder fixement*

gear [gɪə], vt, vi, *(s')embrayer, (s')engrener*

- gear **down**, vt, vi, *ralentir*
- gear ▸▸ **to**, vt, *adapter à*
- gear **up** ▸▸ **for**, vt, vi, *(se) préparer à*

generalise (US **-ize**) ['dʒenrəlaɪz], vt, vi, *généraliser*

generate ['dʒenəreɪt], vt, *produire, générer*

germinate, vt, vi, *(faire) germer*

gesticulate [dʒes'tɪkjʊleɪt], vt, vi, *gesticuler*

get (tt), got, got/gotten [get], vt, *obtenir* ; vi, *arriver*

- *verbe à particule* (→ 151-153)

ghost [gəʊst], vt, vi, *[écriture] servir de nègre*

ghost-write, ghost-wrote, ghost-written ['gəʊstraɪt] vt, vi, *[écriture] servir de nègre*

gibber ['dʒɪbər], vi, *baragouiner (fam.)*

gibe ▸ at [dʒaɪb], vt, vi, *se moquer de*

giggle ['gɪgl], vi, *rire, glousser*

gild, gilt/gilded, gilt/gilded [gɪld], vt, *dorer*

ginger up [dʒiŋdʒə], vt, *activer, stimuler*

give, gave, given [gɪv], vt, vi, *donner*

- give **away**, vt, *distribuer, révéler*
- give **back**, vt, *rendre*
- give **forth**, vt, *émettre [un son]*
- give **in**, vt, *abandonner, renoncer* ; vi, *remettre, rendre*
- give **off**, vt, *émettre, exhaler*
- give **on ▸ to**, vi, *donner sur*
- give **out**, vt, *distribuer, proclamer* ; vi, *s'épuiser*
- give **over (▸ to)**, vt, *affecter (à)*
- give **up**, vt, *céder, abandonner, renoncer à* ; vi, *abandonner, renoncer*

gladden ['glædn], vt, *réjouir*

glamorise ['glæməraɪz] (US **-ize**), vt, *rendre séduisant, enjoliver*

glance [glɑ:ns], vi, *jeter un regard*

- glance **▸ at**, vi, *lancer un coup d'œil à*
- glance **off**, vt, vi, *dévier, ricocher*
- glance **▸ through**, vi, *examiner rapidement*

glare [gleə], vi, *lancer un regard furieux, briller d'un éclat éblouissant*

- glare **▸ at**, vi, *lancer un regard furieux à*

glaze [gleɪz], vt, *vitrer, vernir*

gleam [gli:m], vi, *luire, miroiter*

glean [gli:n], vt, vi, *glaner*

glide [glaɪd], vt, vi, *(se) glisser, planer, faire du vol à voile*

glimmer ['glɪmə], vi, *luire faiblement*

glimpse [glɪmps], vt, *entrevoir*

glint [glɪnt], vi, *étinceler*

glisten ['glɪsn], vi, *scintiller, (re)luire*

glitter ['glɪtə], vi, *briller, scintiller*

gloat [gləʊt], vi, *jubiler*

glorify (ie) ['glɔ:rɪfaɪ], vt, *glorifier*

gloss (es) [glɒs], vt, *lustrer, faire briller*

- gloss **over**, vi, *farder, passer sous silence, dissimuler*

glow (▸ with) [gləʊ], vi, *rougeoyer, rayonner (de)*

glower (▸ at) ['glaʊə], vi, *lancer un regard noir (à)*

glue [glu:], vt, vi, *coller*

glut (tt) [glʌt], vt, *encombrer, rassasier*

gnaw [nɔ:], vt, *ronger*

go (es), went, gone [gəʊ], vi, *aller*

- *verbe à particule* (→ 136-138)

goad [gəʊd], vt, *aiguillonner, stimuler*

gobble ['gɒbl], vt, vi, *manger gloutonnement, engloutir*

goggle (▸ at) ['gɒgl], vi, *regarder avec des yeux ronds*

goof [gu:f], vi, *faire une gaffe*

- goof **about**, vi, *faire l'idiot*

gore [gɔ:], vt, *encorner*

gorge (▸ on) [gɔ:dʒ], vt, vi, *(se) rassasier, s'empiffrer (de) (fam.)*

gormandise (US **-ize**) ['gɔ:məndaɪz], vt, vi, *bâfrer (fam.)*

gossip ['gɒsɪp], vi, *faire des commérages, cancaner*

govern ['gʌvən], vt, vi, *gouverner*

grab (bb) [græb], vt, *saisir, empoigner*

- grab **▸ at**, vi, *s'agripper à*

grace (▸ with) [greɪs], vt, *honorer (de)*

gradate [grə'deɪt], vt, vi, *[couleurs] (se) dégrader*

grade [greɪd], vt, *classer, graduer*

- grade **down/up**, vt, *classer dans une catégorie inférieure/supérieure*

graduate ['grædjʊeɪt], vt, *graduer* ; vi, *être reçu à la licence*

graft [grɑ:ft], vt, *greffer, implanter* ; vi, *travailler dur*

grant [grɑ:nt], vt, *octroyer, accorder*

grapple ['græpl], vt, *agripper* ; vi, *être aux prises avec*

grasp [grɑ:sp], vt, *se saisir de, saisir, comprendre*

- grasp **▸ at**, vt, *essayer d'atteindre, sauter sur [l'occasion]*

grate [greɪt], vt, *râper* ; vi, *grincer*

• grate ▸ **on**, vi, *taper sur les nerfs*

gratify (ie) [ˈgrætɪfaɪ], vt, *faire plaisir à, satisfaire*

grave, graved, graven (graved) [greɪv], vt, *graver*

gravel (GB ll) [ˈgrævl], vt, *couvrir de gravier, embarrasser qqn* (US)

gravitate [ˈgrævɪteɪt], vi, *graviter*

graze [greɪz], vt, *érafler, effleurer*

grease [gri:s], vt, *graisser*

greet [gri:t], vt, *saluer*

grey [greɪ], vi, *grisonner*

grieve [gri:v], vt, vi, *chagriner, (s')affliger*

grill [grɪl], vt, *griller*

grimace [grɪˈmeɪs], vi, *grimacer*

grin (nn) [grɪn], vi, *faire un large sourire*

grind, ground, ground [graɪnd], vt, *moudre* ; vi, *grincer, bachoter*

• grind **down**, vt, *grignoter, démoraliser*

• grind **on**, vi, *traîner en longueur*

• grind **out**, vt, *produire, pondre [un texte] (fam.)*

• grind **up**, vt, *réduire en poudre*

grip (pp) [grɪp], vt, *saisir, agripper* ; vi, *adhérer*

grizzle [ˈgrɪzl], vi, *ronchonner*

groan [grəʊn], vi, *gémir*

groom [gru:m], vt, *préparer, former, panser [un cheval]*

grope [grəʊp], vi, *tâtonner, marcher à tâtons* ; vt, *peloter (fam.)*

grouch (es) [graʊtʃ], vi, *grommeler*

ground [graʊnd], vt, *baser* ; vi, *s'échouer*

group [gru:p], vt, vi, *(se) grouper*

grouse [graʊs], vi, *ronchonner*

grovel (GB ll) [ˈgrɒvl], vi, *ramper*

grow, grew, grown [grəʊ], vt, *cultiver* ; vi, *croître, grandir*

• grow **apart**, vi, *devenir de plus en plus distant*

• grow **in/out**, vi, *[cheveux] repousser*

• grow **into**, vi, *devenir*

• grow ▸ **on**, vi, *plaire de plus en plus à*

• grow ▸ **out of**, vi, *devenir trop grand/vieux pour*

• grow **up**, vi, *grandir, devenir adulte, se développer*

growl [graʊl], vt, vi, *grogner, gronder*

grub (bb) [grʌb], vt, *fouir* ; vi, *fouiller*

grudge [grʌdʒ], vt, *donner à contrecœur, voir d'un mauvais œil, répugner à*

grumble [ˈgrʌmbl], vt, vi, *grommeler, rouspéter*

grunt [grʌnt], vt, vi, *grogner, pousser un grognement*

guarantee [gærənˈti:], vt, *garantir*

guard [gɑ:d], vt, *garder, surveiller*

guess (es) [ges], vt, vi, *deviner*

guffaw [gʌˈfɔ:], vi, *s'esclaffer*

guide [gaɪd], vt, *guider*

guillotine [ˈgɪləti:n], vt, *guillotiner*

gulp [gʌlp], vt, *avaler, dire la gorge nouée* ; vi, *avoir la gorge serrée*

• gulp **down**, vt, *ingurgiter*

gum (mm) [gʌm], vt, *encoller*

gun down (nn) [gʌn], vt, *abattre, tuer [par balle]* ; vi, *chercher qqn (fam.)*

• gun ▸ **for**, vi, *en avoir après qqn, pourchasser*

gurgle [ˈgɜ:gl], vt, vi, *gargouiller, roucouler, glousser*

gush (es) [gʌʃ], vi, *jaillir, bouillonner*

gut (tt) [gʌt], vt, *étriper*

guy [gaɪ], vt, *se moquer de*

guzzle [ˈgʌzl], vt, vi, *bâfrer (fam.)*

gyrate [dʒaɪˈreɪt], vi, *tourner, tournoyer*

H

habituate [həˈbɪtjʊeɪt], vt, *habituer*

hack [hæk], vt, vi, *hacher, taillader*

haggle [ˈhægl], vi, *marchander*

hail [heɪl], vt, *saluer, héler* ; vi, *grêler*

hallucinate [həˈlu:sɪneɪt], vt, *halluciner* ; vi, *avoir des hallucinations*

halt [hɒlt], vt, vi, *(s')arrêter, (s')interrompre*

halve [hɑːv], vt, *couper en deux*

hammer [ˈhæmə], vt, vi, *marteler*

• hammer **in**, vt, *enfoncer [un clou] au marteau*

• hammer **out**, vt, *débosseler, mettre au point*

hamper [ˈhæmpə], vt, *gêner, entraver*

hand [hænd], vt, *remettre, donner*

• hand **down/on**, vt, *transmettre, passer*

• hand **in**, vt, *déposer*

• hand **off**, vt, *repousser [de la main]*

• hand **out**, vt, *distribuer*

• hand **over**, vt, *remettre, livrer, transmettre [des pouvoirs]* ; vi, *laisser la place, laisser la parole*

• hand **round**, vt, *faire circuler*

handicap (pp) [ˈhændɪkæp], vt, *handicaper*

handle [ˈhændl], vt, *manier, manipuler, faire face [à une situation]*

hang, hung/hanged, hung/hanged [hæŋ], vt, vi, *pendre, [forme régulière = pendre un être humain]*

• hang **about**, vi, *traîner, flâner, poireauter*

• hang **back**, vi, *hésiter, renâcler*

• hang **in**, vi, *tenir bon*

• hang **on**, vi, *se cramponner, patienter, dépendre de*

• hang **out**, vt, *(sus)pendre [au dehors]* ; vi, *pendre [au dehors], crécher (fam.)*

• hang **over**, vi, *planer sur, menacer*

• hang **up**, vt, *accrocher* ; vi, *raccrocher [le téléphone]*

hanker ▸ after [ˈhæŋkə], vi, *avoir très envie de*

happen [ˈhæpn], vt, *se produire par hasard* ; vi, *arriver, se produire, se passer*

• happen **along**, vi, *arriver par hasard*

• happen **on**, vi, *tomber sur, rencontrer/trouver par hasard*

harangue [həˈræŋ], vt, vi, *haranguer*

harass (es) [ˈhærəs, həˈræs], vt, *harceler, tourmenter*

harbour (US **-or**) [ˈhɑːbə], vt, *héberger, nourrir [un sentiment]*, vi, *se réfugier*

harden [ˈhɑːdn], vt, vi, *(se) durcir, (s')endurcir*

• harden **up**, vi, *se raffermir*

hare [heə], vi, *courir à toutes jambes*

• hare **off**, vi, *partir en trombe*

hark [hɑːk], vi, *prêter l'oreille*

• hark **back (▸ to)**, vi, *ressasser, ramener la conversation sur*

harm [hɑːm], vt, *faire du mal à, nuire à*

harmonise (US **-ize**) [ˈhɑːmənaɪz], vt, vi, *(s')harmoniser*

harness (es) [ˈhɑːnɪs], vt, *atteler, exploiter*

harp [hɑːp], vi, *jouer de la harpe*

• harp **on**, vi, *rebattre les oreilles avec*

harpoon [hɑːˈpuːn], vt, *harponner*

harry (ie) [ˈhærɪ], vt, *pourchasser, harceler*

harvest [ˈhɑːvɪst], vt, vi, *moissonner*

hash (es) [hæʃ], vt, *[cuisine] hacher*

• hash **over**, vt, *discuter*

• hash **up**, vt, *bousiller (fam.)*

hasten [ˈheɪsn], vt, vi, *(se) hâter*

hatch (es) [hætʃ], vt, vi, *[œufs] (faire) éclore*

hate [heɪt], vt, *haïr*

haul [hɔːl], vt, *tirer, remorquer* ; vi, *haler*

• haul **in**, vt, *amener, faire venir*

• haul **up**, vt, *demander des comptes à*

haunt [hɔːnt], vt, *hanter, obséder*

have, had, had [hæv], vt, *aux.*, *avoir* (➜ 39-42)

• have **around**, vt, *avoir qqch. sous la main*

• have **down/over**, vt, *inviter qqn chez soi*

• have **in**, vt, *faire entrer, inviter qqn*

• have **off**, vt, *(faire) retirer*

• have **on**, vt, *porter [un vêtement], allumer [une radio/TV], avoir qqch. de prévu, faire marcher qqn (fam.)*

• have **it out ▸ with**, vt, *avoir une explication avec qqn*

• have **up**, vt, *poursuivre en justice (fam.), inviter qqn*

hawk [hɔ:k], vt, *colporter* ; vi, *chasser au faucon*

hazard ['hæzəd], vt, *risquer, hasarder*

haze [heɪz], vt, *tourmenter, brimer*

head [hed], vt, *conduire, mener, diriger, intituler* ; vi, *aller vers*

- head **back**, vi, *rentrer, retourner*
- head **for**, vi, *se diriger vers*
- head **off**, vt, *intercepter, couper la route à, parer à*

headline ['hedlaɪn], vt, *mettre à la une, mettre en vedette*

heal [hi:l], vt, vi, *guérir, cicatriser*

heap [hi:p], vt, *entasser, empiler*

hear, heard, heard [hɪə], vt, *entendre, écouter, apprendre [une nouvelle]* ; vi, *entendre*

- hear ▸ **from**, vi, *recevoir des nouvelles de*
- hear ▸ **of**, vi, *entendre parler de*

hearten ['hɑ:tn], vt, *encourager*

heat [hi:t], vt, vi, *chauffer*

heave, hove/heaved, hove/heaved [hi:v], vt, vi, *(se) soulever avec effort, (se) hisser*

heckle ['hekl], vt, *chahuter, poser des questions embarrassantes à*

hector ['hektə], vt, *rudoyer, harceler*

hedge [hedʒ], vt, *entourer d'une haie* ; vi, *se couvrir, éviter de se compromettre*

heed [hi:d], vt, *tenir compte de*

heighten ['haɪtn], vt, *augmenter, accentuer, rehausser* ; vi, *s'accroître*

help [help], vt, *aider, secourir, assister, faciliter* ; vi, *aider*

herald ['herəld], vt, *proclamer, annoncer*

herd [hɜ:d], vt, *mener [comme un troupeau]*

hesitate ['hezɪteɪt], vi, *hésiter*

hew, hewed, hewn/hewed [hju:], vt, *couper, tailler*

hibernate ['haɪbəneɪt], vi, *hiberner*

hiccup (pp) ['hɪkʌp], vi, *hoqueter*

hide, hid, hidden [haɪd], vt, vi, *(se) cacher*

highlight ['haɪlaɪt], vt, *souligner, faire ressortir*

hijack ['haɪdʒæk], vt, *détourner [un avion], s'approprier*

hike [haɪk], vt, *randonner*

hinder ['haɪndə], vt, *gêner, embarrasser*

- hinder ▸▸ **from**, vt, *empêcher de*

hinge [hɪndʒ], vt, *mettre des charnières* ; vi, *pivoter*

- hinge **on**, vi, *dépendre de*

hint [hɪnt], vt, vi, *insinuer*

- hint **at**, vi, *faire allusion à*

hire [haɪə], vt, *louer, embaucher*

- hire **out**, vt, *donner en location*

hiss (es) [hɪs], vt, vi, *siffler*

hit (tt), hit, hit [hɪt], vt, *frapper, percuter, atteindre* ; vi, *frapper*

hitch (es) [hɪtʃ], vt, vi, *(s')accrocher*

hitch-hike ['hɪtʃhaɪk], vi, *faire de l'auto-stop*

hive [haɪv], vt, vi, *mettre/entrer dans une ruche*

- hive **off**, vt, *céder [une entreprise]*

hoard [hɔ:d], vt, *amasser, engranger, mettre en réserve*

hoax (es) [həʊks], vt, *monter un canular*

hobble ['hɒbl], vi, *boitiller*

hobnob (bb) ▸ **with** ['hɒbnɒb], vi, *frayer avec*

hog (gg) [hɒg], vt, *monopoliser, accaparer*

hoist [hɔɪst], vt, *hisser*

hold, held, held [həʊld], vt, *tenir, retenir* ; vi, *tenir bon, se maintenir*

- hold **back**, vt, *retenir, freiner* ; vi, *rester en arrière, se retenir*
- hold **down**, vt, *maintenir à terre, contenir*
- hold **forth** (▸ **on**), vi, *pérorer sur*
- hold **in**, vt, *réprimer [un désir], maîtriser, serrer la bride à*
- hold **off**, vt, *tenir à distance, remettre à plus tard* ; vi, *se tenir à distance*
- hold **on**, vi, *résister, se tenir, fixer*
- hold **on** ▸ **to**, vi, *s'agripper à, garder*
- hold **out**, vt, *tendre, offrir* ; vi, *tenir, durer*
- hold **out** ▸ **on**, vi, *cacher qqch. à qqn*
- hold **over**, vt, *remettre à plus tard*
- hold **to**, vi, *s'en tenir à*

- hold **up**, vt, *soutenir, lever en l'air, immobiliser, bloquer, attaquer, braquer [une banque] (fam.)* ; vi, *maintenir, [raisonnement] tenir debout*

hole [həʊl], vt, vi, *(se) percer*

- hole **up**, vi, *se terrer*

holiday ['hɒlɪdeɪ], vi, *passer ses vacances*

hollow out ['hɒləʊ], vt, *creuser, évider*

home [həʊm], vi, *mettre le cap* ; vt, *diriger [un avion/missile]*

- home **in**, vi, *arriver au but*
- home **in ▸ on**, vi, *viser*

homogenise (US **-ize**) [hɒ'mɒdʒənaɪz], vt, *homogénéiser*

hone [həʊn], vt, *aiguiser*

honeymoon ['hʌnɪmu:n], vi, *être en voyage de noces*

honour (US **-or**) ['ɒnə], vt, *honorer*

hoodwink ['hʊdwɪŋk], vt, *berner*

hook [hʊk], vt, *accrocher* ; vi, *[boxe] envoyer un crochet*

- hook **on ▸ to**, vi, *s'accrocher à*
- hook **up**, vt, vi, *(s')agrafer, (se) raccorder, (se) connecter*

hoot [hu:t], vt, vi, *huer, klaxonnner*

hoover ['hu:və], vt, vi, *passer (à) l'aspirateur*

hop (pp) [hɒp], vi, *sautiller, sauter, faire un saut*

- hop **off**, vi, *ficher le camp*

hope [həʊp], vt, vi, *espérer*

horrify (ie) ['hɒrɪfaɪ], vt, *horrifier*

hose [həʊz], vt, *laver au jet, arroser*

hospitalise (US **-ize**) ['hɒspɪtəlaɪz], vt, *hospitaliser*

hound [haʊnd], vt, *pourchasser*

- hound **down**, vt, *traquer*

house [haʊz], vt, *héberger*

hover ['hɒvə], vi, *planer, tourner en rond*

- hover **▸ around**, vi, *rôder, tourner autour de*

howl [haʊl], vt, vi, *hurler*

huddle ['hʌdl], vi, *se blottir*

- huddle **up**, vi, *se pelotonner*

hug (gg) [hʌg], vt, *étreindre, serrer*

hum (mm) [hʌm], vt, vi, *fredonner*

humanise (US **-ize**) ['hju:mənaɪz], vt, vi, *humaniser*

humble ['hʌmbl], vt, *humilier*

humidify [hjʊ'mɪdɪfaɪ], vt, *humidifier*

humiliate [hjʊ'mɪlɪeɪt], vt, *humilier*

humour (US **-or**) ['hju:mə], vt, *complaire à*

hunt [hʌnt], vt, vi, *chasser*

- hunt **about**, vi, *chercher partout*
- hunt **down**, vt, *traquer, dénicher*
- hunt **▸ for**, vi, *chercher à découvrir*
- hunt **out**, vt, *expulser, dénicher*

hurl ▸▸ at [hɜ:l], vt, *lancer violemment qqch. à/contre*

hurry (ie) ['hʌrɪ], vt, *(se) hâter*

- hurry **along**, vt, *faire se dépêcher* ; vi, *aller d'un pas pressé*
- hurry **up**, vt, vi, *(faire) se dépêcher*

hurt, hurt, hurt [hɜ:t], vt, vi, *blesser, faire mal*

hurtle ['hɜ:tl], vi, *se précipiter, foncer* ; vt, *lancer*

husband ['hʌzbənd], vt, *économiser, bien gérer [des ressources]*

hush (es) [hʌʃ], vt, *faire taire* ; vi, *se taire*

- hush **up**, vt, *étouffer [un scandale]*

hustle ['hʌsl], vt, *bousculer, presser* ; vi, *se dépêcher*

hybridise (US **-ize**) ['haɪbrɪdaɪz], vt, vi, *(s')hybrider*

hydrate ['haɪdreɪt], vt, *hydrater*

hype [haɪp], vt, *faire un battage commercial autour de*

hypnotise (US **-ize**) ['hɪpnətaɪz], vt, vi, *hypnotiser*

hypothesise (US **-ize**) [haɪ'pɒθəsaɪz], vt, vi, *supposer*

I

ice [aɪs], vt, *rafraîchir, [cuisine] glacer*

- ice **over**, vi, *geler*
- ice **up**, vi, *se givrer*

ice-skate ['aɪsskeɪt], vi, *faire du patin à glace*

idealise (US **-ize**) [aɪ'dɪəlaɪz], vt, *idéaliser*

identify (ie) [aɪ'dentɪfaɪ], vt, vi, *(s')identifier*

idle ['aɪdl], vi, *paresser, musarder, [moteur] tourner au ralenti*

• idle **away**, vt, *perdre son temps à ne rien faire*

idolise (US **-ize**) ['aɪdəlaɪz], vt, *idolâtrer*

ignite [ɪg'naɪt], vt, *mettre feu à* ; vi, *prendre feu*

ignore [ɪg'nɔː], vt, *ignorer volontairement*

illuminate [ɪ'luːmɪneɪt], vt, *illuminer, éclairer*

illustrate ['ɪləstreɪt], vt, *illustrer*

imagine [ɪ'mædʒɪn], vt, *(s')imaginer*

imbibe [ɪm'baɪb], vt, *imbiber, s'imprégner de* ; vi, *picoler (fam.)*

imitate ['ɪmɪteɪt], vt, *imiter, singer*

immerse [ɪ'mɜːs], vt, *immerger*

immigrate ['ɪmɪgreɪt], vi, *immigrer*

immobilise (US **-ize**) [ɪ'məʊbɪlaɪz], vt, *immobiliser*

immolate ['ɪməʊleɪt], vt, *immoler*

immortalise (US **-ize**) [ɪ'mɔːtəlaɪz], vt, *immortaliser, perpétuer*

immunise (US **-ize**) ['ɪmjʊnaɪz], vt, *immuniser*

immure [ɪ'mjʊə], vt, *emmurer, cloîtrer*

impair [ɪm'peə], vt, *altérer*

impale [ɪm'peɪl], vt, *empaler*

impart [ɪm'pɑːt], vt, *faire connaître, transmettre*

impeach (es) [ɪm'piːtʃ], vt, *récuser, révoquer*

impede [ɪm'piːd], vt, *entraver, empêcher, mettre un obstacle à*

impel (ll) [ɪm'pel], vt, *forcer à*

imperil (GB ll) [ɪm'perɪl], vt, *mettre en danger*

impersonate [ɪm'pɜːsəneɪt], vt, *se faire passer pour, imiter*

impinge ▸ on [ɪm'pɪndʒ], vi, *empiéter sur, affecter*

implant [ɪm'plɑːnt], vt, *implanter*

implement ['ɪmplɪment], vt, *mettre en œuvre, implémenter*

implicate ['ɪmplɪkeɪt], vt, *mêler, impliquer*

implode [ɪm'pləʊd], vi, *imploser*

implore [ɪm'plɔː], vt, *implorer*

imply (ie) [ɪm'plaɪ], vt, *sous-entendre, laisser supposer, impliquer*

import [ɪm'pɔːt], vt, *importer*

importune [ɪm'pɔːtjuːn], vt, *importuner*

impose [ɪm'pəʊz], vt, *imposer* ; vi, *abuser*

impoverish (es) [ɪm'pɒvərɪʃ], vt, *appauvrir*

impregnate ['ɪmpregneɪt], vt, *féconder, mettre enceinte, imprégner*

impress (es) [ɪm'pres], vt, *impressionner, imprimer* ; vi, *faire impression*

• impress ▸ **on**, vt, *faire comprendre à*

imprint [ɪm'prɪnt], vt, *imprimer*

imprison [ɪm'prɪzən], vt, *emprisonner*

improve [ɪm'pruːv], vt, vi, *(s')améliorer, (se) perfectionner*

improvise ['ɪmprəvaɪz], vt, vi, *improviser*

impute [ɪm'pjuːt], vt, *imputer*

inaugurate [ɪ'nɔːgjʊreɪt], vt, *inaugurer*

incapacitate [ɪnkə'pæsɪteɪt], vt, *rendre incapable de*

incarcerate [ɪn'kɑːsəreɪt], vt, *incarcérer*

incarnate ['ɪnkɑːneɪt], vt, *incarner*

incense [ɪn'sens], vt, *exaspérer*

inch [ɪntʃ] (es), vi, *avancer petit à petit*

incinerate [ɪn'sɪnəreɪt], vt, *incinérer*

incite [ɪn'saɪt], vt, *inciter*

incline [ɪn'klaɪn], vt, *inciter, incliner* ; vi, *avoir un penchant pour, être enclin à, s'incliner*

include [ɪn'kluːd], vt, *inclure*

inconvenience [ɪnkən'viːnjəns], vt, *déranger, gêner*

incorporate [ɪn'kɔːpəreɪt], vt, vi, *(s')incorporer*

increase [ɪn'kriːs], vt, vi, *augmenter*

increment ['ɪnkrɪmənt], vt, *incrémenter*

incubate ['ɪnkjʊbeɪt], vt, vi, *couver, incuber*

inculcate ['ɪnkʌlkeɪt], vt, *inculquer*

incur (rr) [ɪn'kɜː], vt, *encourir*

indemnify (ie) [ɪn'demnɪfaɪ], vt, *protéger, dédommager*

index (es) ['ɪndeks], vt, *indexer, répertorier*

indicate ['ɪndɪkeɪt], vt, *indiquer*

indict [ɪn'daɪt], vt, *inculper*

individualise (US **-ize**) [ɪndɪ'vɪdjʊəlaɪz], vt, *individualiser*

indoctrinate [ɪn'dɒktrɪneɪt], vt, *endoctriner*

induce [ɪn'dju:s], vt, *induire, occasionner, provoquer*

indulge [ɪn'dʌldʒ], vt, *montrer trop d'indulgence pour, gâter*

• indulge ▸ **in**, vi, *s'adonner à, se permettre*

industrialise (US **-ize**) [ɪn'dʌstrɪəlaɪz], vt, vi, *(s')industrialiser*

inebriate [ɪn'i:brɪeɪt], vt, *(s')enivrer*

infect [ɪn'fekt], vt, *infecter, contaminer*

infer (rr) [ɪn'fɜ:], vt, *déduire*

infest [ɪn'fest], vt, *infester*

infiltrate ['ɪnfɪltreɪt], vt, vi, *(s')infiltrer*

inflame [ɪn'fleɪm], vt, vi, *(s')enflammer, (s')attiser*

inflate [ɪn'fleɪt], vt, *gonfler*

inflect [ɪn'flekt], vt, *fléchir, infléchir*

inflict [ɪn'flɪkt], vt, *infliger*

influence ['ɪnflʊəns], vt, *influencer*

inform [ɪn'fɔ:m], vt, *informer*

infringe [ɪn'frɪndʒ], vt, *enfreindre*

infuriate [ɪn'fjʊərɪeɪt], vt, *rendre furieux*

infuse [ɪn'fju:z], vt, *insuffler, inspirer [des sentiments], (faire) infuser*

ingest [ɪn'dʒest], vt, *ingérer*

ingratiate oneself with [ɪn'greɪʃɪəɪt], vt, *s'insinuer dans les bonnes grâces de*

inhabit [ɪn'hæbɪt], vt, *habiter*

inhale [ɪn'heɪl], vt, *inhaler* ; vi, *[tabac] avaler la fumée*

inherit [ɪn'herɪt], vt, *hériter de*

inhibit [ɪn'hɪbɪt], vt, *inhiber, paralyser*

initial (GB ll) [ɪ'nɪʃəl], vt, *parapher*

initialise (US **-ize**) [ɪ'nɪʃəlaɪz], vt, *initialiser*

initiate [ɪ'nɪʃɪeɪt], vt, *être l'initiateur de, amorcer, instaurer, lancer, initier*

inject [ɪn'dʒekt], vt, *injecter*

injure ['ɪndʒə], vt, *blesser [physiquement], léser, abîmer*

ink [ɪŋk], vt, *noircir d'encre*

• ink **in**, vt, *tracer à l'encre*

• ink **out**, vt, *rayer à l'encre*

inlay ['ɪnleɪ], vt, *incruster*

innovate ['ɪnəveɪt], vi, *innover*

inoculate ▸ **with** [ɪ'nɒkjʊleɪt], vt, *inoculer*

input, input, input ['ɪnpʊt], vt, *entrer [des données informatiques]*

inquire [ɪn'kwaɪə], vt, *s'enquérir de* ; vi, *se renseigner*

inscribe [ɪn'skraɪb], vt, *inscrire, dédier [une œuvre]*

inseminate [ɪn'semɪneɪt], vt, *inséminer*

insert [ɪn'sɜ:t], vt, *insérer, introduire*

insinuate [ɪn'sɪnjʊeɪt], vt, *insinuer*

insist [ɪn'sɪst], vi, *insister* ; vt, *maintenir, soutenir*

• insist ▸ **on**, vi, *insister pour*

inspect [ɪn'spekt], vt, *inspecter, examiner*

inspire [ɪn'spaɪə], vt, *inspirer*

install [ɪn'stɔ:l], vt, *installer*

instigate ['ɪnstɪgeɪt], vt, *susciter, provoquer*

instil (ll) [ɪn'stɪl], vt, *instiller, insuffler*

institute ['ɪnstɪtju:t], vt, *instituer*

institutionalize [ɪnstɪ'tju:ʃənəlaɪz], vt, *institutionnaliser, faire interner*

instruct [ɪn'strʌkt], vt, *instruire*

instrument ['ɪnstrʊmənt, ɪnstrʊ'ment], vt, *orchestrer, équiper, [droit] instrumenter*

insulate ['ɪnsjʊleɪt], vt, *isoler*

insult [ɪn'sʌlt], vt, *insulter*

insure [ɪn'ʃʊə, ɪn'ʃɔ:], vt, *assurer*

integrate ['ɪntɪgreɪt], vt, vi, *(s')intégrer, imposer/pratiquer la déségrégation raciale*

intend [ɪn'tend], vt, *avoir l'intention de*

intensify (ie) [ɪn'tensɪfaɪ], vt, vi, *(s')intensifier, augmenter*

inter (rr) [ɪn'tɜ:], vt, *inhumer*

interact [ɪntər'ækt], vi, *interagir*

interbreed, interbred, interbred [ɪntə'bri:d], vt, *accoupler, croiser [des animaux]* ; vi, *métisser, se croiser*

intercalate [ɪn'tɜ:kəleɪt], vt, *intercaler*

intercede (▸ with) [ɪntə'si:d], vi, *intercéder (auprès de)*

intercept [ɪntə'sept], vt, *intercepter*

interchange [ɪntə'tʃeɪndʒ], vt, *échanger* ; vi, *s'interchanger*

intercommunicate [ɪntəkə'mju:nɪkeɪt], vi, *communiquer [réciproquement]*

interconnect [ɪntəkə'nekt], vt, *interconnecter* ; vi, *être interconnecté(e)s*

interest ▸▸ in ['ɪntərɪst], vt, *intéresser qqn à qqch.*

interface [ɪntə'feɪs], vt, *interfacer*

interfere [ɪntə'fɪə], vi, *s'immiscer, gêner, perturber*

interject [ɪntə'dʒekt], vt, *lancer [une remarque]*

interlock [ɪntə'lɒk], vt, *enclencher* ; vi, *s'enclencher, s'entremêler*

intermediate [ɪntə'mi:dɪeɪt], vi, *servir de médiateur*

intermingle [ɪntə'mɪŋg'ə'l], vt, vi, *(s')entremêler, (se) mélanger*

intern [ɪn'tɜ:n], vt, *interner*

internalize [ɪn'tɜ:nəlaɪz], vt, *intérioriser, assimiler*

internationalise (US **-ize**) [ɪntə'næʃənəlaɪz], vt, *internationaliser*

interpolate [ɪn'tɜ:pəleɪt], vt, *intercaler*

interpose [ɪntə'pəʊz], vt, vi, *(s')interposer*

interpret [ɪn'tɜ:prɪt], vt, *interpréter*

interrogate [ɪn'terəgeɪt], vt, *questionner, interroger*

interrupt [ɪntə'rʌpt], vt, *interrompre* ; vi, *couper la parole*

intersect [ɪntə'sekt], vt, vi, *(s')entrecouper, (s')entrecroiser*

intersperse [ɪntə'spɜ:s], vt, *entremêler*

intertwine [ɪntə'twaɪn], vt, vi, *(s')entrelacer*

intervene [ɪntə'vi:n], vi, *intervenir, survenir, s'interposer*

interview ['ɪntəvju:], vt, vi, *faire passer un entretien, interviewer*

interweave, interwove, interwoven [ɪntə'wi:v], vt, vi, *(s')entremêler, (s')entrelacer*

intimate ['ɪntɪmeɪt], vt, *suggérer, intimer*

intimidate [ɪn'tɪmɪdeɪt], vt, *intimider*

intone [ɪn'təʊn], vt, *entonner*

intoxicate [ɪn'tɒksɪkeɪt], vt, *(s')enivrer*

intrigue [ɪn'tri:g], vt, vi, *intriguer*

introduce [ɪntrə'dju:s], vt, *présenter qqn, faire connaître, introduire*

intrude ▸ on [ɪn'tru:d], vi, *s'immiscer, s'ingérer dans*

inundate ['ɪnʌndeɪt], vt, *inonder*

inure [ɪ'njʊə], vt, *aguerrir*

invade [ɪn'veɪd], vt, *envahir*

invalidate [ɪn'vælɪdeɪt], vt, *invalider*

inveigh ▸ against [ɪn'veɪ], vi, *invectiver*

inveigle [ɪn'veɪgl, ɪn'vi:gl], vt, *leurrer, enjôler*

invent [ɪn'vent], vt, *inventer*

invert [ɪn'vɜ:t], vt, *retourner, intervertir*

invest [ɪn'vest], vt, vi, *investir*

investigate [ɪn'vestɪgeɪt], vt, *examiner, enquêter sur*

invigorate [ɪn'vɪgəreɪt], vt, *fortifier, tonifier*

invite [ɪn'vaɪt], vt, *inviter*

invoice ['ɪnvɔɪs], vt, *envoyer la facture à*

invoke [ɪn'vəʊk], vt, *invoquer*

involve [ɪn'vɒlv], vt, *impliquer, mêler, entraîner, concerner*

irk [ɜ:k], vt, *contrarier, agacer*

iron ['aɪən], vt, *repasser [du linge]*

irradiate [ɪ'reɪdɪeɪt], vt, vi, *irradier*

irrigate ['ɪrɪgeɪt], vt, *irriguer*

irritate ['ɪrɪteɪt], vt, *irriter*

isolate ['aɪsəleɪt], vt, *isoler*

issue ['ɪʃu:], vi, *jaillir, provenir de* ; vt, *mettre en circulation*

itch (es) [ɪtʃ], vi, *démanger*

itemise (US **-ize**) ['aɪtəmaɪz], vt, *détailler*

iterate ['ɪtəreɪt], vi, *réitérer*

J

jab (bb) [dʒæb], vt, vi, *piquer [avec un objet pointu]*

jabber ['dʒæbə], vt, vi, *bafouiller*

jam (mm) [dʒæm], vt, vi, *(s')entasser, (s')encombrer, (se) bloquer*

jangle ['dʒæŋgl], vi, vt, *(faire) cliqueter*

jar (rr) [dʒɑ:], vi, *rendre un son discordant, être incompatible, froisser*

jeer [dʒɪə], vt, *se moquer de* ; vi, *huer*

jell [dʒel], vi, *se gélifier, prendre tournure*

jeopardise (US **-ize**) ['dʒepədaɪz], vt, *mettre en péril*

jerk [dʒɜ:k], vt, vi, *donner une secousse, secouer, cahoter*

• jerk **out**, vt, *balbutier*

jest [dʒest], vi, *badiner, faire de l'esprit*

jet (tt) [dʒet], vi, *gicler*

• jet **off**, vi, *s'envoler [en avion]*

jettison ['dʒetɪsn], vt, *jeter par-dessus bord, larguer*

jib (bb) [dʒɪb], vi, *se rebiffer*

jibe [dʒaɪb], vi, *s'accorder*

jig (gg) [dʒɪg], vi, *danser la gigue*

• jig **about/around**, vi, *se trémousser*

jiggle ['dʒɪgl], vt, *secouer légèrement, remuer* ; vi, *trembler*

• jiggle **about/around**, vi, *se trémousser*

jilt [dʒɪlt], vt, *laisser tomber, plaquer*

jingle ['dʒɪŋgl], vt, vi, *(faire) tinter*

jockey ['dʒɒkɪ], vt, *monter [un cheval], manipuler* ; vi, *intriguer, manœuvrer*

jog (gg) [dʒɒg], vt, *secouer, pousser d'un coup sec* ; vi, *faire du jogging*

• jog **along**, vi, *cahoter, aller son petit bonhomme de chemin*

joggle ['dʒɒgl], vt, vi, *secouer légèrement* ; vi, *être secoué*

join [dʒɔɪn], vt, vi, *(se) joindre, (se) rejoindre*

• join **in**, vi, *prendre part à, participer à*

• join **on**, vi, vt, *(s')attacher, (s')ajouter*

joke [dʒəʊk], vi, *plaisanter*

jolly (ie) ['dʒɒlɪ], vt, *amadouer*

jolt [dʒəʊlt], vt, vi, *secouer*

josh (es) [dʒɒʃ], vt, vi, *chambrer (fam.), blaguer*

jostle ['dʒɒsl], vi, *jouer des coudes, se bousculer* ; vt, *bousculer*

jot (tt) **down** [dʒɒt], vt, *prendre en note*

journey ['dʒɜ:nɪ], vi, *voyager*

judge [dʒʌdʒ], vt, vi *juger, évaluer*

juggle ['dʒʌgl], vt, vi, *jongler*

jumble (up) ['dʒʌmbl], vt, *mélanger, mettre en désordre*

jump [dʒʌmp], vi, *sauter*

junk [dʒʌŋk], vt, *se débarrasser de, balancer (fam.)*

justify (ie) ['dʒʌstɪfaɪ], vt, *justifier*

jut (tt) **(out)** [dʒʌt], vi, *faire saillie, dépasser*

juxtapose [dʒʌkstə'pəʊz], vt, *juxtaposer*

K

keel over [ki:l], vi, *chavirer, tomber dans les pommes*

keep, kept, kept [ki:p], vt, *garder, conserver, continuer, entretenir* ; vi, *se maintenir, rester, continuer*

• keep **at**, vt, *persévérer*

• keep **away**, vt, vi, *(se) tenir à distance, ne pas (s')approcher*

• keep **back**, vt, *retenir, refouler, cacher* ; vi, *ne pas approcher*

• keep **down**, vt, *baisser, maintenir au plus bas* ; vi, *se baisser*

• keep **from**, vt, vi, *cacher, (s')empêcher de*

• keep **in**, vt, *maintenir à l'intérieur, enfermé*

• keep **in ▸ with**, vi, *rester en bons termes avec*

• keep **off**, vi, vt, *ne pas (s')approcher*

• keep **on**, vt, *garder [un vêtement], maintenir allumé* ; vi, *continuer*

• keep **on ▸ at**, vi, *être toujours sur le dos de*

- keep **out**, vt, *empêcher d'entrer, ne pas impliquer dans* ; vi, *ne pas s'approcher*
- keep ▸ **to**, vt, *tenir [une promesse], rester* ; vi, *ne pas révéler*
- keep **up**, vt, *entretenir, continuer, soutenir, tenir éveillé* ; vi, *continuer*
- keep **up** ▸ **with**, vi, *se maintenir à la hauteur de, suivre*

key (in) [ki:], vt, *saisir [des données informatiques]*

keyboard ['ki:bɔ:d], vt, *saisir [des données informatiques]*

kick [kɪk], vt, vi, *donner des coups de pied*

- kick **about**, vt, *traiter sans ménagements* ; vi, *rouler sa bosse (fam.), traîner*
- kick **in**, vt, *enfoncer à coups de pied*
- kick **off**, vt, *enlever d'un coup de pied*
- kick **out**, vt, *chasser à coups de pied, donner des coups de pied*
- kick **over**, vt, *renverser d'un coup de pied*
- kick **up**, vt, *causer, provoquer*

kid (dd) [kɪd], vt, *faire marcher qqn* ; vi, *plaisanter, raconter des histoires*

kidnap (pp) ['kɪdnæp], vt, *kidnapper*

kill [kɪl], vt, *tuer*

- kill **off**, vt, *exterminer*

kindle ['kɪndl], vt, vi, *(s')enflammer, allumer, embraser, susciter*

kiss (es) [kɪs], vt, vi, *(s')embrasser, donner un baiser à qqn*

kit (tt) [kɪt], vt, *équiper*

knead [ni:d], vt, *pétrir, masser*

kneel [ni:l], vi, *s'agenouiller*

knife [naɪf], vt, *poignarder*

knight [naɪt], vt, *faire chevalier*

knit (tt), knit/knitted, knit/knitted [nɪt], vt, vi, *tricoter*

knock [nɒk], vt, vi, *frapper*

- knock **about**, vt, *maltraiter* ; vi, *traîner, rouler sa bosse (fam.)*
- knock **down**, vt, *renverser, réduire*
- knock **off**, vt, *faire tomber, zigouiller (fam.)* ; vi, *cesser le travail*
- knock **out**, vt, *assommer*
- knock **up**, vt, *préparer en un tournemain, pondre [un document] (fam.)*

knot (tt) [nɒt], vt, *faire un nœud à* ; vi, *se nouer, faire des nœuds*

know, knew, known [nəʊ], vt, vi, *savoir, connaître*

knuckle down ▸ to, vi, *se mettre sérieusement à*

KO, KO'd, KO'd ['keɪ'əʊ], vt, *mettre K.-O.*

kowtow ▸ to [kaʊ'taʊ], vi, *faire des courbettes, s'aplatir devant*

L

label (GB ll) ['leɪbl], vt, *étiqueter, qualifier de*

labour (US **-or**) ['leɪbə], vi, *travailler, peiner*

lace (up) [leɪs], vt, vi, *(se) lacer*

- lace **into**, vi, *démolir*

lacerate ['læsəreɪt], vt, *lacérer*

lack [læk], vt, *manquer de* ; vi, *manquer*

lacquer ['lækə], vt, *laquer*

lactate [læk'teɪt], vi, *produire du lait*

ladle (out) ['leɪdl], vt, *servir à la louche, donner en grande quantité, déverser*

lag (gg) [læg], vi, *se laisser distancer, rester en arrière*

lam (mm) [læm], vt, *rosser, tabasser*

lambast [læm'bæst], **lambaste** [læm'beɪst], vt, *fustiger, rosser (fam.)*

lame [leɪm], vt, *estropier*

lament [lə'ment], vt, vi, *se lamenter (sur)*

laminate ['læmɪneɪt], vt, vi, *(se) laminer*

lampoon [læm'pu:n], vt, *brocarder*

land [lænd], vt, *faire descendre à terre, débarquer* ; vi, *atterrir, débarquer, tomber à terre*

languish (es) ['læŋgwɪʃ], vi, *languir*

lapse [læps], vi, *faire une erreur, expirer*

- lapse ▸ **into**, vi, *(re)tomber dans [une situation]*

lard [lɑ:d], vt, *larder*

lark [lɑ:k], vi, *faire des farces*

- lark **about**, vi, *faire l'idiot*

lash (es) [læʃ], vt, *cingler, fouetter, amarrer* ; vi, *fouetter*

- lash **about**, vi, *[douleur] se débattre*
- lash **out (▸ at)**, vi, *envoyer des coups, dire des paroles blessantes*
- lash **out ▸ on**, vi, *[dépenses] faire des folies*

last [lɑ:st], vt, vi, *durer*

- last **out**, vt, *survivre à* ; vi, *tenir le coup*

latch (es) [lætʃ], vt, *verrouiller*

laud [lɔ:d], vt, *faire le panégyrique de*

laugh [lɑ:f], vt, vi, *rire*

- laugh ▸ **at**, vt, *se moquer de*
- laugh **down**, vt, *tourner en ridicule*
- laugh **off**, vt, *tourner en plaisanterie*

launch (es) [lɔ:ntʃ], vt, *mettre à l'eau, lancer, déclencher*

- launch ▸ **into**, vi, *se lancer dans*
- launch **out**, vi, *se lancer dans la dépense*

launder ['lɔ:ndə], vt, *blanchir [du linge, de l'argent]*

lavish (es) ['lævɪʃ], vt, *prodiguer*

lay, laid, laid [leɪ], vt, *coucher, allonger, poser, pondre*

- lay **away**, vt, *mettre de côté*
- lay **back**, vt, *rabattre*
- lay **by**, vt, *mettre de côté, mettre en réserve*
- lay **down**, vt, *déposer, se démettre de*
- lay **in**, vt, *faire provision de*
- lay ▸ **into**, vi, *passer un savon à, rosser (fam.)*
- lay **off**, vt, *licencier, renvoyer* ; vi, *s'abstenir de, arrêter de*
- lay **on**, vt, *installer, préparer, arranger, appliquer*
- lay **out**, vt, *disposer, arranger*
- lay **over**, vi, *faire une halte*
- lay **up**, vt, *accumuler, mettre en réserve*

layer ['leɪə], vt, *disposer en couches, faire un dégradé*

laze (about) [leɪz], vi, *paresser*

lead, led, led [li:d], vt, vi, *mener, guider, conduire*

leaf through [li:f], vi, *feuilleter [un livre]*

league [li:g], vi, *se liguer*

leak [li:k], vt, *divulguer* ; vi, *avoir une fuite, fuir*

lean, leant/leaned, leant/leaned [li:n], vi, *s'appuyer, se pencher*

leap, leapt/leaped, leapt/leaped [li:p], vt, *sauter, bondir*

learn, learnt/learned, learnt/learned [lɜ:n], vt, vi, *apprendre*

lease [li:s], vt, *louer [un logement]*

leash (es) [li:ʃ], vt, *mettre en laisse*

leave, left, left [li:v], vt, *laisser, quitter* ; vi, *partir*

- leave **in**, vt, *inclure*
- leave **off**, vt, *renoncer à, cesser* ; vi, *s'arrêter*
- leave **on**, vt, *laisser allumé, garder [un vêtement]*
- leave **out**, vt, *omettre, laisser à disposition*
- leave **over**, vt, *remettre à plus tard*

lecture ['lektʃə], vt, *faire la morale à* ; vi, *faire une/des conférence(s)*

leer ▸ at ['lɪə], vi, *lorgner, regarder méchamment*

legalise (US **-ize**) ['li:gəlaɪz], vt, *légaliser, dépénaliser*

legislate ['ledʒɪsleɪt], vi, *légiférer*

legitimate [lɪ'dʒɪtɪmeɪt], vt, *légitimer*

lend, lent, lent [lend], vt, *prêter*

lengthen ['leŋθən], vt, vi, *allonger, rallonger, augmenter*

lessen ['lesn], vt, vi, *(s')amoindrir, diminuer*

let (tt), let, let [let], *aux.* (→ 25-28, 47-48), vt, *permettre, laisser, louer [un logement]*

- let **by**, vt, *laisser passer*
- let **down**, vt, *laisser tomber, baisser*
- let **in/▸ into**, vt, *faire entrer*
- let **off**, vt, *laisser partir, laisser échapper, dispenser de*
- let **on**, vt, *raconter, divulguer*
- let **out**, vt, *laisser sortir, révéler*
- let **through**, vt, *laisser passer, laisser filtrer*
- let **up**, vi, *diminuer, se calmer*

letter [letə], vt, *graver des lettres sur*

level (GB ll) ['levl], vt, *niveler, mettre de niveau*

- level ▸ **with**, vi, *parler franchement à*

lever ['li:və], (US) ['levə], vt, *ouvrir/déplacer avec un levier*

levitate ['levɪteɪt], vt, vi, *léviter*

levy (ie) ['levɪ], vt, *lever [un impôt], infliger [une amende]*

libel (GB ll) ['laɪbl], vt, *diffamer*

liberate ['lɪbəreɪt], vt, *libérer*

license ['laɪsəns], vt, *accorder une licence à*

lick [lɪk], vt, *lécher, rosser*

lie (lying) [laɪ], vi, *mentir*

lie (lying), lay, lain [laɪ], vi, *être couché, se trouver*

- lie **about**, vi, *traîner*
- lie **back**, vi, *se laisser retomber, se rallonger*
- lie **down**, vi, *se coucher*
- lie **in**, vi, *faire la grasse matinée*
- lie **over**, vi, *être remis à plus tard*
- lie **up**, vi, *garder le lit, se cacher*

lift [lɪft], vt, *soulever, chiper* ; vi, *se lever, se soulever*

- lift **off**, vi, *[fusée] décoller*

light, lit/lighted, lit/lighted [laɪt], vt, *allumer, éclairer, illuminer*

- light ▸ **into**, vi, *attaquer, tomber dessus (fam.)*
- light ▸ **on**, vi, *rencontrer/trouver par hasard*
- light **out**, vi, *décamper*
- light **up**, vt, vi, *allumer, illuminer*

lighten ['laɪtn], vt, vi, *(s')éclairer, (s')illuminer, (s')égayer, (s')alléger*

- lighten **up**, vi, *se dérider*

lighten ['laɪtn], vt, vi, *(s')alléger*

like [laɪk], vt, *aimer bien*

liken ▸▸ **to** ['laɪkn], vt, *comparer/assimiler qqch./qqn à*

limber up ['lɪmbə], vt, vi, *[sport] (s')échauffer*

limit ['lɪmɪt], vt, *limiter*

limp [lɪmp], vi, *boiter*

line [laɪn], vt, *border, [papier] ligner/régler, [tissu] doubler/tapisser*

- line **up**, vt, *aligner* ; vi, *s'aligner, faire la queue*

linger ['lɪŋgə], vi, *s'attarder*

link [lɪŋk], vt, vi, *relier, associer*

- link **on** ▸ **to/in** ▸ **with/up** ▸ **with**, vi, *se joindre à, s'attacher à*

lionise (US **-ize**) ['laɪənaɪz], vt, *faire une célébrité de*

liquefy (ie) ['lɪkwɪfaɪ], vt, vi, *(se) liquéfier*

liquidate ['lɪkwɪdeɪt], vt, *liquider*

liquidise (US **-ize**) ['lɪkwɪdaɪz], vt, *liquéfier*

lisp [lɪsp], vt, vi, *zézayer*

list [lɪst], vt, *faire la liste de*

listen ['lɪsn], vi, *écouter*

- listen ▸ **for**, vi, *chercher à entendre, guetter*
- listen **in** ▸ **on**, vi, *écouter qqn au téléphone [en cachette]*

litigate ['lɪtɪgeɪt], vt, *contester* ; vi, *plaider*

litter ['lɪtə], vt, *joncher de détritus*

live [lɪv], vt, vi, *vivre*

- live **down**, vt, *faire oublier*
- live **in**, vi, *[étudiant] être interne, être logé et nourri*
- live ▸ **off/on**, vi, *vivre de*
- live **out**, vi, *[étudiant] être externe* ; vt, *vivre [une période de la vie]*
- live **up** ▸ **to**, vi, *vivre à la hauteur de*

liven up ['laɪvn], vt, vi, *(s')animer, (s')égayer*

load (up) [ləʊd], vt, vi, *(se) charger*

loaf (about) [ləʊf], vi, *flâner, fainéanter*

loan [ləʊn], vt, *prêter*

loathe [ləʊð], vt, *exécrer*

lob (bb) [lɒb], vt, *lober*

lobby (ie) ['lɒbɪ], vt, *faire pression sur* ; vi, *faire les couloirs [au Parlement], faire pression*

localise (US **-ize**) ['ləʊkəlaɪz], vt, vi, *localiser*

locate [ləʊ'keɪt], vt, *situer*

lock (up) [lɒk], vt, vi, *fermer à clef, caler, (se) bloquer, enclencher*

• lock **in**, vt, *mettre sous clef, enfermer*

• lock **on ▸ to**, vi, *s'accrocher à*

• lock **out**, vt, *enfermer dehors, lockouter*

lodge [lɒdʒ], vt, vi, *loger*

log (gg) [lɒg], vt, *inscrire dans le journal de bord, noter, débiter [des bûches]*

loiter ['lɔɪtə], vi, *rôder*

loll [lɒl], vi, *être étendu paresseusement*

• loll **about**, vi, *fainéanter*

long ▸ for [lɒŋ], vi, *désirer ardemment*

look [lʊk], vt, vi, *regarder*

loom (up) [lu:m], vi, *surgir, paraître imminent, menacer*

loop [lu:p], vt, vi, *faire une/des boucle(s)*

loot [lu:t], vt, *piller, mettre à sac* ; vi, *se livrer au pillage*

lose, lost, lost [lu:z], vt, vi, *perdre*

• lose **out**, vi, *être le/la perdant(e)*

loosen ['lu:sn], vt, vi, *(se) délier, (se) desserrer*

• loosen **up**, vi, *se mettre à l'aise, se relâcher*

lounge [laʊndʒ], vi, *être affalé*

• lounge **about**, vi, *flâner*

• lounge **away**, vi, *rester à ne rien faire*

love [lʌv], vt, *aimer, adorer*

low [ləʊ], vi, *meugler*

lower ['ləʊə], vt, vi, *abaisser, rabaisser* ; vi, *se renfrogner*

lubricate ['lu:brɪkeɪt], vt, *lubrifier*

lug (gg) [lʌg], vt, *traîner [un objet lourd]*

lull [lʌl], vt, *bercer, endormir*

lumber ['lʌmbə], vt, *encombrer*

• lumber **about**, vi, *se trimbaler çà et là (fam.)*

• lumber **along**, vi, *avancer d'un pas lourd*

lump [lʌmp], vt, *mettre en tas*

lunch (es) [lʌntʃ], vi, *déjeuner*

lurch (es) [lɜ:tʃ], vi, *faire une embardée*

• lurch **along**, vi, *marcher en titubant*

lure ['lʊə], vt, *séduire, leurrer*

lurk [lɜ:k], vi, *se cacher*

lust ▸ after/for [lʌst], vi, *convoiter*

lynch (es) [lɪntʃ], vt, *lyncher*

M

macerate ['mæsəreɪt], vt, vi, *macérer*

machine [mə'ʃi:n], vt, *usiner*

madden ['mædn], vt, *rendre fou, exaspérer*

magnetise (US **-ize**) ['mægnɪtaɪz], vt, *aimanter, magnétiser*

magnify (ie) ['mægnɪfaɪ], vt, *agrandir, amplifier*

mail [meɪl], vt, *poster*

maim [meɪm], vt, *mutiler*

maintain [meɪn'teɪn], vt, *entretenir, maintenir*

major ['meɪdʒə], vi, *se spécialiser*

make, made, made [meɪk], vt, vi, *faire*

• make **away/off**, vi, *décamper*

• make **away ▸ with**, vt, *supprimer [meurtre]*

• make **out**, vt, *rédiger, discerner, prétendre* ; vi, *se débrouiller*

• make **over**, vt, *céder, transférer, refaire*

• make **up**, vt, *inventer, assembler, préparer, compenser, mettre fin [à une dispute], maquiller, composer, représenter* ; vi, *se réconcilier, se maquiller*

• make **up ▸ for**, vt, *compenser*

• make **up ▸ on**, vt, *rattraper*

• make **up ▸ to**, vt, *flatter, faire des avances à*

malign [mə'laɪn], vt, *calomnier*

malinger [mə'lɪŋgə], vi, *simuler une maladie*

maltreat [mæl'tri:t], vt, *maltraiter*

man (nn) [mæn], vt, *affecter du personnel à, être affecté à*

manacle ['mænəkl], vt, *menotter*

manage ['mænɪdʒ], vt, *diriger, gérer, réussir* ; vi, *y arriver, se débrouiller*

mangle ['mæŋgl], vt, *lacérer, mutiler*

manhandle ['mænhændl], vt, *manutentionner*

manicure ['mænɪkjʊə], vt, *(se) faire les ongles, manucurer*

manifest ['mænɪfest], vt, vi, *(se) manifester*

manipulate [məˈnɪpjʊleɪt], vt, *manipuler, actionner*

manœuvre, (US) **maneuver** [məˈnu:və], vt, vi, *(faire) manœuvrer*

manufacture [mænjʊˈfæktʃə], vt, *manufacturer, confectionner*

map (pp) [mæp], vt, *faire/dresser une carte de*

- map **out**, vt, *tracer [un itinéraire]*

mar (rr) [mɑ:], vt, *gâcher*

maraud [məˈrɔ:d], vi, *marauder*

march (es) [mɑ:tʃ], vt, vi, *(faire) marcher, défiler*

mark [mɑ:k], vt, *marquer*

- mark **down**, vt, *baisser le prix de, démarquer*
- mark **off**, vt, *jalonner*
- mark **out**, vt, *distinguer*
- mark **up**, vt, *augmenter le prix de*

market [ˈmɑ:kɪt], vt, *commercialiser*

maroon [məˈru:n], vt, *abandonner [dans un lieu désert]*

marry (ie) [ˈmærɪ], vt, *épouser* ; vi, *se marier*

martyr [ˈmɑ:tə], vt, *martyriser*

martyrise (US **-ize**) [ˈmɑ:təraɪz], vt, *martyriser*

marvel (GB ll) (▸ **at**) [ˈmɑ:vl], vi, *s'émerveiller (de)*

mash (es) [mæʃ], vt, *broyer, réduire en bouillie*

mask [mɑ:sk], vt, *masquer, cacher*

masquerade (▸ **as**) [mæskəˈreɪd], vi, *se masquer, se déguiser (en)*

mass (es) [mæs], vt, vi, *(se) masser*

massacre [ˈmæsəkə], vt, *massacrer*

massage [ˈmæsɑ:ʒ], vt, *masser*

master [ˈmɑ:stə], vt, *maîtriser*

mastermind [ˈmɑ:stəmaɪnd], vt, *diriger, être le cerveau de*

masturbate [ˈmæstəbeɪt], vt, vi, *(se) masturber*

mat (tt) [mæt], vt, vi, *[cheveux, fibres] (s')emmêler*

match (es) [mætʃ], vt, *égaler, apparier, assortir, rivaliser avec, aller avec*

- match **up**, vt, *(faire) correspondre*
- match **up ▸ to**, vi, *être à la hauteur de*

mate [meɪt], vt, vi, *(s')accoupler*

materialise (US **-ize**) [məˈtɪərɪəlaɪz], vt, *matérialiser* ; vi, *se réaliser, se matérialiser*

matriculate [məˈtrɪkjʊleɪt], vt, vi, *(s')inscrire*

matter [ˈmætə], vi, *être important*

mature [məˈtjʊə], vt, vi, *mûrir*

maul [mɔ:l], vt, *malmener, meurtrir*

maunder [ˈmɔ:ndə], vi, *flâner*

maximise (US **-ize**) [ˈmæksɪmaɪz], vt, *maximiser*

may, *modal* (➜ 53, 64-66)

mean, meant, meant [mi:n], vt, *signifier, avoir l'intention, destiner*

meander [mɪˈændə], vi, *serpenter, errer à l'aventure*

measure [ˈmeʒə], vt, vi, *mesurer*

- measure **out**, vt, *répartir*
- measure **up**, vi, *faire le poids*
- measure **up ▸ to**, vi, *se montrer à la hauteur de*

mechanise (US **-ize**) [ˈmekənaɪz], vt, *automatiser*

meddle ▸ in/with [ˈmedl], vi, *se mêler de, toucher à*

mediate [ˈmi:dɪeɪt], vt, vi, *servir d'intermédiaire*

medicate [ˈmedɪkeɪt], vt, *donner un traitement médical*

meditate [ˈmedɪteɪt], vt, vi, *méditer*

meet, met, met [mi:t], vt, *rencontrer, faire la connaissance de* ; vi, *se rencontrer, se voir*

- meet **up**, vi, *rencontrer [par hasard/sur rendez-vous]*
- meet **▸ with**, vi, *rencontrer [le succès, l'échec...]*

mellow [ˈmeləʊ], vt, vi, *mûrir, (s')adoucir*

melt [melt], vt, vi, *fondre*

memorise (US **-ize**) [ˈmeməraɪz], vt, *mémoriser*

menace [ˈmenɪs], vt, *menacer*

mend [mend], vt, *réparer, raccommoder, corriger, normaliser, améliorer* ; vi, *s'améliorer, se remettre*

menstruate [ˈmenstrʊeɪt], vi, *avoir ses règles*

mention [ˈmenʃən], vt, *mentionner*

merchandise ['mɜ:tʃəndaɪz], vi, *faire du commerce*

merge [mɜ:dʒ], vt, vi, *fusionner, (s')amalgamer*

merit ['merɪt], vt, *mériter*

mesh (es) [meʃ], vt, vi, *(se) coordonner, (s')engrener*

mesmerise (US **-ize**) ['mezməraɪz], vt, *hypnotiser, fasciner*

mess (es) [mes], vt, *souiller* ; vi, *manger en commun*

- mess **about**, vt, *maltraiter* ; vi, *fourgonner, faire l'imbécile, glandouiller (fam.)*
- mess **up**, vt, *semer la pagaille dans, bousiller* ; vi, *foirer, merder (fam.)*

metal (GB ll) ['metl], vt, *empierrer [une route], métalliser*

metamorphose [metə'mɔ:fəʊz], vt, vi, *(se) métamorphoser*

mew [mju:], vi, *miauler*

miaow [mɪ'aʊ], vi, *miauler*

microfilm ['maɪkrəʊfɪlm], vt, *microfilmer*

might, *modal* (→ 53, 64-66)

migrate [maɪ'greɪt], vi, *(é)migrer*

mildew ['mɪldju:], vt, vi, *moisir, [plante] piquer de rouille*

militarise (US **-ize**) ['mɪlɪtəraɪz], vt, *militariser*

militate ['mɪlɪteɪt], vi, *militer*

milk [mɪlk], vt, *traire, exploiter*

mime [maɪm], vt, vi, *mimer*

mimic ['mɪmɪk], vt, *imiter, singer*

mince [mɪns], vt, *hacher* ; vi, *marcher/parler d'une manière affectée*

mind [maɪnd], vt, *faire attention à, s'occuper de, être dérangé par, s'inquiéter de* ; vi, *être dérangé, être gêné*

mine [maɪn], vt, vi, *[minerai] exploiter, miner*

mingle ['mɪŋgl], vt, vi, *(se) mêler, (se) mélanger*

miniaturise (US **-ize**) ['mɪnɪtʃəraɪz], vt, *miniaturiser*

minimise (US **-ize**) ['mɪnɪmaɪz], vt, *minimiser*

minister ▸ to ['mɪnɪstə], vi, *donner des soins à, pourvoir aux besoins de*

minor ['maɪnə], vt, *étudier [une matière secondaire]*

mint [mɪnt], vt, *[monnaie] frapper*

mirror ['mɪrə], vt, *refléter, [informatique] mettre en miroir*

misapply (ie) [mɪsə'plaɪ], vt, *mal employer*

misapprehend [mɪsæprɪ'hend], vt, *se méprendre sur*

misappropriate [mɪsə'prəʊprɪeɪt], vt, *détourner [des fonds]*

misbehave [mɪsbɪ'heɪv], vi, *se conduire mal*

miscalculate [mɪs'kælkjʊleɪt], vt, vi, *mal calculer, mal évaluer*

miscarry (ie) [mɪs'kærɪ], vi, *faire une fausse couche, échouer*

miscast, miscast, miscast [mɪs'ka:st], vt, *faire une erreur de casting*

misconduct [mɪs'kɒndʌkt], vt, *mal gérer*

miscount ['mɪskaʊnt], vt, vi, *mal compter*

misdeal, misdealt, misdealt [mɪs'di:l], vt, vi, *faire maldonne*

misdirect [mɪsdɪ'rekt], vt, *mal renseigner, mal diriger*

misfire [mɪs'faɪə], vi, *faire long feu, avoir un/des raté(s)*

misgovern [mɪs'gʌvən], vt, *mal gouverner*

mishandle [mɪs'hændl], vt, *mal gérer, malmener, maltraiter*

mishear, misheard, misheard [mɪs'hɪə], vt, *mal entendre*

misinform [mɪsɪn'fɔ:m], vt, *désinformer, induire en erreur*

misinterpret [mɪsɪn'tɜ:prɪt], vt, *mal interpréter*

misjudge [mɪs'dʒʌdʒ], vt, *se tromper sur le compte de*

mislay, mislaid, mislaid [mɪs'leɪ], vt, *égarer*

mislead, misled, misled [mɪslɪ:d], vt, *perdre, tromper, induire en erreur*

mismanage [mɪs'mænɪdʒ], vt, *mal gérer*

misplace [mɪs'pleɪs], vt, *[sentiments] mal placer, égarer*

mispronounce [mɪsprə'naʊns], vt, *mal prononcer*

misquote [mɪs'kwəʊt], vt, *citer inexactement*

misread, misread, misread [mɪs'ri:d], vt, *mal lire, mal interpréter*

misrepresent [mɪsreprɪ'zent], vt, *travestir, présenter sous un faux jour*

miss (es) [mɪs], vt, *manquer, rater, regretter l'absence de* ; vi, *manquer son coup*

- miss **out**, vt, *omettre*
- miss **out** ▸ **on**, vt, *rater, laisser passer, ne pas profiter de*

misspell, misspelt/misspelled, misspelt ['mɪs'spel], vt, *mal orthographier*

misspend, misspent, misspent ['mɪs'spend], vt, *mal employer [son argent, son temps]*

mist [mɪst], vt, *vaporiser [des plantes]*

- mist **over**, vt, vi, *(s')embuer*
- mist **up**, vi, *s'embuer*

mistake, mistook, mistaken [mɪs'teɪk], vt, *se méprendre sur, confondre*

mistime [mɪs'taɪm], vt, *faire à contretemps, mal calculer*

mistranslate [mɪstræns'leɪt], vt, *mal traduire, interpréter à contresens*

mistreat [mɪs'tri:t], vt, *maltraiter*

mistrust [mɪs'trʌst], vt, *se méfier de*

misunderstand, misunderstood, misunderstood [mɪsʌndə'stænd], vt, *mal comprendre, se méprendre sur* ; vi, *mal comprendre*

misuse [mɪs'ju:s], vt, *faire mauvais usage de*

mitigate ['mɪtɪgeɪt], vt, *atténuer, tempérer, mitiger*

mix (es) [mɪks], vt, vi, *(se) mélanger*

moan [məʊn], vt, vi, *gémir*

mob (bb) [mɒb], vt, *houspiller, malmener, assiéger*

mobilise (US **-ize**) ['məʊbɪlaɪz], vt, vi, *(se) mobiliser*

mock [mɒk], vt, *se moquer de, singer*

model (GB ll) ['mɒdl], vt, *modeler, [mannequin] présenter une collection* ; vi, *[modèle] poser, être mannequin*

moderate ['mɒdəreɪt], vt, *modérer, présider [une assemblée]* ; vi, *se calmer, présider*

modernise (US **-ize**) ['mɒdənaɪz], vt, *moderniser*

modify (ie) ['mɒdɪfaɪ], vt, *modifier*

modulate ['mɒdjʊleɪt], vt, vi, *moduler*

moisten ['mɔɪsn], vt, vi, *(s')humecter*

moisturise (US **-ize**) ['mɔɪstʃəraɪz], vt, *humidifier, hydrater*

molest [mə'lest], vt, *importuner, molester*

mollify (ie) ['mɒlɪfaɪ], vt, *adoucir, apaiser*

mollycoddle ['mɒlɪkɒdl], vt, *dorloter, élever dans du coton*

monitor ['mɒnɪtə], vt, *surveiller, contrôler*

monopolise (US **-ize**) [mə'nɒpəlaɪz], vt, *monopoliser, accaparer*

moo [mu:], vi, *meugler*

mooch (es) [mu:tʃ], vi, *emprunter, taper (fam.)*

- mooch **about**, vi, *flâner*

moon [mu:n], vt, vi, *montrer ses fesses (fam.)*

- moon **about**, vi, *flâner*
- moon **over**, vi, *languir pour*

moonlight ['mu:nlaɪt], vi, *travailler au noir*

moor [mʊə], vt, vi, *(s')amarrer*

moot [mu:t], vt, *soulever [une question]*

mop (pp) [mɒp], vt, *passer le balai-éponge, éponger*

mope [məʊp], vi, *broyer du noir*

moralise (US **-ize**) ['mɒrəlaɪz], vi, *moraliser*

mortgage ['mɔ:gɪdʒ], vt, *hypothéquer*

mortify (ie) ['mɔ:tɪfaɪ], vt, *humilier, mortifier*

mother ['mʌðə], vt, *materner*

motion ['məʊʃən], vt, *faire signe de, indiquer du doigt*

motivate ['məʊtɪveɪt], vt, *motiver*

motor ['məʊtə], vi, *aller en voiture*

motorise (US **-ize**) ['məʊtəraɪz], vt, *motoriser*

mould, (US) **mold** [məʊld], vt, *mouler*

moulder, (US) **molder** ['məʊldə], vi, *tomber en poussière*

mount [maʊnt], vt, *monter sur* ; vi, *monter*

mountaineer [maʊntɪ'nɪə], vi, *faire de l'alpinisme*

mourn ['mɔ:n], vt, *porter le deuil de, pleurer* ; vi, *être en deuil*

mouth [maʊð], vt, *dire du bout des lèvres, articuler sans un son*

move [muːv], vt, vi, *(se) déplacer, bouger*

- move **along**, vt, *faire circuler [des personnes]* ; vi, *s'en aller*
- move **back**, vt, vi, *reculer*
- move **in**, vt, vi, *emménager*
- move **out**, vt, *(faire) sortir* ; vi, *déménager*
- move **up**, vt, *promouvoir* ; vi, *être promu, se pousser*

mow, mowed, mown/mowed [məʊ], vt, *tondre [une pelouse], faucher*

muddle ['mʌdl], vt, *embrouiller*

- muddle **along**, vi, *se débrouiller tant bien que mal, vivre au jour le jour*
- muddle **through**, vt, vi, *s'en tirer tant bien que mal*
- muddle **up**, vt, *mélanger*

muddy (ie) ['mʌdɪ], vt, *tacher, crotter, brouiller*

muffle ['mʌfl], vt, *étouffer/assourdir [un son], (s')emmitoufler*

mug (gg) [mʌg], vt, *agresser*

- mug **up**, vt, vi, *potasser*

multiply (ie) ['mʌltɪplaɪ], vt, vi, *(se) multiplier*

mumble ['mʌmbl], vt, vi, *marmonner*

mummify (ie) ['mʌmɪfaɪ], vt, vi, *(se) momifier*

munch (es) [mʌntʃ], vt, *mâchonner*

- munch **away**, vi, *mastiquer*

murder ['mɜːdə], vt, *assassiner*

murmur ['mɜːmə], vt, vi, *murmurer*

muscle in ['mʌsl], vi, *s'immiscer*

muse [mjuːz], vi, *rêvasser, méditer*

mushroom ['mʌʃrʊm], vi, *proliférer*

must, *modal* (➜ **54, 67-68, 72**)

muster ['mʌstə], vt, vi, *(se) rassembler*

mutate [mjuː'teɪt], vt, vi, *(faire) subir une mutation*

mute [mjuːt], vt, *amortir, étouffer [un son]*

mutilate ['mjuːtɪleɪt], vt, *mutiler*

mutiny (ie) ['mjuːtɪnɪ], vi, *se mutiner*

mutter ['mʌtə], vt, vi, *marmotter*

muzzle ['mʌzl], vt, *museler, bâillonner*

mystify (ie) ['mɪstɪfaɪ], vt, *mystifier, rendre perplexe*

N

nab (bb) [næb], vt, *chiper, prendre sur le fait*

nag (gg) [næg], vt, vi, *enquiquiner, casser les pieds à (fam.)*

nail [neɪl], vt, *clouer*

- nail **down**, vt, *obtenir de*
- nail **up**, vt, *condamner [une porte]*

name [neɪm], vt, *nommer*

nap (pp) [næp], vi, *faire un somme*

nark [nɑːk], vi, *taper sur les nerfs de*

narrate [nə'reɪt], vt, *raconter*

narrow ['nærəʊ], vt, vi, *rétrécir*

- narrow **down**, vt, *limiter*

nationalise (US **-ize**) ['næʃənəlaɪz], vt, *nationaliser, naturaliser*

natter ['nætə], vi, *jacter, bavasser (fam.)*

naturalise (US **-ize**) ['nætʃərəlaɪz], vt, *naturaliser, acclimater, donner du naturel à* ; vi, *s'acclimater*

nauseate ['nɔːsɪeɪt], vt, *donner la nausée, écœurer*

navigate ['nævɪgeɪt], vt, *gouverner [navire]* ; vi, *naviguer*

near [nɪə], vt, *(s')approcher de*

neaten ['niːtn], vt, *ajuster, donner meilleur aspect à*

necessitate [nɪ'sesɪteɪt], vt, *nécessiter*

neck [nek], vi, *se bécoter, se peloter (fam.)*

need [niːd], vt, *avoir besoin de* ; *modal* (➜ **69**)

needle ['niːdl], vt, *exciter, agacer*

negative ['negətɪv], vt, *réfuter, s'opposer à*

neglect [nɪ'glekt], vt, *négliger*

negotiate [nɪ'gəʊʃɪeɪt], vt, vi, *négocier*

neigh [neɪ], vi, *hennir*

nerve [nɜːv], vt, *donner du courage, de la force*

nest [nest], vt, *emboîter* ; vi, *faire son nid, s'emboîter*

nestle ['nesl], vi, *se blottir*

net (tt) [net], vt, *gagner/rapporter net*

nettle ['netl], vt, *faire monter la moutarde au nez*

neuter ['nju:tə], vt, *châtrer*

neutralise (US **-ize**) ['nju:trəlaɪz], vt, *neutraliser*

nibble (▸ at/on) ['nɪbl], vt, vi, *grignoter*

nick [nɪk], vt, *entailler, pincer, choper, faucher*

nickname ['nɪkneɪm], vt, *surnommer*

niggle ['nɪgl], vt, *embêter, tracasser* ; vi, *couper les cheveux en quatre*

nip (pp) [nɪp], vt, vi, *pincer, faucher* ; vi, *aller en vitesse*

- nip **in**, vi, *entrer en coup de vent, faire un saut, se dépêcher d'entrer*
- nip **off**, vi, *s'esquiver, filer*
- nip **out**, vi, *sortir en vitesse*

nobble ['nɒbl], vt, *doper, soudoyer, filouter*

nod (dd) [nɒd], vi, *dodeliner/opiner de la tête*

- nod **off**, vi, *s'endormir*

nominate ['nɒmɪneɪt], vt, *désigner, présenter la candidature de*

nonplus (ss) [nɒn'plʌs], vt, *interloquer*

normalise (US **-ize**) ['nɔ:məlaɪz], vt, vi, *(se) normaliser*

nose [nəʊz], vt, *pousser du nez* ; vi, *avancer à l'aveuglette*

- nose **about**, vi, *fouiner*
- nose **out**, vt, *flairer, dépister* ; vi, *sortir prudemment*

nosh (es) [nɒʃ], vi, *bouffer (fam.)*

notarize ['nəʊtəraɪz], vt, *authentifier*

notch (es) [nɒtʃ], vt, *encocher, entailler*

- notch **up**, vt, *marquer [un point]*

note [nəʊt], vt, *noter, remarquer*

- note **down**, vt, *prendre note de*

notice ['nəʊtɪs], vt, vi, *remarquer*

notify (ie) ['nəʊtɪfaɪ], vt, *notifier*

nourish (es) ['nʌrɪʃ], vt, *nourrir*

nudge [nʌdʒ], vt, *pousser du coude*

nullify (ie) ['nʌlɪfaɪ], vt, *annuler*

numb [nʌm], vt, *engourdir*

number ['nʌmbə], vt, *numéroter, dénombrer, compter*

nurse [nɜ:s], vt, *soigner, allaiter, tenir dans ses bras, téter*

nurture ['nɜ:tʃə], vt, *nourrir, faire l'éducation de*

nuzzle up ▸ against ['nʌzl], vt, vi, *frotter son nez contre, se blottir contre*

O

obey [ə'beɪ], vt, vi, *obéir (à)*

object ▸ to [əb'dʒekt], vi, *faire objection à*

oblige [ə'blaɪdʒ], vt, *obliger, rendre service à* ; vi, *rendre service*

obliterate [ə'blɪtəreɪt], vt, *effacer, faire oublier, oblitérer*

obscure [əb'skjʊə], vt, *cacher, éclipser, obscurcir*

observe [əb'zɜ:v], vt, vi, *observer*

obsess (es) [əb'ses], vt, *obséder*

obstruct [əb'strʌkt], vt, *obstruer* ; vi, *faire obstruction*

obtain [əb'teɪn], vt, *obtenir*

obtrude [əb'tru:d], vt, *mettre en avant, imposer* ; vi, *s'imposer à l'attention*

obviate ['ɒbvɪeɪt], vt, *parer à, prévenir*

occasion [ə'keɪʒən], vt, *occasionner*

occlude [ə'klu:d], vt, *fermer, boucher*

occupy (ie) ['ɒkjʊpaɪ], vt, *occuper*

occur (rr) [ə'kɜ:], vi, *se produire, survenir, venir à l'esprit*

offend [ə'fend], vt, *offenser* ; vi, *choquer*

- offend ▸ **against**, vi, *enfreindre*

offer ['ɒfə], vt, vi, *(s')offrir*

officiate [ə'fɪʃɪəɪt], vi, *officier*

offset (tt) ['ɒfset], vt, *compenser*

ogle (▸ at) ['əʊgl], vt, *lorgner, faire de l'œil (à)*

oil [ɔɪl], vt, *huiler, lubrifier*

okay ['əʊ'keɪ], vt, *autoriser*

omen ['əʊmen], vt, *présager*

omit (tt) [əʊ'mɪt], vt, *omettre*

ooze [u:z], vt, vi, *suinter*

open ['əʊpn], vt, vi, *(s')ouvrir*

- open **out**, vt, vi, *(se) déployer, déplier, agrandir, développer*
- open **up**, vt, vi, *(s')ouvrir, ouvrir en grand, révéler*

operate ['ɒpəreɪt], vt, *actionner, manœuvrer* ; vi, *fonctionner*

- operate ▸ **on**, vt, *opérer qqn*

oppose [ə'pəʊz], vt, *s'opposer à, mettre en opposition*

oppress (es) [ə'pres], vt, *opprimer*

opt [ɒpt], vi, *opter*

- opt **in**, vi, *s'engager*
- opt **into**, vi, *choisir de participer à*
- opt **out**, vi, *se désengager*

orbit ['ɔ:bɪt], vt, vi, *décrire une orbite*

orchestrate ['ɔ:kɪstreɪt], vt, *orchestrer*

ordain [ɔ:'deɪn], vt, *décréter, ordonner prêtre*

order ['ɔ:də], vt, *ordonner, commander* ; vi, *commander [au restaurant]*

- order **about**, vt, *donner des ordres à*
- order **off**, vt, *expulser*
- order **out**, vt, *mettre à la porte*

organise (US **-ize**) ['ɔ:gənaɪz], vt, vi, *(s')organiser*

orientate ['ɔ:rɪənteɪt], vt, vi, *(s')orienter*

originate [ə'rɪdʒɪneɪt], vt, *être à l'origine de* ; vi, *provenir*

ornament ['ɔ:nəmənt], vt, *ornementer*

orphan ['ɔ:fən], vt, *rendre orphelin(e)*

oscillate ['ɒsɪleɪt], vt, vi, *(faire) osciller*

ossify (ie) ['ɒsɪfaɪ], vt, vi, *(s')ossifier*

ostracise (US **-ize**) ['ɒstrəsaɪz], vt, *mettre au ban de*

ought to [ɔ:t], *modal* (➜ **54, 67-68, 72**)

oust [aʊst], vt, *évincer*

out [aʊt], vt, *révéler la vérité sur*

outbid (dd), outbade/outbid, outbid/outbidden [aʊt'bɪd], vt, *surenchérir sur*

outclass (es) [aʊt'klɑ:s], vt, *surclasser*

outdistance [aʊt'dɪstəns], vt, *distancer*

outdo (es), outdid, outdone [aʊt'du:], vt, *surpasser, l'emporter sur*

outfit (tt) ['aʊtfɪt], vt, *équiper*

outfox (es) [aʊt'fɒks], vt, *se montrer plus rusé que*

outgrow, outgrew, outgrown [aʊt'grəʊ], vt, *devenir trop grand/âgé pour, devenir plus grand que*

outguess (es) [aʊt'ges], vt, *déjouer les intentions de*

outlast [aʊt'lɑ:st], vt, *survivre à*

outlaw ['aʊtlɔ:], vt, *mettre hors la loi, proscrire*

outline ['aʊtlaɪn], vt, *esquisser, silhouetter*

outmanoeuvre [aʊtmə'nu:və], vt, *déjouer*

outmatch (es) [aʊt'mætʃ], vt, *se montrer supérieur à*

outnumber [aʊt'nʌmbə], vt, *être plus nombreux que*

outpace [aʊt'peɪs], vt, *distancer, dépasser*

outplay [aʊt'pleɪ], vt, *jouer mieux que*

outrage ['aʊtreɪdʒ], vt, *outrager, indigner*

outrank [aʊt'ræŋk], vt, *prendre le pas sur*

outrival (GB ll) [aʊt'raɪvl], vt, *l'emporter sur*

outrun (nn), outran, outrun [aʊt'rʌn], vt, *dépasser, distancer*

outshine, outshone, outshone [aʊt'ʃaɪn], vt, *éclipser*

outsmart [aʊt'smɑ:t], vt, *être plus malin que*

outstay [aʊt'steɪ], vt, *rester plus longtemps que*

outstrip (pp) [aʊt'strɪp], vt, *devancer*

outvote [aʊt'vəʊt], vt, *mettre en minorité*

outwear, outwore, outworn [aʊt'weə], vt, *user jusqu'à la corde*

outweigh [aʊt'weɪ], vt, *peser plus que, être plus important que*

outwit (tt) [aʊt'wɪt], vt, *se montrer plus malin que*

overachieve [əʊvərə'tʃi:v], vt, *essayer de trop bien faire*

overact [əʊvə'rækt], vt, vi, *surjouer, en faire trop*

overbalance [əʊvə'bæləns], vt, vi, *(se) renverser*

overbook [əʊvə'bʊk], vt, vi, *surbooker*

overburden [əʊvə'bɜːdən], vt, *surcharger*

overcharge [əʊvə'tʃɑːdʒ], vt, vi, *faire payer trop cher (à)*

overcome, overcame, overcome [əʊvə'kʌm], vt, *venir à bout de, triompher de, surmonter*

overcrowd [əʊvə'kraʊd], vt, *surpeupler*

overdo (es), overdid, overdone [əʊvə'duː], vt, *forcer la note, exagérer*

overeat, overate, overeaten [əʊvə'riːt], vi, *trop manger*

overestimate [əʊvə'restɪmeɪt], vt, *surestimer*

overexcite [əʊvərek'saɪt], vt, *surexciter*

overexert [əʊvəreg'zɜːt], vt, *surmener*

overfeed, overfed, overfed [əʊvə'fiːd], vt, vi, *(se) suralimenter*

overflow, overflew, overflown [əʊvə'fləʊ], vt, vi, *déborder (de)*

overfly (ie) [əʊvə'flaɪ], vt, *survoler*

overhang, overhung, overhung [əʊvə'hæŋ], vt, vi, *surplomber*

overhaul [əʊvə'hɔːl], vt, *vérifier, remettre en état, réviser [une machine]*

overhear, overheard, overheard [əʊvə'hɪə], vt, vi, *surprendre [une conversation]*

overheat [əʊvə'hiːt], vt, vi, *surchauffer*

overindulge [əʊvərɪn'dʌldʒ], vt, *montrer trop d'indulgence à l'égard de* ; vi, *faire des excès*

overlap (pp) [əʊvə'læp], vt, vi, *recouvrir en partie, (se) chevaucher*

overlay, overlaid, overlaid [əʊvə'leɪ], vt, *recouvrir*

overlie (overlying), overlay, overlain [əʊvə'laɪ], vt, *recouvrir*

overload [əʊvə'ləʊd], vt, *surcharger*

overlook [əʊvə'lʊk], vt, *avoir vue sur, négliger, fermer les yeux sur*

overpay, overpaid, overpaid [əʊvə'peɪ], vt, *surpayer*

overpower [əʊvə'paʊə], vt, *maîtriser, s'emparer de*

overprice [əʊvə'praɪs], vt, *donner un prix excessif à*

overproduce [əʊvəprə'djuːs], vt, vi, *surproduire*

overrate [əʊvə'reɪt], vt, *surévaluer*

override, overrode, overridden [əʊvə'raɪd], vt, *outrepasser, avoir la priorité sur*

overrule [əʊvə'ruːl], vt, *annuler [une décision], décider contre l'avis de qqn*

overrun (nn), overran, overrun [əʊvə'rʌn], vt, vi, *envahir, dépasser [une limite]*

oversee, oversaw, overseen [əʊvə'siː], vt, *surveiller [du personnel]*

oversell, oversold, oversold ['əʊvəsel], vt, *surestimer, mettre trop en valeur*

overshadow [əʊvə'ʃædəʊ], vt, *couvrir de son ombre, éclipser*

overshoot, overshot, overshot [əʊvə'ʃuːt], vt, *dépasser [une cible]*

oversleep, overslept, overslept [əʊvə'sliːp], vi, *se réveiller en retard*

overspend, overspent, overspent [əʊvə'spend], vt, vi, *dépenser trop*

overstate [əʊvə'steɪt], vt, *exagérer, surestimer*

overstay [əʊvə'steɪ], vt, *rester plus longtemps qu'il ne faut*

oversteer [əʊvə'stɪə], vi, *survirer*

overstep (pp) [əʊvə'step], vt, *outrepasser*

overstock [əʊvə'stɒk], vt, *surstocker, encombrer [le marché]*

overtake, overtook, overtaken [əʊvə'teɪk], vt, *doubler, dépasser, s'abattre sur*

overtax (es) [əʊvə'tæks], vt, *surtaxer, mettre à trop rude épreuve*

overthrow, overthrew, overthrown [əʊvə'θrəʊ], vt, *renverser [le gouvernement, l'État], abattre, vaincre*

overtop (pp) [əʊvə'tɒp], vt, *dominer, l'emporter sur*

overturn [əʊvə'tɜːn], vt, vi, *(se) renverser, (faire) chavirer, (faire) capoter*

overvalue [əʊvə'væljuː], vt, *surévaluer*

overwhelm [əʊvə'welm], vt, *submerger, accabler, écraser*

overwork [əʊvə'wɜːk], vt, vi, *(se) surmener*

overwrite, overwrote, overwritten [əʊvə'raɪt], vt, *écraser [un fichier informatique]*

owe (▸▸ to) [əʊ], vt, *devoir qqch. (à)*

own [əʊn], vt, *posséder, avouer, reconnaître*

oxidise (US **-ize**) ['ɒksɪdaɪz], vt, vi, *(s')oxyder*

oxygenate ['ɒksɪdʒɪneɪt], vt, *oxygéner*

P

pace [peɪs], vt, *arpenter* ; vi, *faire les cent pas*

- pace **off/out**, vt, *mesurer au pas*

pacify (ie) ['pæsɪfaɪ], vt, *pacifier*

pack [pæk], vt, *empaqueter, entasser* ; vi, *faire ses bagages*

- pack **away**, vt, *ranger [pour longtemps]*
- pack **down**, vt, vi, *(se) tasser*
- pack **in**, vt, vi, *(s')entasser, faire rentrer, arrêter, laisser tomber*
- pack **off**, vt, *expédier/envoyer promener qqn (fam.)*
- pack **out**, vt, *remplir [une salle] à craquer*
- pack **up**, vt, vi, *faire ses valises*

package ['pækɪdʒ], vt, *conditionner, emballer*

pad (dd) [pæd], vt, *rembourrer* ; vi, *aller à pas feutrés*

- pad **out**, vt, *délayer, étoffer [un texte]*

paddle ['pædl], vt, vi, *pagayer*

padlock ['pædlɒk], vt, *cadenasser*

page [peɪdʒ], vt, *faire appeler*

pain [peɪn], vt, *faire souffrir, peiner*

paint [peɪnt], vt, vi, *peindre*

pair [peə], vt, vi, *faire la paire, (s')apparier, (s')assortir*

- pair **off**, vt, *mettre deux par deux, en couple*

pal up (▸ with) [pæl], vi, *devenir copain (avec)*

palaver [pə'lɑːvə], vi, *palabrer*

pale [peɪl], vi, *pâlir*

pall [pɔːl], vt, *blaser* ; vi, *s'affadir, devenir lassant*

palliate ['pælɪeɪt], vt, *pallier*

palpate ['pælpeɪt], vt, *palper*

palpitate ['pælpɪteɪt], vi, *palpiter*

pamper ['pæmpə], vt, *choyer, chouchouter*

pan (nn) [pæn], vt, vi, *[cinéma] faire un panoramique*

panel (GB ll) ['pænl], vt, *lambrisser, recouvrir de panneaux*

panhandle ['pænhændl], vi, *mendier*

panic ['pænɪk], vt, vi, *paniquer, (s')affoler*

pant [pænt], vt, vi, *haleter*

paper ['peɪpə], vt, *tapisser*

parachute ['pærəʃuːt], vt, *parachuter* ; vi, *sauter en parachute*

parade [pə'reɪd], vt, vi, *(faire) parader, (faire) défiler*

parallel ['pærəlel], vt, *mettre en parallèle, comparer*

paralyse ['pærəlaɪz], vt, *paralyser*

paraphrase ['pærəfreɪz], vt, *paraphraser*

parcel (GB ll) [pɑːsl], vt, *empaqueter*

- parcel **out**, vt, *répartir, lotir*
- parcel **up**, vt, *emballer*

parch (es) [pɑːtʃ], vt, *dessécher*

pardon ['pɑːdn], vt, *excuser, amnistier*

pare [peə], vt, *éplucher*

- pare **down**, vt, *alléger [les coûts]*

park [pɑːk], vt, vi, *(se) garer*

parley ['pɑːlɪ], vi, *parlementer*

parody (ie) ['pærədɪ], vt, *parodier*

parole [pə'rəʊl], vt, *accorder une libération conditionnelle*

parse [pɑːz], vt, *[grammaire, programmation] analyser*

part [pɑːt], vt, vi, *(se) diviser, (se) séparer*

partake ▸ in/of, partook, partaken [pɑː'teɪk], vi, *participer à*

participate (▸ in) [pɑː'tɪsɪpeɪt], vi, *participer (à)*

particularize [pə'tɪkjʊləraɪz], vt, *spécifier* ; vi, *entrer dans les détails*

partition [pɑː'tɪʃən], vt, *diviser*

- partition **off**, vt, *cloisonner*

partner ['pɑːtnə], vt, *être partenaire/associé(e)*

pass (es) [pɑ:s], vt, vi, *passer, dépasser*

• pass **away**, vt, *disparaître, mourir*

• pass **by**, vt, *épargner qqn* ; vi, *passer*

• pass **down**, vt, vi, *transmettre*

• pass **off**, vt, *passer, disparaître*

• pass **off ▸▸ as**, vt, *faire passer qqn/qqch. pour*

• pass **on**, vi, *mourir, continuer son chemin ; faire circuler*

• pass **out**, vt, *distribuer* ; vi, *s'évanouir, sortir*

• pass **over**, vt, *passer sous silence, [promotion] passer par-dessus qqn* ; vi, *mourir, finir*

• pass **up**, vt, *refuser, laisser passer [une occasion]*

paste [peɪst], vt, *coller, tabasser (fam.)*

pasteurize ['pæstəraɪz], vt, *pasteuriser*

pasture ['pɑ:stʃə], vt, vi, *(faire) paître*

pat (tt) [pæt], vt, *donner une petite tape, caresser, tapoter*

patch (es) [pætʃ], vt, *rapiécer*

• patch **up**, vt, *rafistoler*

patent ['peɪtənt, 'pætənt], vt, *breveter*

patrol (ll) [pə'trəʊl], vt, vi, *patrouiller*

patronize ['pætrənaɪz], vt, *patronner, subventionner, traiter avec condescendance, accorder sa clientèle à*

patter ['pætə], vi, *trottiner, [pluie] fouetter, marmotter, jaser*

pattern ['pætn], vt, *tracer des motifs sur, modeler sur*

pause [pɔ:z], vi, *faire une pause*

pave [peɪv], vt, *paver, carreler*

paw [pɔ:], vt, *donner des coups de patte, peloter (fam.)*

pawn [pɔ:n], vt, *mettre en gage*

pay, paid, paid [peɪ], vt, vi, *payer*

• pay **back**, vt, *rembourser, rendre la pareille à*

• pay ▸ **for**, vt, *payer qqch.*

• pay **in**, vt, *[banque] verser de l'argent*

• pay **off**, vt, *liquider, licencier, donner des pots de vin à* ; vi, *être rentable, porter ses fruits*

• pay **out**, vt, vi, *débourser*

• pay **up**, vt, vi, *payer intégralement*

peak [pi:k], vi, *passer par son apogée*

• peak **out**, vi, *atteindre un niveau record*

peal [pi:l], vt, vi, *carillonner*

pearl [pɜ:l], vi, *perler*

peck [pek], vt, *donner un coup de bec à, bécoter (fam.)*

peculate ['pekjʊleɪt], vt, vi, *détourner [des fonds]*

pedal (GB ll) ['pedl], vi, *pédaler*

peddle ['pedl], vt, vi, *colporter*

pee [pi:], vi, *pisser (fam.)*

peek [pi:k], vi, *regarder furtivement*

peel [pi:l], vt, vi, *peler, éplucher, (s')écailler*

• peel **off**, vt ; vi, *(se) décoller, (se) déshabiller*

peep [pi:p], vi, *jeter un coup d'œil furtif sur, se laisser entrevoir, pépier*

peer [pɪə], vi, *scruter du regard*

peeve [pi:v], vt, *agacer*

pelt [pelt], vt, *cribler* ; vi, *pleuvoir à verse, foncer*

pen (nn) [pen], vt, *rédiger*

penalize ['pi:nəlaɪz], vt, *infliger une peine à, pénaliser*

pencil (ll) ['pensl], vt, *marquer au crayon, crayonner*

• pencil **in**, vt, *inscrire provisoirement*

penetrate ['penɪtreɪt], vt, vi, *pénétrer*

pension ['penʃən], vt, *pensionner*

• pension **off**, vt, *mettre à la retraite*

people ['pi:pl], vt, *peupler*

pep (pp) **up**, vt, *revigorer*

pepper ['pepə], vt, *poivrer, cribler*

perambulate [pə'ræmbjʊleɪt], vt, *se promener dans*

perceive [pə'si:v], vt, *percevoir*

perch (es) [pɜ:tʃ], vt, vi, *(se) percher*

percolate ['pɜ:kəleɪt], vt, vi, *s'infiltrer (dans), faire du café*

perfect [pə'fekt], vt, *parfaire, perfectionner, mettre au point*

perforate ['pɜːfəreɪt], vt, *perforer*

perform [pə'fɔːm], vt, *[spectacle] jouer* ; vi, *[spectacle] tenir un rôle, fonctionner*

perfume [pə'fjuːm], vt, *parfumer*

perish (es) ['perɪʃ], vi, *périr* ; vt, *détériorer*

perjure ['pɜːdʒə], vt, *parjurer*

perk [pɜːk], vt, *faire le café* ; vi, *[café] passer*

- perk **up**, vt, vi, *(se) requinquer (fam.)*

permeate ['pɜːmɪeɪt], vt, *s'infiltrer dans, imprégner* ; vi, *s'infiltrer*

permit (tt) [pə'mɪt], vt, vi, *permettre*

permute [pə'mjuːt], vt, *permuter*

perorate ['perəreɪt], vi, *faire la péroraison, pérorer*

perpetrate ['pɜːpɪtreɪt], vt, *perpétrer*

perpetuate [pə'petjʊeɪt], vt, *perpétuer*

perplex (es) [pə'pleks], vt, *troubler, rendre perplexe*

persecute ['pɜːsɪkjuːt], vt, *persécuter*

persevere [pɜːsɪ'vɪə], vi, *persévérer*

persist [pə'sɪst], vi, *persister*

personalize ['pɜːsənəlaɪz], vt, *personnaliser*

personify (ie) [pɜː'sɒnɪfaɪ], vt, *personnifier*

perspire [pə'spaɪə], vi, *transpirer*

persuade [pə'sweɪd], vt, *persuader*

pertain ▸ to [pə'teɪn], vi, *appartenir, concerner, regarder*

perturb [pə'tɜːb], vt, *perturber*

peruse [pə'ruːz], vt, *lire attentivement*

pervade [pɜː'veɪd], vt, *se répandre dans*

pervert [pə'vɜːt], vt, *pervertir, détourner, altérer*

pester ['pestə], vt, *harceler*

pet (tt), vt, *chouchouter, câliner, peloter (fam.)*

peter out [piːtə], vi, *n'aboutir à rien*

petition [pɪ'tɪʃən], vt, *présenter une pétition à* ; vi, *faire signer une pétition*

petrify (ie) ['petrɪfaɪ], vt, vi, *(se) pétrifier*

phase [feɪz], vt, *faire progressivement, échelonner*

- phase **in**, vt, *mettre en place progressivement*
- phase **out**, vt, *éliminer progressivement*

philander [fɪ'lændə], vi, *courir le jupon*

philosophize [fɪ'lɒsəfaɪz], vi, *philosopher*

phone [fəʊn], vt, vi, *téléphoner (à)*

photograph ['fəʊtəgræf], vt, *photographier* ; vi, *être photogénique*

phrase [freɪz], vt, *exprimer*

pick [pɪk], vt, *sélectionner, cueillir, creuser* ; vi, *choisir*

- pick ▸ **at**, vi, *picorer*
- pick **on**, vi, *s'en prendre à, choisir*
- pick **out**, vt, *extirper, désigner, repérer*
- pick **over**, vt, *trier*
- pick **up**, vt, *ramasser, venir chercher* ; vi, *s'améliorer, se rétablir, reprendre*

picket ['pɪkɪt], vt, *former un piquet de grève, palissader*

picnic ['pɪknɪk], vi, *pique-niquer*

picture ['pɪktʃə], vt, *dépeindre, représenter*

piddle ['pɪdl], vi, *faire pipi (fam.)*

piece [piːs], vt, *rapiécer, joindre*

pierce [pɪəs], vt, vi, *percer, transpercer*

pigment ['pɪgmənt], vt, vi, *(se) pigmenter*

pile [paɪl], vt, vi, *(s')entasser*

- pile **in**, vt, vi, *(s')entasser quelque part*
- pile **on**, vt, *amonceler*
- pile **out**, vi, *sortir pêle-mêle*
- pile **up**, vt, vi, *(s')accumuler*

pilfer ['pɪlfə], vt, vi, *chaparder*

pillage ['pɪlɪdʒ], vt, vi, *piller*

pillory (ie) ['pɪlərɪ], vt, *mettre au pilori*

pilot ['paɪlət], vt, *piloter*

pin (nn) [pɪn], vt, *épingler, fixer*

- pin **down**, vt, *clouer au sol, mettre au pied du mur, coincer, identifier*
- pin **on**, vt, *épingler [une médaille], rejeter [la faute] sur*
- pin **up**, vt, *punaiser au mur*

pinch (es) [pɪntʃ], vt, *pincer, chiper, choper (fam.)*

pine [paɪn], vi, *languir*

pinion ['pɪnɪən], vt, *ligoter*

pioneer [paɪə'nɪə], vt, *être le pionner de* ; vi, *faire œuvre de pionnier*

pipe [paɪp], vt, *poser des canalisations dans* ; vi, *jouer de la cornemuse*

• pipe **down**, vi, *faire moins de bruit, se taire*

• pipe **up**, vi, *se faire entendre, claironner*

pique [pi:k], vt, *vexer*

pirate ['paɪrɪt], vt, *pirater*

pirouette [pɪrʊ'et], vi, *pirouetter*

piss (es) [pɪs], vt, vi, *pisser (fam.)*

• piss **about**, vi, *déconner, glander (fam.)*

• piss **off**, vi, *foutre le camp, faire chier (fam.)*

pit (tt) [pɪt], vt, *mettre aux prises avec*

pitch (es) [pɪtʃ], vt, *dresser, planter [une tente]* ; vi, *[baseball] lancer*

• pitch **in**, vi, *se mettre au travail, s'y mettre, payer son écot*

• pitch ▸ **into**, vi, *s'attaquer à, tomber la tête la première dans*

• pitch **on**, vi, *choisir*

pity (ie) ['pɪtɪ], vt, *avoir pitié de*

pivot ['pɪvət], vt, *monter sur pivot* ; vi, *pivoter*

placate [plə'keɪt], vt, *apaiser*

place [pleɪs], vt, *placer*

plagiarize ['pleɪdʒəraɪz], vt, vi, *plagier*

plague [pleɪg], vt, *harceler, empoisonner la vie de*

plan (nn) [plæn], vt, *projeter, planifier, tramer* ; vi, *faire des projets*

plane [pleɪn], vt, vi, *planer* ; vt, *raboter*

plant [plɑ:nt], vt, *planter*

plaster ['plɑ:stə], vt, *plâtrer*

plate [pleɪt], vt, *blinder, métalliser, plaquer*

platitudinize [plætɪ'tju:dɪnaɪz], vi, *débiter des platitudes*

play [pleɪ], vt, vi, *jouer*

• play **along**, vi, *coopérer* ; vt, *manipuler qqn*

• play **back**, vt, *(faire) repasser [un enregistrement]*

• play **down**, vt, *minimiser, dédramatiser*

• play **off** ▸▸ **against**, vt, *opposer qqn à qqn*

• play **up**, vt, *énerver, exploiter [un événement]* ; vi, *faire des siennes*

plead [pli:d], vt, vi, *plaider*

• plead ▸ **with**, vi, *intercéder auprès de*

please [pli:z], vt, *plaire à, faire plaisir à*

pledge [pledʒ], vt, *s'engager à, donner sa parole*

plod (dd) [plɒd], vi, *se traîner, marcher lourdement*

• plod **away**, vi, *trimer*

plonk [plɒŋk], vt, *poser lourdement*

• plonk **away**, vi, *pianoter*

• plonk **down**, vt, *flanquer, poser sans ménagement*

• plonk **out**, vt, *[guitare, piano] jouer maladroitement*

plop (pp) [plɒp], vi, *faire flac/plouf*

plot (tt) [plɒt], vt, vi, *comploter, conspirer, combiner*

plough, (US) **plow** [plaʊ], vt, vi, *labourer*

• plough **back**, vt, *réinvestir [des profits]*

• plough **in**, vt, *enfouir*

• plough **into**, vi, *foncer dans, [véhicule] venir s'encastrer dans*

• plough **on**, vi, *progresser péniblement*

• plough **through**, vi, *avancer péniblement*

• plough **up**, vt, *[terrain] défoncer, retourner*

pluck [plʌk], vt, *cueillir, arracher, plumer*

• pluck **up**, vt, *rassembler [son courage]*

plug (gg) [plʌg], vt, vi, *(se) boucher, (s')obturer*

• plug **away** ▸ **at**, vi, *s'acharner à*

• plug **in**, vt, vi, *brancher*

plummet ['plʌmɪt], vt, vi, *chuter, s'effondrer*

plump [plʌmp], vt, *tomber lourdement*

• plump **down**, vt, *poser brusquement* ; vi, *s'affaler*

• plump ▸ **for**, vt, *se décider pour*

• plump **up**, vt, *tapoter [un oreiller]* ; vi, *devenir dodu*

plunder ['plʌndə], vt, *mettre à sac, détourner [des fonds]*

plunge [plʌndʒ], vt, vi, *plonger*

plunk [plʌŋk], vt, *pincer les cordes [d'un instrument], laisser tomber lourdement*

- plunk **down**, vt, *déposer lourdement*

ply (ie) [plaɪ], vt, *manier vigoureusement, exercer* ; vi, *faire la navette*

poach (es) [pəʊtʃ], vt, vi, *braconner*

pocket ['pɒkɪt], vt, *empocher, encaisser*

point (▸ at) [pɔɪnt], vt, vi, *pointer (vers), braquer (sur), désigner*

- point **out**, vt, *signaler, faire remarquer*
- point **up**, vt, *mettre en évidence*

poise [pɔɪz], vt, *équilibrer*

poison ['pɔɪzən], vt, *empoisonner*

poke [pəʊk], vt, *pousser du bras, fourrer, attiser*

- poke ▸ **at**, vi, *enfoncer [le doigt/un bâton] dans*
- poke **about**, vi, *fouiner*
- poke **out**, vi, *dépasser, sortir*

polarize ['pəʊləraɪz], vt, vi, *(se) polariser*

police [pə'li:s], vt, *maintenir l'ordre dans*

polish (es) ['pɒlɪʃ], vt, *polir, astiquer*

- polish **off**, vt, *liquider, expédier*
- polish **up**, vt, *faire reluire*

poll [pəʊl], vt, *sonder, recueillir des voix* ; vi, *aller aux urnes*

pollinate ['pɒlɪneɪt], vt, *polliniser*

pollute [pə'lu:t], vt, *polluer*

pommel (GB ll) ['pɒml], vt, *rouer de coups, tabasser (fam.)*

ponder ['pɒndə], vt, *considérer, méditer (sur)* ; vi, *réfléchir (à), méditer*

pong [pɒŋ], vi, *puer*

pontificate [pɒn'tɪfɪkeɪt], vi, *pontifier*

pooh-pooh ['pu:'pu:], vt, *dédaigner, traiter de haut*

pool [pu:l], vt, *mettre en commun*

pop (pp) [pɒp], vt, vi, *crever, (faire) éclater, (faire) péter (fam.)*

- pop **in**, vi, *passer (qq part) en vitesse*
- pop **off**, vi, *filer, partir, claquer (fam.)*
- pop **out**, vi, *sortir rapidement*
- pop **up**, vi, *surgir*

popularize ['pɒpjʊləraɪz], vt, *populariser*

populate ['pɒpjʊleɪt], vt, *peupler*

pore ▸ over, vi, *se plonger dans la lecture de*

portend [pɔ:'tend], vt, *présager*

portion out ['pɔ:ʃən], vt, *répartir*

portray [pɔ:'treɪ], vt, *dépeindre*

pose [pəʊz], vt, *poser [un problème], émettre [une opinion]* ; vi, *[modèle] poser*

position [pə'zɪʃən], vt, *positionner*

possess (es) [pə'zes], vt, *posséder*

post [pəʊst], vt, *placarder, inscrire sur une liste*

postdate [pəʊst'deɪt], vt, *postdater*

postpone [pəʊst'pəʊn], vt, *remettre à plus tard, ajourner*

postulate ['pɒstjʊleɪt], vt, *postuler*

posture ['pɒstʃə], vi, *prendre une pose*

pot (tt) [pɒt], vt, *mettre en pot*

potter, (US) **putter (about)** ['pɒtə], vi, *faire des petits travaux, traînasser*

pounce [paʊns], vi, *bondir*

pound [paʊnd], vt, *broyer* ; vi, *[cœur] cogner*

- pound **along**, vi, *marcher d'un pas lourd*

pour [pɔ:], vt, vi, *verser*

pout [paʊt], vi, *faire la moue*

powder ['paʊdə], vt, *saupoudrer, réduire en poudre*

power ['paʊə], vt, *alimenter en énergie, propulser*

- power **down**, vt, *éteindre, arrêter [un appareil]*
- power **up**, vt, *allumer, mettre en marche*

pow-wow ['paʊwaʊ], vi, *palabrer*

practise (US **-ice**) ['præktɪs], vt, *pratiquer, mettre en pratique* ; vi, *s'exercer*

praise [preɪz], vt, *faire l'éloge de*

prate [preɪt], vi, *débiter des absurdités, jaser*

prattle ['prætl], vi, *babiller, bavarder*

pray [preɪ], vt, vi, *prier*

preach (es) [pri:tʃ], vt, vi, *prêcher*

prearrange [pri:ə'reɪndʒ], vt, *arranger à l'avance*

precede [prɪ'si:d], vt, *précéder*

precipitate [prɪ'sɪpɪteɪt], vt, vi, *(se) précipiter*

preclude [prɪ'klu:d], vt, *exclure d'avance*

preconceive [pri:kən'si:v], vt, *préconcevoir*

precondition [pri:kɒn'dɪʃən], vt, *conditionner qqn*

predate [pri:'deɪt], vt, *précéder, antidater*

predestine [pri:'destɪn], vt, *prédestiner*

predetermine [pri:dɪ'tɜ:mɪn], vt, *déterminer à l'avance*

predict [prɪ'dɪkt], vt, *prédire*

predispose [pri:dɪs'pəʊz], vt, *prédisposer*

predominate [prɪ'dɒmɪneɪt], vi, *prédominer*

pre-empt [prɪ'empt], vt, *devancer, préempter*

prefabricate [pri:'fæbrɪkeɪt], vt, *préfabriquer*

preface ['prefɪs], vt, *préluder à, préfacer*

prefer (rr) [prɪ'fɜ:], vt, *préférer*

prefigure [pri:'fɪgə], vt, *préfigurer*

prefix (es) ['pri:fɪks], vt, *préfixer*

preheat [pri:'hi:t], vt, *préchauffer*

prejudge [pri:'dʒʌdʒ], vt, *préjuger, condamner qqn d'avance*

prejudice (▸▸ against) ['predʒʊdɪs], vt, *prévenir/prédisposer qqn (contre)*

prelude ['prelju:d], vt, *précéder*

premeditate [pri:'medɪteɪt], vt, *préméditer*

premise [prɪ'maɪz], vt, *poser en principe/en prémisse*

preoccupy (ie) [pri:'ɒkjʊpaɪ], vt, *préoccuper*

preordain [pri:ɔ:'deɪn], vt, *régler d'avance, prédéterminer*

prepack [pri:'pæk], vt, *préemballer*

prepare [prɪ'peə], vt, vi, *(se) préparer*

prepay, prepaid, prepaid [pri:'peɪ], vt, *payer d'avance*

preponderate ▸ over [prɪ'pɒndəreɪt], vi, *être plus important que*

prepossess (es) [pri:pə'zes], vt, *préoccuper, influencer*

prerecord [pri:rɪ'kɔ:d], vt, *préenregistrer*

presage ['presɪdʒ, prɪ'seɪdʒ], vt, *présager*

prescribe [prɪ'skraɪb], vt, *prescrire*

present [prɪ'zent], vt, *présenter*

preserve [prɪ'zɜ:v], vt, *préserver, conserver*

preside [prɪ'zaɪd], vi, *présider*

press (es) [pres], vt, vi, *presser (sur), appuyer (sur)*

- press **down**, vt, *enfoncer* ; vi, *peser sur*
- press **on**, vi, *presser le pas, persévérer*
- press **out**, vt, *exprimer [un liquide] de*

pressure ['preʃə], vt, *exercer une pression sur, pressuriser*

pressurize ['preʃəraɪz], vt, *contraindre à, pressuriser*

presume [prɪ'zju:m], vt, *présumer* ; vi, *se montrer présomptueux*

presuppose [pri:sə'pəʊz], vt, *présupposer*

pretend [prɪ'tend], vt, *simuler, prétendre* ; vi, *faire semblant*

prettify (ie) ['prɪtɪfaɪ], vt, *enjoliver*

prevail [prɪ'veɪl], vi, *prévaloir, prédominer*

prevaricate [prɪ'værɪkeɪt], vi, *tergiverser*

prevent (▸ from) [prɪ'vent], vt, *empêcher (de)*

prey ▸ on [preɪ], vi, *s'attaquer à*

price [praɪs], vt, *mettre un prix à, évaluer*

- price **down/up**, vt, *baisser/augmenter le prix de*

prick [prɪk], vt, *piquer, faire une piqûre à* ; vi, *picoter*

prickle ['prɪkl], vt, *piquer* ; vi, *avoir des picotements*

pride oneself ▸ of [praɪd], vt, *être fier de*

primp [prɪmp], vt, vi, *se mettre sur son trente et un*

print [prɪnt], vt, vi, *imprimer*

prize [praɪz], vt, *évaluer, priser*

privilege ['prɪvɪlɪdʒ], vt, *privilégier*

probe [prəʊb], vt, vi, *sonder*

proceed [prə'si:d], vi, *continuer, agir, se poursuivre*

process (es) ['prəʊses], vt, *traiter, transformer*

proclaim [prə'kleɪm], vt, *proclamer*

procrastinate [prəʊ'kræstɪneɪt], vi, *remettre au lendemain*

procreate ['prəʊkrɪeɪt], vt, *procréer*

procure [prə'kjʊə], vt, *obtenir, procurer*

prod (dd) [prɒd], vt, *aiguillonner, pousser*

produce [prə'dju:s], vt, *produire, présenter, créer*

profane [prə'feɪn], vt, *profaner*

profess (es) [prə'fes], vt, *professer*

proffer ['prɒfə], vt, *tendre, présenter*

profile ['prəʊfaɪl], vt, *silhouetter, faire le portrait de, profiler*

profit ['prɒfɪt], vt, *profiter à*

• profit ▸ **by**, vi, *tirer profit de, bénéficier de*

profiteer [prɒfɪ'tɪə], vi, *faire des bénéfices excessifs*

prognosticate [prɒg'nɒstɪkeɪt], vt, *pronostiquer*

program (mm) ['prəʊgræm], vt, vi, *programmer*

progress (es) [prə'gres], vt, vi, *(faire) progresser, s'avancer*

prohibit [prə'hɪbɪt], vt, *interdire*

project [prə'dʒekt], vt, *projeter* ; vi, *faire saillie, dépasser*

proletarianize [prəʊlɪ'teərɪənaɪz], vt, *prolétariser*

proliferate [prə'lɪfəreɪt], vi, *proliférer*

prolong [prə'lɒŋ], vt, *prolonger*

promise ['prɒmɪs], vt, vi, *promettre*

promote [prə'məʊt], vt, *promouvoir*

prompt [prɒmpt], vt, *suggérer à qqn de faire qqch., souffler [une réponse]*

promulgate ['prɒməlgeɪt], vt, *promulguer, répandre [une opinion]*

pronounce [prə'naʊns], vt, vi, *(se) prononcer*

proof [pru:f], vt, *imperméabiliser, rendre résistant, tirer une épreuve de*

prop (pp) [prɒp], vt, *étayer*

• prop **up**, vt, *appuyer, soutenir*

propagate ['prɒpəgeɪt], vt, vi, *(se) propager*

propel (ll) [prə'pel], vt, *propulser*

prophesy (ie) ['prɒfɪsaɪ], vt, vi, *prophétiser*

propitiate [prə'pɪʃɪeɪt], vt, *apaiser*

proportion [prə'pɔ:ʃən], vt, vi, *proportionner, doser*

propose [prə'pəʊz], vt, vi, *proposer*

• propose **to**, vi, *demander en mariage*

proposition [prɒpə'zɪʃən], vt, *faire des avances à*

propound [prə'paʊnd, vt, *proposer [une théorie], exposer [un programme]*

prorogue [prəʊ'rəʊg], vt, *proroger*

proscribe [prəʊ'skraɪb], vt, *proscrire*

prosecute ['prɒsɪkju:t], vt, *poursuivre en justice*

proselytize ['prɒsɪlɪtaɪz], vt, *convertir* ; vi, *faire du prosélytisme*

prospect [prə'spekt], vt, vi, *prospecter*

prosper ['prɒspə], vt, vi, *prospérer*

prostitute ['prɒstɪtju:t], vt, *(se) prostituer*

prostrate ['prɒstreɪt], vt, *étendre à terre, (se) prosterner, accabler*

protect [prə'tekt], vt, *protéger*

protest [prə'test], vt, vi, *protester (contre)*

protract [prə'trækt], vt, *faire traîner en longueur*

protrude [prə'tru:d], vt, *pousser en avant* ; vi, *faire saillie, déborder*

prove [pru:v], vt, *prouver* ; vi, *s'avérer*

provide [prə'vaɪd], vt, *fournir*

• provide ▸ **against**, vi, *se prémunir contre, parer à*

• provide ▸ **for**, vi, *subvenir aux besoins de, parer à*

• provide ▸▸ **with**, vt, *fournir en*

provision [prə'vɪʒən], vt, *ravitailler*

provoke [prə'vəʊk], vt, *provoquer*

prowl [praʊl], vi, *rôder*

pry [praɪ], *fureter, fouiller*

prune [pru:n], vt, *élaguer*

psalmodize ['sɑ:mədaɪz], vi, *psalmodier*

psychoanalise (US **-ize**) [saɪkəʊ'ænəlaɪz], vt, *psychanalyser*

publicize ['pʌblɪsaɪz], vt, *faire de la publicité pour*

publish (es) ['pʌblɪʃ], vt, *publier*

puff [pʌf], vt, vi, *haleter, souffler, lancer des bouffées [de vapeur]*

puke [pju:k], vt, vi *dégueuler (fam.)*

pull [pʊl], vt, *traîner, tirer*

- pull **about**, vt, *tirailler, malmener*
- pull **ahead**, vi, *se détacher du peloton*
- pull **apart**, vt, *mettre en petits morceaux, séparer*
- pull **away**, vt, *arracher* ; vi, *démarrer, prendre de l'avance*
- pull **back**, vi, *hésiter à continuer, faire marche arrière*
- pull **down**, vt, *baisser, démolir*
- pull **in**, vi, *se garer, arriver en gare*
- pull **off**, vt, *détacher, décrocher [une récompense]*
- pull **out**, vt, *arracher* ; vi, *[véhicule] déboîter*
- pull **over**, vt, *faire tomber* ; vi, *[véhicule] se ranger*
- pull **round**, vt, *remettre qqn sur pied* ; vi, *se remettre*
- pull **through**, vt, *remettre qqn sur pied, tirer d'embarras* ; vi, *se tirer d'affaire, s'en tirer*
- pull **together**, vi, *être d'accord, s'entendre*
- pull **up**, vi, *relever, rembarrer* ; vi, *[véhicule] s'arrêter*

pullulate [ˈpʌljʊleɪt], vi, *pulluler*

pulsate [pʌlˈseɪt], vi, *palpiter*

pulse [pʌls], vi, *palpiter*

pulverize [ˈpʌlvəraɪz], vt, *pulvériser, broyer*

pummel (GB ll) [ˈpʌml], vt, *tabasser (fam.)*

pump [pʌmp], vt, vi, *pomper*

pun (nn) [pʌn], vi, *faire des jeux de mots*

punch (es) [pʌntʃ], vt, *donner des coups de poing à*

punctuate [ˈpʌŋktjʊeɪt], vt, *ponctuer*

puncture [ˈpʌŋktʃə], vt, vi, *[pneu] crever*

punish (es) [ˈpʌnɪʃ], vt, *punir*

purchase [ˈpɜːtʃɪs], vt, *acheter*

purge [pɜːdʒ], vt, *purger, épurer*

purify (ie) [ˈpjʊərɪfaɪ], vt, *purifier*

purloin [pɜːˈlɔɪn], vt, *dérober*

purport [pɜːˈpɔːt], vt, *prétendre, être présenté comme*

purr [pɜː], vi, *ronronner*

pursue [pəˈsjuː], vt, *poursuivre, donner suite à*

purvey [pəˈveɪ], vt, *fournir*

push (es) [pʊʃ], vt, vi, *pousser*

- push **ahead**, vi, *persévérer, progresser*
- push **along**, vi, *partir, y aller*
- push **around**, vt, *mener par le bout du nez*
- push **in**, vt, *enfoncer* ; vi, *s'introduire de force*
- push **off**, vt, *faire tomber* ; vi, *ficher le camp (fam.)*
- push **through**, vt, *faire accepter, mener à bien* ; vi, *se frayer un chemin*

put (tt), put, put [pʊt], vt, *mettre*

- *verbe à particule* (→ 154-156)

putrefy (ie) [ˈpjuːtrɪfaɪ], vt, vi, *pourrir*

putt [ˈpʌt], vt, vi, *[golf] putter*

puzzle [ˈpʌzl], vt, *rendre perplexe*

- puzzle **out**, vt, *résoudre*
- puzzle **over**, vi, *chercher à comprendre*

Q

quack [kwæk], vi, *cancaner*

quadrate [kwɒˈdreɪt], vt, *réduire au carré*

quadruple [ˈkwɒdrʊpl], vt, vi, *quadrupler*

quake [kweɪk], vi, *trembler*

qualify (ie) [ˈkwɒlɪfaɪ], vt, *rendre apte, qualifier* ; vi, *se qualifier, obtenir son diplôme*

quarantine [ˈkwɒrəntiːn], vt, *mettre en quarantaine*

quarrel (GB ll) [ˈkwɒrl], vi, *se disputer*

quash (es) [kwɒʃ], vt, *étouffer [un sentiment]*

quaver [ˈkweɪvə], vt, vi, *chevroter*

quell [kwel], vt, *réprimer [une révolte]*

quench (es) [kwentʃ], vt, *éteindre, réprimer [un désir]*

query (ie) [ˈkwiːərɪ], vt, *s'enquérir, mettre en doute*

question [ˈkwestʃən], vt, *questionner, mettre en doute, contester*

queue [kjuː], vi, *faire la queue*

quibble ['kwɪbl], vi, *ergoter, chipoter*

quicken ['kwɪkn], vt, vi, *(s')accélérer, (s')animer*

quieten ['kwaɪətn], vt, *apaiser*

• quieten **down**, vt, vi, *faire taire, apaiser, (se) taire, (se) calmer*

quintuple ['kwɪntjʊpl], vt, vi, *(se) quintupler*

quip (pp) [kwɪp], vt, vi, *déclarer malicieusement*

quit (tt), quit, (US) quitted, quit, (US) quitted [kwɪt], vt, *laisser tomber* ; vi, *démissionner*

quiver ['kwɪvə], vi, *trembler, frissonner, frémir*

quiz (zz) [kwɪz], vt, *questionner, interroger*

quote [kwəʊt], vt, *citer, coter* ; vi, *donner un prix, faire un devis*

R

race [reɪs], vt, *faire la course avec, transporter à toute vitesse* ; vi, *foncer, aller à toute vitesse*

rack [ræk], vt, *torturer, tenailler*

• rack **up**, vt, *accumuler [des gains]*

radiate ['reɪdɪeɪt], vt, vi, *rayonner*

radio ['reɪdɪəʊ], vt, vi, *envoyer/émettre par radio*

raffle ['ræfl], vt, *mettre en jeu dans une tombola*

rag (gg) [ræg], vt, *taquiner, asticoter*

rage [reɪdʒ], vi, *être furieux, faire rage*

raid [reɪd], vt, *braquer [une banque], faire un raid dans*

rail ▸ at [reɪl], vi, *s'en prendre à*

• rail **in**, vt, *clôturer*

• rail **off**, vt, *fermer par une clôture*

railroad ['reɪlrəʊd], vt, *faire pression sur, faire faire de force, transporter par chemin de fer*

rain [reɪn], *impersonnel*, vi, *pleuvoir* ; *faire pleuvoir [des coups...]*

rainproof ['reɪnpru:f], vt, *imperméabiliser*

raise [reɪz], vt, *lever, soulever, élever, augmenter, rehausser*

rake [reɪk], vt, *ratisser, détailler minutieusement, fouiller*

• rake **about**, vt, *fouiller*

• rake **in**, vt, *amasser [de l'argent]*

• rake **off**, vt, *empocher*

• rake **out**, vt, *dégoter (fam.)*

• rake **through**, vi, *fouiller dans*

• rake **up**, vt, *attiser, dénicher*

rally (ie) ['rælɪ], vt, vi, *(se) rallier, se ressaisir, se redresser*

ram (mm) [ræm], vt, *percuter, enfoncer*

ramble ['ræmbl], vi, *randonner, radoter*

• ramble **on**, vi, *discourir sans fin, déblatérer (fam.)*

ramify (ie) ['ræmɪfaɪ], vt, vi, *(se) ramifier*

rampage ['ræmpeɪdʒ], vi, *se déchaîner*

ranch (es) [rɑ:ntʃ], vt, *faire l'élevage de*

range [reɪndʒ], vt, *aligner, sillonner, classer* ; vi, *s'étendre*

rank [ræŋk], vt, vi, *(se) classer*

rankle ['ræŋkl], vi, *rester sur le cœur*

ransack ['rænsæk], vt, *mettre à sac*

ransom ['rænsəm], vt, *payer une rançon*

rant [rænt], vi, *faire une diatribe, fulminer*

rap (pp) [ræp], vt, vi, *taper, frapper [avec les doigts], rapper*

rape [reɪp], vt, *violer*

rarefy (ie) ['reərɪfaɪ], vt, vi, *(se) raréfier*

rasp [rɑ:sp], vt, vi, *dire/parler d'une voix rauque, émettre un son désagréable*

rat (tt) [ræt], vi, *moucharder (fam.)*

rate [reɪt], vt, *classer, considérer, mériter* ; vi, *se classer*

• rate ▸ **with**, vt, *avoir/gagner l'estime de*

ratify (ie) ['rætɪfaɪ], vt, *ratifier*

ration, (US) ['reɪʃən], vt, *rationner*

rationalise (US **-ize**) ['ræʃənəlaɪz], vt, *rationaliser, justifier* ; vi, *(se) raisonner*

rattle ['rætl], vt, *entrechoquer, faire vibrer, décontenancer* ; vi, *cliqueter*

• rattle **along**, vi, *brinquebaler*

• rattle **around**, vi, *se sentir perdu [dans un lieu]*

• rattle **away**, vi, *jacasser*

• rattle **down**, vi, *tomber avec fracas*

- rattle **off**, vt, *débiter [des paroles]*
- rattle **on**, vi, *ne pas arrêter de parler*
- rattle **through**, vt, *expédier [une tâche]*

ravage [ˈrævɪdʒ], vt, *ravager*

rave [reɪv], vi, *délirer*

ravish (es) [ˈrævɪʃ], vt, *enchanter, ravir*

raze ou **rase** [reɪz], vt, *raser [un édifice]*

razz (es) [ræz], vt, *taquiner, chahuter*

reach (es) [riːtʃ], vt, *atteindre* ; vi, *s'étendre*

- reach **across**, vi, *tendre le bras*
- reach **back**, vi, *remonter [dans le temps]*
- reach **out**, vi, *tendre la main/le bras*

react [rɪˈækt], vi, *réagir*

read read, read [riːd], vt, vi, *lire*

- read **in**, vt, *stocker [des données informatiques]*
- read **off**, vt, *énumérer*
- read **out**, vt, *lire entièrement, énumérer*
- read **over**, vt, *relire, parcourir*
- read **through**, vt, *examiner, lire en détail*
- read **up**, vt, *étudier [un sujet]*

readjust [riːəˈdʒʌst], vt, *réajuster*

ready (ie) [ˈredɪ], vt, vi, *(se) préparer*

realise (US **-ize**) [ˈrɪəlaɪz], vt, vi, *réaliser*

reanimate [riːˈænɪmeɪt], vt, *ranimer*

reap [riːp], vt, *moissonner*

reappear [riːəˈpɪə], vi, *réapparaître*

reapply (ie) [riːəˈplaɪ], vt, *réappliquer* ; vi, *renouveler une demande*

reappoint [riːəˈpɔɪnt], vt, *renommer [à un poste]*

rear [rɪə], vt, *élever, cultiver* ; vi, *se cabrer*

rearm [riːˈɑːm], vt, *réarmer*

rearrange [riːəˈreɪndʒ], vt, *réarranger*

reason [ˈriːzn], vt, *maintenir, déduire* ; vi, *raisonner*

reassemble [riːəˈsembəl], vt, *rassembler, réassembler* ; vi, *s'assembler de nouveau*

reassert [riːəˈsɜːt], vt, *réaffirmer*

reassess (es) [riːəˈses], vt, *reconsidérer, réévaluer*

reassign [riːəˈsaɪn], vt, *muter [du personnel]*

reassume [riːəˈsjuːm], vt, *assumer de nouveau [ses fonctions]*

reassure [riːəˈʃʊə], vt, *rassurer*

reawaken [riːəˈweɪkən], vt, vi, *(se) ranimer, (se) réveiller*

rebel (ll) [rɪˈbel], vi, *se rebeller*

reboot [riːˈbuːt], vt, vi, *(se) réinitialiser [un ordinateur]*

rebound [rɪˈbaʊnd], vi, *rebondir, se ressaisir*

rebuff [rɪˈbʌf], vt, *rabrouer*

rebuild, rebuilt, rebuilt [riːˈbɪld], vt, *reconstruire*

rebuke [rɪˈbjuːk], vt, *réprimander*

recall [rɪˈkɔːl], vt, vi, *(se) rappeler*

recant [rɪˈkænt], vt, vi, *(se) rétracter*

recap (pp) [ˈriːkæp], vt, vi, *récapituler*

recapitulate [riːkəˈpɪtjʊleɪt], vt, vi, *récapituler*

recapture [riːˈkæptʃə], vt, *reprendre, recréer, redécouvrir*

recast, recast, recast [riːˈkɑːst], vt, *remanier, donner un nouveau rôle à*

recede [rɪˈsiːd], vi, *se retirer, reculer, [valeurs financières] baisser*

receipt [rɪˈsiːt], vt, *acquitter [une facture]*

receive [rɪˈsiːv], vt, *recevoir*

recess (es) [rɪˈses], [ˈrɪses] (US), vt, *encastrer* ; vi, *suspendre [une séance]*

recharge [riːˈtʃɑːdʒ], vt, vi, *(se) recharger*

reciprocate [rɪˈsɪprəkeɪt], vt, *retourner* ; vi, *en faire autant, riposter*

recite [rɪˈsaɪt], vt, vi, *réciter*

reckon [ˈrekən], vt, *considérer, penser* ; vi, *compter*

reclaim [rɪˈkleɪm], vt, *défricher, mettre en valeur [une terre], réclamer, récupérer*

recline [rɪˈklaɪn], vt, *appuyer [la tête]* ; vi, *être allongé(e)*

recognize [ˈrekəgnaɪz], vt, *reconnaître*

recoil [ˈriːkɔɪl], vi, *reculer*

recollect [rekəˈlekt], vt, vi, *se rappeler*

recommend [rekəˈmend], vt, *recommander*

recompense ['rekəmpens], vt, *récompenser, dédommager*

reconcile ['rekənsaɪl], vt, *réconcilier*

recondition [ri:kən'dɪʃən], vt, *remettre à neuf*

reconsider [ri:kən'sɪdə], vt, *réexaminer, revenir sur [une décision]*

reconstitute [ri:'kɒnstɪtju:t], vt, *reconstituer*

reconstruct [ri:kən'strʌkt], vt, *reconstruire*

record [rɪ'kɔ:d], vt, *enregistrer, relater*

recount [rɪ'kaʊnt], vt, *relater*

recoup [rɪ'ku:p], vt, *récupérer [des fonds] ; se rattraper de ses pertes*

recover [rɪ'kʌvə], vt, *retrouver* ; vi, *guérir, se remettre, se ressaisir*

recreate [ri:krɪ'eɪt], vt, *recréer, reconstituer*

recruit [rɪ'kru:t], vt, vi, *recruter*

rectify (ie) ['rektɪfaɪ], vt, *rectifier*

recuperate [rɪ'ku:pəreɪt, rɪ'kju:pəreɪt], vt, vi, *récupérer*

recur (rr) [rɪ'kɜ:], vi, *réapparaître, se reproduire*

redden ['redn], vt, vi, *rougir*

redeem [rɪ'di:m], vt, *racheter, compenser*

redraft [ri:'drɑ:ft], vt, *remanier*

redress (es) [rɪ'dres], vt, *redresser, réparer [un tort]*

reduce [rɪ'dju:s], vt, vi, *réduire, diminuer*

reek [ri:k], vi, *puer*

reel [ri:l], vi, *tituber*

- reel **off**, vt, *débiter [des paroles]*

refer (rr) [rɪ'fɜ:], vt, *en référer* ; vi, *se référer, faire allusion*

referee [refə'ri:], vt, vi, *arbitrer*

refill [ri:'fɪl], vt, *remplir à nouveau, recharger*

refine [rɪ'faɪn], vt, *affiner, raffiner, perfectionner*

refit (tt) [ri:'fɪt], vt, *remettre en état, réaménager*

reflate [ri:'fleɪt], vt, vi, *relancer [l'économie]*

reflect [rɪ'flekt], vt, *refléter* ; vi, *réfléchir*

refloat [ri:'fləʊt], vt, *renflouer*

reforest [ri:'fɒrɪst], vt, *reboiser*

reform [rɪ'fɔ:m], vt, vi, *(se) réformer*

refract [rɪ'frækt], vt, *réfracter*

refrain [rɪ'freɪn], vi, *s'abstenir*

refresh (es) [rɪ'freʃ], vt, *rafraîchir*

refurbish (es) [ri:'fɜ:bɪʃ], vt, *remettre à neuf*

regain [rɪ'geɪn], vt, *récupérer*

regale [rɪ'geɪl], vt, *régaler*

regard [rɪ'gɑ:d], vt, *concerner, avoir de l'estime pour*

regenerate [rɪ'dʒenəreɪt], vt, vi, *(se) régénérer*

regiment ['redʒɪmənt], vt, *réglementer*

register ['redʒɪstə], vt, *inscrire, enregistrer* ; vi, *s'inscrire*

regrade [ri:'greɪd], vt, *reclasser (qqn)*

regress (es) [rɪ'gres], vi, *régresser*

regret (tt) [rɪ'gret], vt, *regretter*

regroup [ri:'gru:p], vt, vi, *(se) regrouper*

regularise (US **-ize**) ['regjʊləraɪz], vt, *régulariser*

regulate ['regjʊleɪt], vt, *régler, régulariser, réglementer*

rehash (es) ['ri:hæʃ], vt, *ressasser, remanier*

rehearse [rɪ'hɜ:s], vt, vi, *répéter [un rôle]*

reign [reɪn], vi, *régner*

reinstate [ri:ɪn'steɪt], vt, *rétablir, réintroduire*

reject [rɪ'dʒekt], vt, *rejeter*

rejoice (at/in) [rɪ'dʒɔɪs], vt, *se réjouir (de)*

rejoin [ri:'dʒɔɪn], vt, vi, *(se) rejoindre*

rejuvenate [rɪ'dʒu:vɪneɪt], vt, vi, *rajeunir*

rekindle [ri:'kɪndl], vt, vi, *(se) raviver, (se) rallumer*

relapse [rɪ'læps], vi, *rechuter*

relate [rɪ'leɪt], vt, *relater, mettre en relation, établir un rapport* ; vi, *avoir rapport*

relax (es) [rɪ'læks], vt, vi, *(se) relâcher, (se) détendre*

relay ['ri:leɪ], vt, *relayer*

release [rɪ'li:s], vt, *délivrer, libérer, relâcher, rendre public*

relegate ['relɪgeɪt], vt, *reléguer*

relent [rɪ'lent], vi, *fléchir [une attitude], se radoucir*

relieve [rɪ'liːv], vt, *soulager*

relinquish (es) [rɪ'lɪŋkwɪʃ], vt, *renoncer à, abandonner*

relish (es) ['relɪʃ], vt, *savourer*

relocate [rɪːləʊ'keɪt], vt, *réimplanter* ; vi, *déménager, se réimplanter*

rely (ie) ▶ **on** [rɪ'laɪ], vi, *compter sur*

remain [rɪ'meɪn], vi, *rester*

remark [rɪ'mɑːk], vt, *(faire) remarquer, observer* ; vi, *faire une remarque*

remedy (ie) ['remɪdɪ], vt, *remédier à*

remember [rɪ'membə], vt, vi, *se souvenir de, retenir*

remind (▶▶ of) [rɪ'maɪnd], vt, *rappeler qqch. à qqn*

reminisce [remɪ'nɪs], vi, *raconter ses souvenirs*

remit (tt) [rɪ'mɪt], vt, *remettre, absoudre, différer*

remodel (GB ll) [riː'mɒdl], vt, *remanier*

remonstrate ['remənstreɪt], vt, *protester*

• remonstrate ▶ **with**, vi, *faire des remontrances à*

remove [rɪ'muːv], vt, *enlever*

remunerate [rɪ'mjuːnəreɪt], vt, *rémunérer*

rename [riː'neɪm], vt, *renommer*

rend, rent, rent [rend], vt, *déchirer*

render ['rendə], vt, *rendre*

rendezvous (es) ['rɒndɪvuː], vi, *se rencontrer*

renege [rɪ'neɪg], vi, *revenir sur sa promesse*

renew [rɪ'njuː], vt, *renouveler*

renounce [rɪ'naʊns], vt, *renoncer à*

renovate ['renəveɪt], vt, *rénover*

rent [rent], vt, *louer*

repair [rɪ'peə], vt, *réparer*

repaper [riː'peɪpə], vt, *retapisser*

repatriate [riː'pætrɪeɪt], vt, *rapatrier*

repay, repaid, repaid [riː'peɪ], vt, *rembourser, rendre la pareille à*

repeal [rɪ'piːl], vt, *abroger*

repeat [rɪ'piːt], vt, vi, *répéter*

repel (GB ll) [rɪ'pel], vt, *repousser*

repent [rɪ'pent], vt, vi, *se repentir*

replace [rɪ'pleɪs], vt, *replacer, remplacer*

replenish (es) [riː'plenɪʃ], vt, *réapprovisionner*

replicate ['replɪkeɪt], vt, *copier*

reply (ie) [rɪ'plaɪ], vt, vi, *répondre, répliquer*

report [rɪ'pɔːt], vt, *faire un reportage sur, rapporter, annoncer* ; vi, *se présenter [devant qqn]*

repose [rɪ'pəʊz], vt, vi, *reposer*

represent [reprɪ'zent], vt, *représenter*

repress (es) [rɪ'pres], vt, *réprimer*

reprieve [rɪ'priːv], vt, *grâcier*

reprimand ['reprɪmɑːnd], vt, *réprimander, blâmer*

reproach (es) **(▶▶ for/with)** [rɪ'prəʊtʃ], vt, *reprocher qqch. à qqn*

reproduce [riːprə'djuːs], vt, vi, *(se) reproduire*

reprove [rɪ'pruːv], vt, *réprimander*

repudiate [rɪ'pjuːdɪeɪt], vt, *répudier, nier*

repulse [rɪ'pʌls], vt, *repousser, refouler*

request [rɪ'kwest], vt, *demander*

require [rɪ'kwaɪə], vt, *avoir besoin de*

requisition [rekwɪ'zɪʃən], vt, *réquisitionner*

rescind [rɪ'sɪnd], vt, *abroger, résilier*

rescue ['reskjuː], vt, *secourir*

research (es) [rɪ'sɜːtʃ], vt, vi, *faire des recherches (sur)*

resemble [rɪ'zembl], vt, *ressembler à*

resent [rɪ'zent], vt, *en vouloir à, ne pas aimer*

reserve [rɪ'zɜːv], vt, *réserver, mettre en réserve*

reset (tt), reset, reset [riː'set], vt, *remettre à zéro, réinitialiser*

reshuffle [riː'ʃʌfl], vt, *remanier*

reside [rɪ'zaɪd], vi, *résider*

resign [rɪ'zaɪn], vt, vi, *démissionner, se résigner*

resist [rɪ'zɪst], vt, vi, *résister*

resolve [rɪ'zɒlv], vt, vi, *(se) résoudre (à)*

resort ▶ **to** [rɪ'zɔːt], vi, *avoir recours à*

resound [rɪ'zaʊnd], vi, *résonner*

respect [rɪ'spekt], vt, *respecter*

respond (▶ to) [rɪ'spɒnd], vt, vi, *réagir, répondre (à)*

rest [rest], vt, vi, *(se) reposer, rester, appuyer*

restore [rɪ'stɔː], vt, *restaurer, rétablir, rendre*

restrain [rɪ'streɪn], vt, *refréner, retenir*

restrict [rɪ'strɪkt], vt, *restreindre*

result [rɪ'zʌlt], vi, *résulter*

resume [rɪ'zjuːm], vt, vi, *continuer, reprendre*

resurrect [rezə'rekt], vt, *ressusciter*

resuscitate [rɪ'sʌsɪteɪt], v, vt, *ranimer, ressusciter*

retail ['riːteɪl], vt, vi, *(se) vendre au détail*

retain, [rɪ'teɪn], vt, *conserver, retenir*

retaliate [rɪ'tælɪeɪt], vi, *riposter*

retard [rɪ'tɑːd], vt, *retarder la croissance/le développement de*

retch (es) [retʃ], vi, *avoir des haut-le-cœur*

retire [rɪ'taɪə], vt, *prendre sa retraite* ; vi, *mettre à la retraite*

retort [rɪ'tɔːt], vt, vi, *répliquer*

retouch (es) [riː'tʌtʃ], vt, *retoucher*

retrace [rɪ'treɪs], vt, *reconstituer [le passé]*

retract [rɪ'trækt], vt, vi, *(se) rétracter*

retrain [riː'treɪn], vt, vi, *[métier] (se) recycler*

retreat [rɪ'triːt], vi, *battre en retraite, reculer*

retrench (es) [rɪ'trentʃ], vt, *restreindre [des dépenses]*

retrieve [rɪ'triːv], vt, *récupérer, retrouver, rapporter*

retrogress (es) [retrə'gres], vi, *rétrograder*

return [rɪ'tɜːn], vt, *restituer, rendre* ; vi, *revenir*

reunite [riːjʊ'naɪt], vt, vi, *(se) réunifier, (se) réunir*

rev (vv) [rev], vt, vi, *[moteur] (faire) s'emballer*

revalue [riː'væljuː], vt, *revaloriser, réévaluer*

reveal [rɪ'viːl], vt, *révéler*

revel (GB ll) (▸ **in**) ['revl], vi, *se réjouir, se délecter (de)*

revenge [rɪ'vendʒ], vt, *venger*

revere [rɪ'vɪə], vt, *révérer*

reverse [rɪ'vɜːs], vt, *inverser* ; vi, *faire marche arrière*

revert ▸ to [rɪ'vɜːt], vi, *revenir à*

review [rɪ'vjuː], vt, *réviser, passer en revue, faire la critique de*

revile [rɪ'vaɪl], vt, *injurier*

revise [rɪ'vaɪz], vt, *réviser*

revitalize [rɪ'vaɪtəlaɪz], vt, *revitaliser*

revive [rɪ'vaɪv], vt, *ranimer, raviver* ; vi, *reprendre, reprendre connaissance*

revoke [rɪ'vəʊk], vt, *révoquer, rétracter*

revolt [rɪ'vəʊlt], vt, vi, *(se) révolter*

revolutionize [revə'luːʃənaɪz], vt, *révolutionner*

revolve [rɪ'vɒlv], vt, vi, *(faire) tourner*

reward [rɪ'wɔːd], vt, *récompenser*

rewind, rewound, rewound [riː'waɪnd], vt, *rembobiner, remonter*

reword [riː'wɜːd], vt, *reformuler*

rhapsodize (▸ **over**) ['ræpsədaɪz], vi, *s'extasier (sur)*

rhyme [raɪm], vt, *mettre en vers* ; vi, *rimer*

rib (bb) [rɪb], vt, *taquiner*

ricochet (tt) ['rɪkəʃeɪ], vi, *ricocher*

rid (dd), rid/ridded, rid [rɪd], vt, *débarrasser*

ride, rode, ridden [raɪd], vt, vi, *chevaucher*

ridicule ['rɪdɪkjuːl], vt, *ridiculiser*

riffle ['rɪfl], vt, *feuilleter*

rifle ['raɪfl], vt, *piller*

rig (gg) [rɪg], vt, *gréer, truquer*

right [raɪt], vt, *redresser, rectifier*

rile [raɪl], vt, *agacer, énerver*

ring, rang, rung [rɪŋ], vt, *faire sonner, appeler au téléphone* ; vi, *sonner, retentir*

- ring **back**, vi, *rappeler au téléphone*
- ring **off**, vi, *raccrocher*
- ring **up**, vt, vi, *téléphoner*

ring [rɪŋ], vt, *baguer, encercler*

rinse [rɪns], vt, *rincer*

riot ['raɪət], vi, *faire une émeute*

rip (pp) [rɪp], vt, vi, *(se) déchirer*

- rip ▸ **into**, vt, *attaquer*
- rip **off**, vt, *arracher, arnaquer*

ripen ['raɪpn], vt, vi, *(faire) mûrir*

ripple [rɪpl], vt, vi, (se) rider

rise, rose, risen [raɪz], vi, se lever

risk [rɪsk], vt, risquer, hasarder

rival (GB ll) ['raɪvl], vt, rivaliser avec, égaler

rive, rived, riven [raɪv], vt, *fendre*

roam [rəʊm], vt, sillonner ; vi, errer

roar [rɔː], vt, vi, hurler, rugir, vociférer

roast [rəʊst], vt, vi, (faire) rôtir

rob (bb) [rɒb], vt, voler (qqch. ou qqn), dévaliser

rock [rɒk], vt, bercer, balancer, secouer ; vi, se balancer

rocket ['rɒkɪt], vi, monter en flèche

roll [rəʊl], vt, vi, rouler

- roll **along**, vi, se pointer *(fam.)*
- roll **in**, vi, déferler, rappliquer
- roll **on**, vi, [temps] s'écouler
- roll **up**, vt, enrouler ; vi, s'enrouler, se pointer

rollick ['rɒlɪk], vi, *faire la noce*

romanticize [rə'mæntɪsaɪz], vt, romancer ; vi, sentimentaliser

romp [rɒmp], vi, gambader, s'ébattre

roof [ruːf], vt, couvrir [d'un toit]

rook [rʊk], vt, arnaquer

roost [ruːst], vi, se percher

root [ruːt], vt, vi, (s')enraciner

- root **about**, vi, *fouiller*
- root **out**, vt, déraciner, dénicher

rot (tt) [rɒt], vt, vi, (faire) pourrir

rotate [rəʊ'teɪt], vt, vi, (faire) tourner, (faire) alterner

rouge [ruːʒ], vt, (se) farder

round [raʊnd], vt, arrondir, contourner

- round **off**, vt, terminer
- round **up**, vt, rassembler

rouse [raʊz], vt, réveiller, activer, susciter

rout [raʊt], vt, mettre en fuite

route [ruːt], vt, router, acheminer

rove [rəʊv], vt, sillonner ; vi, vagabonder

row [rəʊ], vi, se disputer

rub (bb) [rʌb], vt, vi, *frotter*

- rub **along**, vi, se débrouiller
- rub **out**, vt, gommer

ruck [rʌk], vt, vi, [tissu] (se) froisser

ruffle ['rʌfl], vt, rider, agiter [un liquide], ébouriffer, irriter ; vi, s'ébouriffer, se rider

ruin ['ruːɪn], vt, abîmer, ruiner, gâcher

rule [ruːl], vt, gouverner, décider ; vi, régner, statuer

rumble ['rʌmbl], vi, gronder, vrombir ; vi, flairer, subodorer

ruminate ['ruːmɪneɪt], vt, vi, ruminer

rummage about/▸ in ['rʌmɪdʒ], vt, vi, fouiller, fourrager

rumple ['rʌmpl], vt, chiffonner

run (nn), ran, run [rʌn], vt, courir, faire fonctionner, diriger ; vi, courir, fonctionner, s'étendre

- *verbe à particule* (→ **142-144**)

rupture ['rʌptʃə], vt, vi, (se) rompre

rush (es) [rʌʃ], vt, précipiter, bousculer, bâcler ; vi, se précipiter

rust [rʌst], vt, vi, (se) rouiller

rustle ['rʌsl], vt, vi, (faire) bruire, (faire) froufrouter

S

sabotage ['sæbətɑːʒ], vt, saboter

sack [sæk], vt, virer, mettre à la porte, saccager

sacrifice ['sækrɪfaɪs], vt, sacrifier

sadden ['sædn], vt, vi, (s')attrister

saddle ['sædl], vt, seller

safeguard ['seɪfgɑːd], vt, protéger, sauvegarder

sag (gg) [sæg], vi, s'affaisser, se relâcher

sail [seɪl], vt, piloter [un navire] ; vi, naviguer

salivate ['sælɪveɪt], vi, saliver

salt [sɔːlt], vt, saler

- salt ▸ **away**, vt, mettre de côté [de l'argent]

salute [sə'luːt], vt, saluer

salvage ['sælvɪdʒ], vt, *sauver, récupérer*

salve [sælv], vt, *apaiser*

sample ['sɑːmpl], vt, *prélever des échantillons de, goûter*

sanctify (ie) ['sæŋktɪfaɪ], vt, *sanctifier, consacrer*

sanction ['sæŋkʃən], vt, *sanctionner*

sand [sænd], vt, *sabler, frotter au papier de verre*

sandbag (gg) ['sændbæg], vt, *protéger avec des sacs de sable*

sandwich (es) ['sændwɪtʃ], vt, *intercaler, coincer*

sanitize ['sænɪtaɪz], vt, *stériliser*

sate [seɪt], vt, *rassasier*

satiate ['seɪʃɪeɪt], vt, *rassasier*

satirize ['sætɪraɪz], vt, *faire la satire de*

satisfy (ie) ['sætɪsfaɪ], vt, *satisfaire*

saturate ['sætʃəreɪt], vt, *saturer*

saunter ['sɔːntə], vi, *flâner*

save [seɪv], vt, *sauver, économiser, épargner, sauvegarder* ; vi, *épargner son argent*

savour (US **-or**) ['seɪvə], vt, *savourer*

savvy (ie) ['sævɪ], vt, *piger (fam.)*

saw, sawed, sawn/sawed [sɔː], vt, *scier*

say, said, said [seɪ], vt, vi, *dire*

scald [skɔːld], vt, *ébouillanter, escalader*

scale [skeɪl], vt, *écailler*

scale [skeɪl], vt, *escalader*

- scale **down**, vt, *réduire*
- scale **up**, vt, *augmenter*

scamp [skæmp], vt, *bâcler*

scamper ['skæmpə], vi, *courir d'une manière folâtre*

- scamper **away**, vi, *décamper*

scan (nn) [skæn], vt, *scander, scruter, passer au scanner*

scandalize ['skændəlaɪz], vt, *scandaliser*

scar (rr) [skɑː], vt, *balafrer, marquer d'une cicatrice*

scare ['skeə], vt, vi, *(s')effrayer*

- scare **away**, vt, *effaroucher*

scarper ['skɑːpə], vi, *déguerpir*

scatter ['skætə], vt, vi, *(se) disperser, (s')éparpiller*

scavenge ['skævɪndʒ], vi, *faire les poubelles*

scent [sent], vt, *flairer, parfumer*

schedule ['ʃedjuːl], (US) ['skedjuːl], vt, *programmer, planifier*

scheme [skiːm], vt, vi, *intriguer, comploter*

school [skuːl], vt, *instruire, discipliner, éduquer*

scintillate ['sɪntɪleɪt], vi, *scintiller*

scoff (▸ **at**) [skɒf], vi, *se moquer (de)*

scold [skəʊld], vt, vi, *gronder, réprimander*

scoop [skuːp], vt, *écoper, évider, faire un scoop*

scoot (away) [skuːt], vi, *détaler, déguerpir*

scorch (es) [skɔːtʃ], vt, vi, *brûler, rôtir, (se) dessécher*

- scorch **along**, vi, *filer comme un boulet de canon*

score [skɔː], vt, *marquer [un but, des points], entailler, orchestrer* ; vi, *marquer*

- score **off**, vi, *river son clou à qqn (fam.)*

scorn [skɔːn], vt, *mépriser*

scotch (es) [skɒtʃ], vt, *faire échouer*

scour ['skaʊə], vt, *parcourir, écumer, passer au peigne fin, récurer*

scourge [skɜːdʒ], vt, *opprimer*

scout [skaʊt], vi, *aller en reconnaissance*

scowl [skaʊl], vi, *se renfrogner*

scrabble ['skræbl], vi, *faire des pieds et des mains*

- scrabble **about**, vi, *farfouiller (fam.)*

scram (mm) [skræm], vi, *décamper (fam.)*

scramble ['skræmbl], vi, *se déplacer péniblement/à quatre pattes* ; vi, *brouiller [des œufs, des ondes]*

scrap (pp) [skræp], vt, *mettre au rebut*

scrape [skreɪp], vt, *érafler, gratter, racler* ; vi, *grincer, gratter*

- scrape **along/off**, vi, *s'en tirer péniblement*

scratch (es) [skrætʃ], vt, *griffer, érafler, rayer, gratter* ; vi, *(se) gratter, grincer*

- scratch **about** ▸ **for**, vi, *chercher à dénicher*

scrawl [skrɔːl], vt, vi, *griffonner, gribouiller*

scream [skriːm], vt, vi, *crier, hurler*

screech (es) [skriːtʃ], vt, vi, *pousser des cris aigus, grincer*

screen [skriːn], vt, *cacher, masquer, passer au crible, sélectionner*

screw [skruː], vt, vi, *(se) visser*

scribble ['skrɪbl], vt, vi, *gribouiller*

scroll [skrəʊl], vt, vi, *(faire) défiler [sur un écran]*

scrounge [skraʊndʒ], vt, vi, *chaparder*

scrub (bb) [skrʌb], vt, *récurer*

scrunch (es) [skrʌntʃ], vt, *croquer* ; vi, *crisser, grincer*

scrutinize ['skruːtɪnaɪz], vt, *examiner à fond* ; *vérifier*

scud (dd) [skʌd], vi, *filer à toute vitesse*

scuffle ['skʌfl], vi, *se bousculer, se bagarrer*

sculpt [skʌlpt], vt, vi, *sculpter*

sculpture ['skʌlptʃə], vt, vi, *sculpter*

scurry (ie) ['skʌrɪ], vi, *détaler*

scuttle ['skʌtl], vi, *détaler*

seal [siːl], vt, *sceller*

search (es) [sɜːtʃ], vt, *fouiller* ; vi, *faire des recherches*

season ['siːzn], vt, *assaisonner*

seat [siːt], vt, *(faire) asseoir*

secede [sɪ'siːd], vi, *faire sécession*

second ['sekənd], vt, *seconder*

secrete [sɪ'kriːt], vt, *sécréter, cacher*

section ['sekʃən], vt, *sectionner*

secularize ['sekjʊləraɪz], vt, *séculariser, laïciser*

secure [sɪ'kjʊə], vt, *mettre en lieu sûr, fixer, arrimer, se procurer*

sedate [sɪ'deɪt], vt, *donner un sédatif à*

seduce [sɪ'djuːs], vt, *séduire*

see, saw, seen [siː], vt, vi, *voir, comprendre*

- see ▸ **about**, vt, *s'occuper de*
- see ▸▸ **across**, vt, *aider qqn à traverser*
- see ▸▸ **in**, vt, *faire entrer*
- see **off**, vt, *dire au revoir à*
- see **round**, vt, *visiter*
- see ▸ **through**, vt, *percer à jour, voir à travers*
- see ▸▸ **through**, vt, *mener qqch. à son terme*
- see ▸ **to**, vt, *s'occuper de*

seek, sought, sought [siːk], vt, *chercher*

seem [siːm], vi, *paraître*

seep [siːp], vi, *suinter*

seethe [siːð], vi, *bouillonner*

segment ['segmənt], vt, vi, *(se) segmenter*

segregate ['segrɪgeɪt], vt, *mettre à part, soumettre à la ségrégation* ; vi, *se diviser*

seize [siːz], vt, *saisir, prendre*

select [sɪ'lekt], vt, *sélectionner*

sell, sold, sold [sel], vt, vi, *vendre*

- sell **off**, vt, *solder, liquider*
- sell **out**, vt, *vendre tout son stock de*
- sell **up**, vi, *vendre son fonds*

send, sent, sent [send], vt, vi, *envoyer, transmettre*

- send **away**, vt *congédier*
- send ▸ **for**, vi, *envoyer qqn chercher qqch./qqn, faire venir*
- send **in**, vt, *livrer, remettre*
- send **off**, vt, *expédier*
- send **on**, vt, *faire suivre [un courrier], transmettre*
- send **out**, vt, *mettre à la porte, expédier, émettre*

sense [sens], vt, *pressentir, comprendre*

sensitize ['sensɪtaɪz], vt, *sensibiliser*

sentence ['sentəns], vt, *condamner*

sentimentalize [sentɪ'mentəlaɪz], vt, vi, *faire/apporter du sentiment*

separate ['sepəreɪt], vt, vi, *(se) séparer*

sequester [sɪ'kwestə], vt, *confisquer*

sequestrate [sɪ'kwestreɪt], vt, *confisquer*

serenade [serə'neɪd], vt, *donner une sérénade (à)*

serialize ['sɪərɪəlaɪz], vt, *adapter en feuilleton*

sermonize ['sɜːmənaɪz], vt, vi, *sermonner*

serve [sɜːv], vt, vi, *servir*

service ['sɜːvɪs], vt, *réviser [un véhicule]*

set (tt), set, set [set], vt, *poser, mettre, régler*

- *verbe à particule* (➜ 157-159)

settle ['set'ə'l], vt, vi, *(s')installer, (se) mettre en place, (se) fixer, (s')apaiser*

- settle **down**, vi, *s'installer, s'arranger*
- settle ▸ **for**, vi, *accepter*
- settle **in**, vi, *s'établir*
- settle ▸ **on**, vi, *décider de*
- settle **up**, vi, *payer [une facture]*
- settle ▸ **with**, vi, *régler une somme à qqn*

sever ['sevə], vt, *sectionner*

sew, sewed, sewn/sewed [səʊ], vt, vi, *coudre*

shade [ʃeɪd], vt, *abriter du soleil, obscurcir* ; vi, *[couleur] se fondre*

shadow ['ʃædəʊ], vt, *ombrager, prendre en filature*

shake, shook, shaken [ʃeɪk], vt, *secouer* ; vi, *trembler*

shall, *aux., modal* (➜ 52, 72)

sham (mm) [ʃæm], vt, *feindre* ; vi, *faire semblant*

shame [ʃeɪm], vt, *faire honte à*

shampoo [ʃæm'puː], vt, *faire un shampooing à*

shape [ʃeɪp], vt, *façonner, former* ; vi, *se développer*

- shape **up**, vi, *prendre tournure*

share [ʃeə], vt, vi, *partager*

- share **out**, vt, *répartir*

sharpen ['ʃɑːpn], vt, vi, *(s')aiguiser*

shatter ['ʃætə], vt, vi, *(faire) voler en éclats*

shave [ʃeɪv], vt, vi, *(se) raser*

shear, sheared, shorn/sheared [ʃɪə], vt, *tondre* ; vi, *se fendre*

shed (dd), shed, shed [ʃed], vt, *perdre [ses feuilles/poils...], déverser, répandre*

shell [ʃel], vt, *décortiquer, bombarder*

- shell **out**, vt, vi, *casquer, raquer (fam.)*

shelter ['ʃeltə], vt, vi, *(s')abriter*

shepherd ['ʃepəd], vt, *garder [des animaux], conduire [un groupe]*

shield (▸▸ **from**) [ʃiːld], vt, *protéger qqch./qqn contre*

shift [ʃɪft], vt, vi, *changer de place*

shimmer ['ʃɪmə], vi, *miroiter*

shine, shone, shone [ʃaɪn], vt, *astiquer* ; vi, *briller*

ship (pp) [ʃɪp], vt, *embarquer, expédier [des marchandises]* ; vi, *s'embarquer*

shirk [ʃɜːk], vt, *se dérober à* ; vi, *tirer au flanc*

shiver ['ʃɪvə], vt, *frissonner*

shock [ʃɒk], vt, *scandaliser*

shoe, shod, shod [ʃuː], vt, *chausser*

shoot, shot, shot [ʃuːt], vt, *atteindre d'un coup de feu, filmer* ; vi, *se précipiter, [arme] tirer*

- shoot **down**, vt, *[arme à feu] abattre*
- shoot **off**, vt, *[arme à feu] faucher* ; vi, *partir comme une flèche*
- shoot **out**, vi, *jaillir*
- shoot **up**, vt, *mitrailler* ; vi, *monter en flèche*

shop (pp) [ʃɒp], vi, *faire ses courses*

shorten ['ʃɔːtn], vt, vi, *raccourcir*

should, *aux., modal* (➜ 52, 72)

shoulder ['ʃəʊldə], vt, *endosser, mettre sur les épaules, pousser de l'épaule*

shout, ʃaʊt], vt, vi, *crier*

- shout **down**, vt, *huer*

shove [ʃʌv], vt, *pousser*

- shove **around**, vt, *bousculer*

shovel (ll) ['ʃʌvl], vt, *pelleter*

- shovel **away**, vt, *déblayer*

show, showed, shown/showed [ʃəʊ], vt, vi, *(se) montrer*

- show **in**, vt, *faire entrer (qqn)*
- show **off**, vt, *faire étalage de* ; vi, *frimer (fam.)*
- show **out**, vt, *accompagner à la porte*
- show **up**, vt, *révéler, démasquer, humilier* ; vi, *ressortir [sur un fond], se pointer (fam.)*

shower ['ʃaʊə], vt, *doucher, arroser* ; vi, *se doucher*

shred (dd) [ʃred], vt, *déchiqueter*

shriek ['ʃri:k], vt, *pousser un cri aigu*

shrink, shrank, shrunk, [ʃrɪŋk], vt, vi, *(se) rétrécir*

• shrink **back**, vi, *avoir un mouvement de recul*

shroud [ʃraʊd], vt, *ensevelir*

shrug (gg) [ʃrʌg], vt, vi, *hausser les épaules*

shuffle ['ʃʌfl], vt, *battre [les cartes]* ; vi, *traîner les pieds*

shun (nn) [ʃʌn], vt, *éviter, fuir*

shunt [ʃʌnt], vt, *aiguiller, shunter* ; vi, *se garer (train)*

shush (es) [ʃʌʃ], vt, *faire taire*

shut (tt) [ʃʌt], vt, vi, *fermer*

• shut **down**, vt, *fermer* ; vt, *[usine, lieu public] fermer ses portes, fermer définitivement*

• shut **in**, vt, *enfermer*

• shut **off**, vt, *interrompre, arrêter, couper, isoler*

• shut **out**, vt, *exclure*

• shut **up**, vt, *enfermer, obstruer, faire taire* ; vi, *se taire*

shuttle ['ʃʌtl], vt, vi, *faire (faire) la navette*

sicken ['sɪkn], vt, vi, *rendre malade, écœurer* ; vi, *tomber malade*

side ▸ with [saɪd], vi, *prendre parti pour*

sieve [sɪv], vt, *tamiser*

sift [sɪft], vt, *tamiser* ; vi, *filtrer*

sigh [saɪ], vi, *soupirer*

sight [saɪt], vt, *apercevoir*

sign [saɪn], vt, vi, *signer, faire signe*

• sign **away**, vt, *renoncer officiellement à*

• sign ▸ **for**, vi, *accuser réception de*

• sign **on**, vt, vi, *(s')embaucher*

• sign **up**, vt, vi, *(s')inscrire), (s')engager*

signal (ll) ['sɪgnl], vt, *signaler* ; vi, *faire des signaux*

signalize ['sɪgnəlaɪz], vt, *signaler, marquer*

signify (ie) ['sɪgnɪfaɪ], vt, *signifier* ; vi, *importer*

signpost ['saɪnpəʊst], vt, *signaliser*

silence ['saɪləns], vt, *réduire au silence*

silhouette [sɪlu:'et], vt, *silhouetter*

simmer ['sɪmə], vt, vi, *mijoter, cuire à feu doux*

• simmer **down**, vi, *se calmer*

simper ['sɪmpə], vi, *minauder*

simplify (ie) ['sɪmplɪfaɪ], vt, *simplifier*

simulate ['sɪmjʊleɪt], vt, *simuler*

sin (nn) [sɪn], vi, *pécher*

sing, sang, sung [sɪŋ], vt, vi, *chanter*

• sing **out**, vi, *chanter fort*

• sing **up**, vi, *chanter plus fort*

singe [sɪndʒ], vt, *brûler, roussir*

single out ['sɪŋgl], vt, *choisir, repérer*

sink, sank, sunk [sɪŋk], vt, vi, *(faire) sombrer, couler, (s')enfoncer*

• sink **in**, vi, *pénétrer, faire son effet*

sip (pp) [sɪp], vt, vi, *siroter*

sit (tt), sat, sat [sɪt], vt, *asseoir* ; vi, *être assis, se trouver*

• sit **about**, vi, *traîner ; ne rien faire*

• sit **back**, vt, *bien s'installer, se détendre*

• sit **down**, vt ; vi, *(s')asseoir*

• sit ▸ **for**, vi, *passer [un examen]*

• sit ▸ **through**, vi, *rester pendant toute la durée de*

• sit **up**, vi, *se redresser*

site [saɪt], vt, *placer, situer*

situate ['sɪtjʊeɪt], vt, *situer*

size [saɪz], vt, *classer par grosseur, calibrer*

• size **up**, vt, *jauger, évaluer*

sizzle ['sɪzl], vi, *grésiller*

skate [skeɪt], vi, *patiner*

sketch (es) [sketʃ] **(in/out)** vt, *esquisser, faire un croquis de*

ski [ski:], vi, *skier*

skid (dd) [skɪd], vi, *déraper*

skim (mm) [skɪm], vt, *écrémer, effleurer*

• skim **off**, vt, *prélever*

skimp [skɪmp], vt, vi, *lésiner*

skin (nn) [skɪn], vt, *écorcher, éplucher*

• skin **over**, vi, *se cicatriser*

skip (pp) [skɪp], vt, *omettre, sauter* ; vi, *sautiller, gambader*

• skip **off**, vi, *décamper*

skirt [skɜːt], vt, *contourner, côtoyer*

skive [skaɪv], vt, *tirer au flanc*

• skive **off**, vi, *s'esquiver*

skulk [skʌlk], vi, *se cacher*

• skulk **off**, vi, *partir en douce*

skyjack ['skaɪdʒæk], vt, *détourner [un avion]*

skyrocket ['skaɪrɒkɪt], vi, *monter en flèche*

slack [slæk], vi, *se laisser aller*

slacken ['slækn], vt, vi, *(se) relâcher*

slam (mm) [slæm], vt, vi, *(faire) claquer*

slander ['slɑːndə], vt, *calomnier*

slang [slæŋ], vt, *injurier, engueuler (fam.)*

slant [slɑːnt], vt, *incliner, fausser* ; vi, *être en pente*

slap (pp) [slæp], vt, *donner une tape à, gifler*

slash (es) [slæʃ], vt, *taillader, cingler* ; vi, *donner des coups dans tous les sens*

slate [sleɪt], vt, *réprimander vertement, éreinter*

slaughter ['slɔːtə], vt, *massacrer, abattre*

slave [sleɪv], vi, *travailler très dur, bûcher*

slay, slew/slayed, slain [sleɪ], vt, *tuer, assassiner*

sledge [sledʒ], vt, vi, *aller/transporter en traîneau, faire de la luge*

sleep, slept, slept [sliːp], vi, *dormir* ; vt, *faire coucher*

• sleep **around**, vi, *coucher avec n'importe qui*

• sleep **away**, vt, *passer son temps à dormir*

• sleep **in**, vi, *faire la grasse matinée, dormir à la maison*

• sleep **off**, vi, *faire passer [une douleur] en dormant*

• sleep **out**, vi, *découcher*

slenderize ['slændəraiz], vt, *amincir*

slice [slaɪs], vt, *découper en tranches*

slide, slid, slid [slaɪd], vt, vi, *(faire) glisser*

slight [slaɪt], vt, *faire un affront à*

slim (mm) [slɪm], vt, *amincir* ; vi, *maigrir*

sling, slung, slung [slɪŋ], vt, *suspendre, lancer*

• sling **off**, vt, *exclure, virer*

• sling **out**, vi, *flanquer dehors, jeter*

slink (off/away), slunk, slunk [slɪŋk], vi, *filer à l'anglaise*

slip (pp) [slɪp], vt, *se dégager de* ; vi, *glisser*

• slip **away**, vi, *s'esquiver*

• slip **on**, vt, *enfiler [un vêtement]*

• slip **through**, vi, *échapper à l'attention*

• slip **up**, vi, *tomber, gaffer*

slit (tt), slit, slit [slɪt], vt, *fendre*

slither ['slɪðə], vi, *glisser, déraper*

sliver ['slɪvə], vt, *couper en fines tranches*

slop (pp) [slɒp], vt, *renverser, répandre* ; vi, *déborder*

• slop **about**, vi, *patauger, barboter, glandouiller (fam.)*

slope [sləʊp], vt, *incliner* ; vi, *être en pente*

• slope **away/off**, vi, *décamper*

slosh (es) [slɒʃ], vt, *flanquer* ; vi, *clapoter*

slot (tt) [slɒt], vi, *s'introduire, se glisser*

slouch (es) [slaʊtʃ], vi, *être avachi*

• slouch **about**, vi, *traînasser*

slow (down/up) [sləʊ], vt, vi, *ralentir*

slug (gg) [slʌg], vt, *tabasser (fam.)*

slumber ['slʌmbə], vi, *sommeiller*

slump [slʌmp], vi, *s'affaisser, s'effondrer*

slur (rr) [slɜː], vt, vi, *bredouiller*

smack [smæk], vt, *donner une claque à*

smart [smɑːt], vi, *faire mal, [blessure] brûler, souffrir*

smarten up [s'mɑːtn], vt, *rendre plus élégant* ; vi, *s'arranger, se faire beau*

smash (es) [smæʃ], vt, *lancer violemment, fracasser* ; vi, *se heurter violemment*

• smash **down**, vt, *défoncer*

• smash **in**, vt, *enfoncer, défoncer*

• smash **up**, vt, *pulvériser*

smear [smɪə], vt, *salir, barbouiller, calomnier*

smell, smelt/smelled, smelt/smelled [smel], vt, vi, *sentir*

- smell **out**, vt, *flairer, dépister*

smelt [smelt], vt, *fondre [un minerai]*

smile [smaɪl], vt, vi, *sourire*

smirch (es) [smɜ:tʃ], vt, *souiller*

smirk [smɜ:k], vi, *sourire avec affectation*

smite, smote, smitten [smaɪt], vt, *frapper*

smoke [sməʊk], vt, vi, *fumer*

- smoke **out**, vt, *enfumer*

smooch (es) [smu:tʃ], vi, *se bécoter (fam.)*

smooth [smu:ð], vt, *lisser, aplanir*

- smooth **away**, vt, *faire oublier [des problèmes]*

smother ['smʌðə], vt, vi, *étouffer, suffoquer*

smoulder ['sməʊldə], vi, *se consumer, brûler lentement*

smudge [smʌdʒ], vt, *salir, souiller*

smuggle ['smʌgl], vt, *passer en contrebande* ; vi, *faire de la contrebande*

snaffle ['snæfl], vt, *voler, piquer (fam.)*

snake [sneɪk], vi, *serpenter*

snap (pp) [snæp], vt, *casser, dire d'un ton cassant* ; vi, *faire un bruit sec, casser net*

snare ['sneə], vt, *prendre au piège*

snarl [snɑ:l], vi, *montrer les dents, gronder*

snarl, vt, vi, *(s')emmêler, (s')enchevêtrer*

snatch (es) [snætʃ], vt, *saisir, s'emparer de*

sneak [sni:k], vt, *chiper (fam.)* ; vi, *se déplacer furtivement*

sneer ['snɪə], vi, *ricaner*

sneeze [sni:z], vi, *éternuer*

sniff [snɪf], vt, vi, *renifler*

- sniff **out**, vt, *flairer, détecter*

sniffle ['snɪfl], vi, *renifler, pleurnicher*

snigger ['snɪgə], vi, *rire sous cape, ricaner*

snip (pp) [snɪp], vt, *couper avec des ciseaux*

snipe [snaɪp], vi, *canarder (fam.)*

snitch (es) [snɪtʃ], vt, *chaparder* ; vi, *vendre la mèche*

snivel (GB ll) ['snɪvl], vi, *pleurnicher, larmoyer*

snoop [snu:p], vi, *fureter*

snooze [snu:z], vi, *faire un petit somme*

snore [snɔ:], vi, *ronfler*

snort [snɔ:t], vt, vi, *renifler fortement, grogner*

snow [snəʊ], vi, *neiger*

snowball ['snəʊbɔ:l], vi, *faire boule de neige*

snub (bb) [snʌb], vt, *repousser, snober*

snuggle [snʌgl], vi, *se pelotonner*

soak [səʊk], vt, *détremper* ; vi, *s'imbiber*

soap [səʊp], vt, *savonner*

soar [sɔ:], vi, *prendre son essor, planer*

sob (bb) [sɒb], vt, vi, *sangloter*

sober ['səʊbə], vt, *dégriser*

socialize ['səʊʃəlaɪz], vt, *fréquenter*

sock [sɒk], vt, *flanquer une beigne à (fam.)*

soften ['sɒfn], vt, vi, *(s')amollir, (s')adoucir*

solace ['sɒləs], vt, *consoler*

solder ['sɒldə, 'səʊldə], vt, *souder*

solicit [sə'lɪsɪt], vt, *solliciter* ; vi, *racoler*

solidify (ie) [sə'lɪdɪfaɪ], vt, vi, *(se) solidifier*

solve [sɒlv], vt, *résoudre*

soothe [su:ð], vt, *calmer, apaiser*

sort [sɔ:t], vt, vi, *trier*

- sort **out**, vi, *débrouiller, régler, résoudre*

sound [saʊnd], vt, *sonner, prononcer, sonder* ; vi, *résonner, paraître*

- sound **off**, vi, *claironner*

sour ['saʊə], vt, vi, *surir, (s')aigrir*

sow, sowed, sown [səʊ], vt, vi, *semer*

space [speɪs], vt, *espacer*

span (nn) [spæn], vt, *mesurer, traverser, enjamber*

spangle ['spæŋgl], vt, *pailleter*

spank [spæŋk], vt, *donner une fessée*

spar (rr) [spɑ:], vi, *s'entraîner (avec)*

spare ['speə], vt, *épargner, se passer de*

spark [spɑ:k], vi, *faire des étincelles*

- spark **off**, vt, *déclencher*

sparkle ['spɑ:kl], vt, *étinceler, miroiter, pétiller*

spatter [spætə], vt, *éclabousser* ; vi, *gicler, [liquide] crépiter*

spawn [spɔ:n], vt, vi, *engendrer*

speak, spoke, spoken [spi:k], vt, vi, *parler, dire*

• speak **out**, vi, *oser prendre la parole*

• speak **up**, vi, *parler plus fort*

specialize ['speʃəlaɪz], vt, vi, *(se) spécialiser*

specify (ie) ['spesɪfaɪ], vt, *spécifier, déterminer*

speculate ['spekjʊleɪt], vi, *spéculer*

speed, sped/speeded, sped/speeded [spi:d], vi, *se presser, faire de la vitesse*

• speed **along**, vt, *activer* ; vi, *foncer*

• speed **off**, vi, *partir à toute allure*

• speed **up**, vt, vi, *accélérer*

spell, spelt/spelled, spelt/spelled [spel], vt, *épeler, signifier*

• spell **out**, vt, *déchiffrer péniblement, expliquer clairement*

spend, spent, spent [spend], vt, *dépenser, passer [son temps]*

spew [spju:], vt, vi, *vomir*

• spew **forth**, vt, *déverser* ; vi, *fuser*

spice [spaɪs], vt, *pimenter*

spiel [ʃpi:l, spi:l], vi, *baratiner (fam.)*

spill, spilt/spilled, spilt/spilled [spɪl], vt, vi, *(se) répandre, (se) renverser*

spin (nn), spun, spun [spɪn], vt, *filer [la laine]* ; vi, *tourner, tournoyer*

• spin **out**, vt, *faire durer, faire traîner en longueur*

• spin **round**, vt, *faire tourner* ; vi, *faire un tête-à-queue, virevolter*

spiral (GB ll) ['spaɪərl], vi, *former une spirale*

spirit away/off ['spɪrit], vt, *escamoter, subtiliser*

spit (tt), spat, spat [spɪt], vt, vi, *cracher*

spit (tt) [spɪt], vt, *embrocher*

spite [spaɪt], vt, *vexer, contrarier*

splash (es) [splæʃ], vt, *éclabousser* ; vi, *jaillir, patauger*

• splash **down**, vi, *[capsule spatiale] amerrir*

• splash **out**, vt, *dépenser* ; vi, *faire des frais*

• splash **up**, vt, vi, *(faire) gicler*

splatter ['splætə], vt, *éclabousser* ; vi, *gicler*

splinter ['splɪntə], vt, vi, *(faire) voler en éclats*

split (tt), split, split [splɪt], vt, vi, *(se) fendre, (se) cliver, (se) diviser*

• split **on**, vi, *dénoncer*

• split **up**, vt, *répartir, analyser* ; vi, *se fractionner, [personnes] se séparer*

splodge [splɒdʒ], vt, *barbouiller*

splotch (es) [splɒtʃ], vt, *barbouiller*

splurge [splɜ:dʒ], vi, *faire de l'esbrouffe*

splutter ['splʌtə], vt, vi, *bredouiller*

spoil, spoilt/spoiled, spoilt/spoiled [spɔɪl], vt, vi, *(se) gâcher, (se) gâter, (s')avarier*

sponge [spʌndʒ], vt, *éponger* ; vi, *vivre en parasite*

sponsor ['spɒnsə], vt, *sponsoriser*

spoon [spu:n], vt, *prendre/verser à la cuillère*

spoonfeed, spoonfed, spoonfed ['spu:nfi:d], vt, *nourrir à la cuillère, dorloter*

sport [spɔ:t], vt, *arborer, exhiber*

spot (tt) [spɒt], vt, *moucheter, tacher, repérer, dénicher*

spotlight ['spɒtlaɪt], vt, *mettre en vedette*

spout [spaʊt], vt, vi, *(faire) jaillir*

sprain [spreɪn], vt, *se faire une entorse à*

sprawl [sprɔ:l], vi, *s'étendre, s'affaler*

spray [spreɪ], vt, *vaporiser [un liquide], asperger*

spread (out), spread, spread [spred], vt, vi, *étendre, répandre, déployer*

spring, sprang, sprung [sprɪŋ], vt, *déclencher* ; vi, *bondir, jaillir*

sprinkle ['sprɪŋkl], vt, *répandre, asperger*

sprout [spraʊt], vi, *germer, pousser*

spruce up [spru:s], vt, *donner un coup de neuf à*

spur (rr) **(on)** [spɜ:], vt, *éperonner, aiguillonner*

spurn [spɜ:n], vt, *dédaigner, traiter avec mépris*

spurt [spɜ:t], vt, vi, *(faire) jaillir, (faire) gicler*

sputter ['spʌtə], vt, vi, *bredouiller, postillonner*

spy (ie) [spaɪ], vt, *apercevoir* ; vi, *espionner*

- spy ▸ **on**, vt, *apercevoir*

squabble ['skwɒbl], vi, *se quereller*

squall [skwɔ:l], vt, vi, *brailler, crier*

squander ['skwɒndə], vt, *gaspiller, dilapider*

square [skweə], vt, *mettre au carré, quadriller, soudoyer* ; vi, *s'accorder*

- square **away**, vt, *ranger, arranger*
- square **up**, vi, *régler ses comptes*
- square **up** ▸ **to**, vi, *faire face à*

squash (es) [skwɒʃ], vt, vi, *(s')écraser, (s')aplatir*

- squash **up**, vi, *se serrer les uns contre les autres*

squat (tt) [skwɒt], vi, *s'accroupir, se tapir, squatter*

squawk [skwɔ:k], vi, *pousser des cris rauques*

squeak [skwi:k], vt, *crier* ; vi, *couiner, grincer*

squeal [skwi:l], vi, *pousser des cris aigus, pousser les hauts cris, vendre la mèche*

squeeze [skwi:z], vt, *presser, serrer*

- squeeze **out**, vt, *exprimer [un liquide]*
- squeeze ▸ **through**, vi, *se faufiler, se glisser par*
- squeeze **up**, vi, *se serrer les uns contre les autres*

squelch (es) [skweltʃ], vt, *écraser [en faisant gicler]* ; vi, *patauger, gargouiller*

squint [skwɪnt], vi, *loucher*

squire ['skwaɪə], vt, *servir de cavalier à*

squirm [skwɜ:m], vi, *se tortiller*

squirt [skwɜ:t], vt, vi, *(faire) jaillir, (faire) gicler*

stab (bb) [stæb], vt, vi, *poignarder*

stabilize ['steɪbɪlaɪz], vt, vi, *(se) stabiliser*

stack [stæk], vt, *empiler, entasser*

staff [stɑ:f], vt, *pourvoir en personnel*

stage [steɪdʒ], vt, *mettre en scène*

stagger ['stægə], vt, *consterner, échelonner* ; vi, *chanceler, tituber*

stagnate [stæg'neɪt], vi, *stagner*

stain [steɪn], vt, *salir, tacher, entacher, souiller* ; vi, *se tacher*

stake [steɪk], vt, *jalonner, tuteurer, mettre [une somme] en jeu, miser*

stale [steɪl], vi, *s'éventer*

stalk [stɔ:k], vi, *marcher d'un pas raide* ; vt, *traquer*

stall [stɔ:l], vi, *[moteur] caler* ; vt, *retenir, faire attendre*

stammer ['stæmə], vt, vi, *bégayer*

stamp [stæmp], vt, *timbrer, affranchir, tamponner, marquer, poinçonner* ; vi, *marcher d'un pas bruyant*

- stamp **about**, vi, *trépigner*
- stamp **out**, vt, *étouffer, écraser, enrayer*

stampede [stæm'pi:d], vt, *jeter la panique parmi* ; vi, *se ruer, se précipiter*

stand, stood, stood [stænd], vt, *poser, positionner* ; vi, *se tenir debout, se trouver*

- *verbe à particule* (→ 133-135)

standardize ['stændədaɪz], vt, *standardiser*

staple ['steɪpl], vt, *agrafer*

star (rr) [stɑ:], vt, *étoiler, avoir pour vedette* ; vi, *se fêler, s'étoiler, être en vedette*

starch (es) [stɑ:tʃ], vt, *amidonner*

stare [steə], vt, vi, *regarder fixement*

start [stɑ:t], vt, *faire démarrer* ; vi, *commencer, débuter, sursauter, se mettre en route, démarrer*

- start **in** ▸ **on**, vi, *s'attaquer à*
- start ▸ **on**, vi, *s'en prendre à*

startle ['stɑ:tl], vt, *faire sursauter*

starve [stɑ:v], vt, vi, *manquer/priver de nourriture, (faire) mourir de faim, affamer*

stash (es) [stæʃ], vt, *planquer (fam.)*

state [steɪt], vt, *affirmer, déclarer, fixer*

station ['steɪʃən], vt, *mettre à son poste*

stay [steɪ], vi, *rester, séjourner*

- stay **in**, vi, *rester à la maison*
- stay **out**, vi, *ne pas rentrer chez soi*
- stay **up**, vi, *ne pas se coucher*

steady (ie) ['stedɪ], vt, *stabiliser* ; vi, *se stabiliser, reprendre son équilibre*

steal, stole, stolen [sti:l], vt, vi, *voler, dérober*

- steal **away/out**, vi, *s'esquiver*
- steal **in**, vi, *pénétrer furtivement*

steam [sti:m], vt, *passer à la vapeur* ; vi, *fumer, exhaler de la vapeur*

- steam **up**, vi, *s'embuer*

steepen ['sti:pn], vi, *devenir plus pentu*

steer [stɪə], vt, vi, *barrer, gouverner [un navire]*

stem (mm) [stem], vt, *contenir, endiguer, résister à* ; vi, *provenir de*

stencil (GB ll) ['stensl], vt, *polycopier*

step (pp) [step], vi, *marcher, faire un pas*

- step **down**, vi, *descendre, démissionner*
- step **in**, vi, *entrer, intervenir, s'interposer*
- step **up**, vt, *accroître* ; vi, *s'approcher*

stew [stju:], vt, *faire cuire en ragoût* ; vi, *mijoter*

stick, stuck, stuck [stɪk], vt, *enfoncer, coller, fourrer* ; vi, *coller, se bloquer*

- stick **around**, vi, *rester dans les parages*
- stick ▸ **by**, vi, *ne pas laisser tomber, confirmer, maintenir*
- stick **out**, vt, vi, *(faire) dépasser*
- stick **out** ▸ **for**, vi, *s'obstiner à demander*
- stick **to**, vi, *coller à, ne pas abandonner, s'en tenir à*
- stick **up**, vt, vi, *(se) dresser*
- stick **up** ▸ **for**, vi, *prendre la défense/le parti de*

stiffen ['stɪfn], vt, vi, *(se) raidir*

stifle ['staɪfl], vt, vi, *étouffer, suffoquer*

still [stɪl], vt, *calmer, apaiser*

sting, stung, stung [stɪŋ], vt, vi, *piquer*

stink, stank, stank ['stɪŋk], vi, *puer*

stint [stɪnt], vt, *lésiner sur*

stir (rr) [stɜ:], vt, *remuer, agiter, attiser, émouvoir* ; vi, *remuer, bouger*

stitch (es) [stɪtʃ], vt, *recoudre, suturer*

stock [stɒk], vt, *approvisionner, avoir en stock*

stockpile ['stɒkpaɪl], vt, *entasser, accumuler*

stomach ['stʌmək], vt, *bien digérer*

stomp [stɒmp], vi, *frapper du pied*

stone [stəʊn], vt, *dénoyauter, lapider*

stonewall [stəʊn'wɔ:l], vi, *faire de l'obstruction*

stooge [stu:dʒ], vi, *servir de faire-valoir à*

stoop [stu:p], vi, *se baisser, s'abaisser, s'avilir, se voûter*

stop (pp) [stɒp], vt, vi, *(s')arrêter*

- stop **off**, vi, *faire étape, découcher*
- stop **over** , vi, *faire escale*
- stop **up**, vt, *boucher, obstruer*

stopper ['stɒpə], vt, *boucher*

store [stɔ:], vt, *emmagasiner, accumuler, approvisionner* ; vi, *se conserver*

storm [stɔ:m], vt, *prendre d'assaut* ; vi, *se déchaîner, tempêter, aller en trombe*

stow [stəʊ], vt, *ranger*

straddle ['strædl], vt, *se mettre à califourchon, à cheval sur* ; vi, *écarter les jambes*

strafe [streɪf], vt, *mitrailler*

straggle ['strægl], vi, *s'éparpiller, s'égailler*

straighten (out/up) ['streɪtn], vt, vi, *(se) redresser*

strain [streɪn], vt, *mettre à l'épreuve, tendre, forcer, tamiser* ; vi, *peiner à*

strand [strænd], vt, vi, *[navire] (s')échouer*

strangle ['stræŋgl], vt, vi, *(s')étrangler*

strap (pp) [stræp], vt, *ceinturer, sangler*

stray [streɪ], vi, *s'égarer*

streak [stri:k], vt, *rayer, zébrer* ; vi, *aller comme l'éclair*

stream [stri:m], vt, *laisser couler à flots* ; vi, *ruisseler*

streamline ['stri:mlaɪn], vt, *rationaliser, réduire à l'essentiel*

strengthen ['streŋθn], vt, vi, *(se) renforcer, (se) consolider*

stress (es) [stres], vt, *insister sur, faire ressortir*

stretch (es) **(out)** [stretʃ], vt, vi, *(s')étirer, (s')étendre*

strew, strewed, strewn/strewed [stru:], vt, *répandre*

stride, strode, stridden [straɪd], vi, *marcher à grands pas*

strike, struck, struck/stricken [straɪk], vt, vi, *frapper*

• strike **off**, vi, *trancher, biffer, faire une réduction de*

• strike **out**, vt, *raturer, se diriger*

• strike **out ▸ at**, vi, *porter un coup à*

• strike **up**, vt, *entonner, commencer*

string, strung, strung [strɪŋ], vt, *corder, mettre les cordes à, enfiler*

strip (pp) [strɪp], vt, vi, *(se) déshabiller, (se) dépouiller*

• strip **down**, vt, *démonter* ; vi, *se déshabiller*

• strip **off**, vt, vi, *(se) décoller*

strive, strove, striven [straɪv], vi, *s'efforcer de*

stroke [strəʊk], vt, *caresser*

stroll [strəʊl], vi, *flâner*

struggle ['strʌgl], vi, *lutter, se débattre, se déplacer avec difficulté*

strum (mm) [strʌm], vt, vi, *pincer les cordes, pianoter*

strut (tt) [strʌt], vi, *se pavaner*

study (ie) ['stʌdɪ], vt, vi, *étudier*

stuff [stʌf], vt, *bourrer, rembourrer, fourrer*

• stuff **up**, vt, *boucher*

stultify (ie) ['stʌltɪfaɪ], vt, *enlever toute valeur à, infirmer, abrutir, ridiculiser*

stumble ['stʌmbl], vi, *trébucher*

• stumble **▸ across/on**, vi, *rencontrer par hasard*

stun (nn) [stʌn], vt, *étourdir, abasourdir*

stunt [stʌnt], vt, *retarder, ralentir*

stupefy (ie) ['stju:pɪfaɪ], vt, *stupéfier, abrutir, abasourdir*

stutter ['stʌtə], vt, vi, *bégayer*

style [staɪl], vt, *créer*

stymie ou **stymy** (ie) ['staɪmɪ], vt, *entraver, mettre dans une impasse*

subcontract [sʌbkən'trækt], vt, *sous-traiter*

subdue [səb'dju:], vt, *soumettre, maîtriser, atténuer*

subject ▸▸ to [sʌb'dʒekt], vt, *soumettre qqn à qqch., faire subir qqch. à qqn, subjuguer, exposer (à)*

sublet (tt), sublet, sublet [sʌb'let], vt, *sous-louer*

submit (tt) [səb'mɪt], vt, vi, *(se) soumettre*

subordinate [sə'bɔ:dɪneɪt], vt, *subordonner*

subpoena [sə'pi:nə], vt, *citer à comparaître*

subscribe [səb'skraɪb], vi, *souscrire*

subside [səb'saɪd], vi, *s'affaisser, se tasser, diminuer, s'apaiser*

subsidize ['sʌbsɪdaɪz], vt, *subventionner*

substantiate [səb'stænʃɪeɪt], vt, *prouver, justifier*

subtitle ['sʌbtaɪtl], vt, *sous-titrer*

subtract [səb'trækt], vt, *soustraire*

subvert [səb'vɜ:t], vt, *renverser, subvertir*

succeed [sək'si:d], vt, *succéder à* ; vi, *réussir*

suck [sʌk], vt, vi, *sucer*

• suck **down**, vt, *engloutir, entraîner vers le fond*

• suck **in**, vt, *aspirer*

suckle ['sʌkl], vt, *allaiter* ; vi, *téter*

sue [su:], vt, vi, *poursuivre en justice*

suffer ['sʌfə], vt, *subir* ; vi, *souffrir*

suffice [sə'faɪs], vt, vi, *suffire*

suffocate ['sʌfəkeɪt], vt, vi, *étouffer*

sugar ['ʃʊgə], vt, *sucrer, recouvrir de sucre*

suggest [sə'dʒest], vt, *suggérer, insinuer*

suit [sju:t], vt, *convenir à*

sulk [sʌlk], vi, *bouder*

sum (mm) [sʌm], vt, *additionner*

summarize ['sʌməraɪz], vt, *résumer*

summer ['sʌmə], vi, *passer l'été*

summon ['sʌmən], vt, *faire venir, sommer*

• summon **up**, vt, *faire appel à*

summons (es) ['sʌmənz], vt, *citer à comparaître*

sunbathe ['sʌnbeɪð], vi, *se faire bronzer, prendre un bain de soleil*

superimpose [su:pərɪm'pəʊz], vt, *superposer*

superintend [su:pərɪn'tend], vt, *surveiller*

superpose [su:pə'pəʊz], vt, *superposer*

supersede [su:pə'si:d], vt, *prendre la place de, supplanter*

supervene [su:pə'vi:n], vi, *survenir*

supplicate ['sʌplɪkeɪt], vt, vi, *supplier*

supply (ie) [sə'plaɪ], vt, *fournir*

support [sə'pɔ:t], vt, *soutenir, entretenir*

surface ['sɜ:fɪs], vt, *revêtir* ; vi, *faire surface*

surfeit ['sɜ:fɪt], vt, vi, *(se) rassasier*

surge [sɜ:dʒ], vi, *déferler, se précipiter, monter en flèche*

surmise [sɜ:'maɪz], vt, *soupçonner, deviner*

surrender [sə'rendə], vt, vi, *se rendre, rendre les armes ; renoncer à*

surround [sə'raʊnd], vt, *entourer*

survey [sɜ:'veɪ], vt, *inspecter, expertiser*

survive [sə'vaɪv], vt, vi, *survivre*

suspect [sə'spekt], vt, *soupçonner, se douter de, avoir des doutes sur*

suss (es) **out** [sʌs], vt, *piger (fam.)*

sustain [sə'steɪn], vt, *soutenir, subir*

swagger ['swægə], vi, *se pavaner*

swallow ['swɒləʊ], vt, vi, *avaler*

swamp [swɒmp], vt, *submerger*

swank [swæŋk], vi, *faire de l'épate*

swap (pp) [swɒp], vt, *échanger* ; vi, *faire du troc*

swarm [swɔ:m], vi, *fourmiller, grouiller*

swat (tt) [swɒt], vt, *taper, écraser*

sway [sweɪ], vt, vi, *(faire) osciller*

swear, swore, sworn [sweə], vt, vi, *jurer*

- swear **in**, vt, *faire jurer sur l'honneur*
- swear **off**, vt, *jurer de renoncer à*
- swear ▸ **to**, vt, *attester*

sweat [swet], vt, *faire suer, exploiter* ; vi, *suer*

sweep, swept, swept [swi:p], vt, *balayer* ; vi, *se déplacer d'un mouvement rapide, majestueux*

sweeten ['swi:tn], vt, vi, *adoucir, sucrer*

swell, swelled, swollen [swel], vt, vi, *enfler*

- swell **out**, vi, *bomber*

swerve [swɜ:v], vt, vi, *faire (faire) une embardée*

swig (gg) [swɪg], vt, *boire à grands traits*

swill [swɪl], vt, *boire avidement*

swim (mm), swam, swum [swɪm], vi, *nager, surnager, traverser à la nage*

swindle ['swɪndl], vt, *escroquer*

swing, swung, swung [swɪŋ], vt, *faire osciller* ; vi, *se balancer, changer de direction*

- swing ▸ **at**, vi, *balancer un coup de poing à*
- swing **out**, vi, *faire un écart, [véhicule] déboucher*
- swing **round**, vt, *faire faire demi-tour* ; vi, *faire volte-face, virer brusquement*

swipe [swaɪp], vt, *donner un coup de poing/de bâton à*

swirl [swɜ:l], vt, vi, *(faire) tournoyer*

swish (es) [swɪʃ], vt, *faire cingler* ; vt, vi, *froufrouter, bruisser*

switch (es) [swɪtʃ], vt, *échanger intervertir*

- switch ▸ **to**, vi, *passer à, se réorienter vers*

swivel (GB ll) ['swɪvl], vt, vi, *(faire) pivoter*

swoon [swu:n], vi, *s'évanouir*

swoop [swu:p], vi, *descendre en piqué*

swot (tt) [swɒt], vi, *bachoter*

sympathize ['sɪmpəθaɪz], vi, *compatir*

syncopate ['sɪnkəpeɪt], vt, *syncoper*

syndicate ['sɪndɪkeɪt], vt, *publier simultanément dans plusieurs journaux*

T

taboo [tə'bu:], vt, *déclarer tabou, interdire*

tackle ['tækl], vt, *s'attaquer à, aborder [un sujet/problème], entreprendre, tacler*

tag (gg) [tæg], vt, vi, *étiqueter, qualifier*

- tag **along**, vi, *suivre*

tail [teɪl], vt, *prendre en filature*

- tail **away/off**, vi, *décroître, se terminer en queue de poisson*
- tail **back**, vi, *[circulation] bouchonner (fam.)*

tailor ['teɪlə], vt, *adapter, façonner*

taint [teɪnt], vt, *gâter, polluer, corrompre, souiller*

take, took, taken [teɪk], vt, vi, *prendre, emmener*

- *verbe à particule* (→ 148-150)

talk [tɔ:k], vt, vi, *parler, bavarder, dire*

- talk **away**, vt, *passer [du temps] à parler* ; vi, *parler sans s'arrêter*
- talk **back**, vi, *répliquer, répondre avec insolence*
- talk **down**, vt, *réduire au silence* ; vi, *parler avec condescendance*
- talk **out**, vt, *discuter (qqch.) à fond*
- talk **over**, vt, *débattre de*
- talk **round**, vt, *persuader* ; vi, *tourner autour du pot*
- talk **up**, vt, *vanter* ; vi, *parler franchement*

tally (ie) ▸ **with** ['tælɪ], vi, *correspondre à, concorder avec*

tame [teɪm], vt, *apprivoiser, dompter*

tamper ▸ **with** ['tæmpə], vi, *toucher à, truquer, trifouiller (fam.)*

tan (nn) [tæn], vt, vi, *bronzer*

tangle [tæŋgəl], vi, *s'emmêler*

- tangle **up**, vt, *emmêler, embrouiller, impliquer*
- tangle ▸ **with**, vi, *se brouiller avec*

tantalize ['tæntəlaɪz], vt, *tenter, provoquer l'envie*

tap (pp) [tæp], vt, *exploiter, capter [de l'eau], faire un branchement sur [un tuyau], mettre sur écoute* ; vi, *taper [de l'argent] (fam.)*

tape [teɪp], vt, *attacher avec un ruban adhésif, enregistrer sur bande magnétique*

taper ['teɪpə], vt, *tailler en pointe* ; vi, *s'effiler, diminuer*

tar (rr) [tɑ:], vt, *goudronner*

tarnish (es) ['tɑ:nɪʃ], vt, vi, *(se) ternir*

taste [teɪst], vt, *goûter*

- taste **like**, vi, *avoir (un) goût de*

tattle ['tætl], vi, *cancaner*

tattoo [tə'tu:], vt, *tatouer*

tax (es) [tæks], vt, *taxer, mettre à l'épreuve, accuser de*

taxi ['tæksɪ], vi, *[avion] rouler au sol*

teach (es), taught, taught [ti:tʃ], vt, vi, *enseigner*

team up [ti:m], vt, vi, *mettre en équipe, faire équipe*

tear, tore, torn [tɪə], vt, *déchirer*

- tear **about**, vi, *courir en tous sens*
- tear **along**, vi, *aller à fond de train*
- tear **away**, vt, *arracher* ; vi, *partir à toute vitesse*
- tear **down/off/out**, vt, *arracher*

tease [ti:z], vt, *taquiner, exciter*

teem [ti:m], vi, *foisonner*

teeter ['ti:tə], vi, *chanceler*

tell, told, told [tel], vt, *raconter, annoncer, révéler* ; vi, *dire*

- tell **apart**, vt, *différencier*
- tell ▸▸ **from**, vt, *distinguer de*
- tell **off**, vt, *gronder, réprimander*
- tell **on**, vi, *être trahi(e) par [un indice], affecter, cafarder (fam.)*

temper ['tempə], vt, *tempérer, modérer*

tempt [tempt], vt, *tenter*

tend [tend], vi, *se diriger, avoir tendance*

tend, vt, *soigner, entretenir*

tender ['tendə], vt, *offrir [un service]*

tense [tens], vt, *tendre* ; vi, *se raidir*

term [tɜ:m], vt, *appeler, désigner*

terminate ['tɜ:mɪneɪt], vt, *mettre un terme à* ; vi, *se terminer*

test [test], vt, *mettre à l'épreuve, contrôler* ; vi, *expérimenter*

testify (ie) ['testɪfaɪ], vt, vi, *témoigner*

thank [θæŋk], vt, *remercier*

thatch (es) [θætʃ], vt, *couvrir de chaume*

thaw [θɔ:], vt, *dégeler, décongeler* ; vi, *fondre*

thicken ['θɪkn], vt, vi, *(s')épaissir*

thieve [θi:v], vt, vi, *voler, dérober*

thin (nn) **(down)** [θɪn], vt, *amincir, délayer* ; vi, *s'amincir*

think, thought, thought [θɪŋk], vt, vi, *penser, réfléchir, considérer*

- think **back**, vi, *repenser*
- think ▸ **of**, vi, *songer à, envisager*
- think **out**, vt, *imaginer, bien réfléchir à*

• think **over**, vt, *réfléchir sur/à qqch.*

• think **through**, vt, *bien réfléchir à, ressasser*

• think **up**, vt, *inventer*

thrash (es) [θræʃ], vt, *battre, rouer de coups*

• thrash **about**, vt, vi, *se débattre*

• thrash **out**, vt, *débattre, discuter à fond*

thread [θred], vt, *enfiler*

threaten ['θretn], vt, vi, *menacer*

thrill [θrɪl], vt, *faire frémir, donner des frissons à*

thrive, throve/thrived, thriven/thrived [θraɪv], vi, *prospérer, s'épanouir*

throb (bb) [θrɒb], vi, *palpiter*

throng [θrɒŋ], vt, *remplir de gens, bonder* ; vi, *affluer, venir en foule*

throttle ['θrɒtl], vt, *étrangler*

• throttle **back/down**, vi, *mettre le moteur au ralenti*

throw, threw, thrown [θrəʊ], vt, vi, *lancer, jeter*

• throw **about**, vt, *éparpiller*

• throw **away**, vt, *jeter, mettre à la poubelle, gaspiller*

• throw **in**, vt, *intercaler, insérer*

• throw **off**, vt, *ôter, se libérer de*

• throw **out**, vt, *mettre à la porte*

• throw **over**, vt, *lâcher, plaquer (qqn)*

• throw **up**, vt, *jeter en l'air* ; vt, vi, *vomir*

thrust, thrust, thrust [θrʌst], vt, *pousser brusquement*

• thrust ▸▸ **on**, vt, *imposer qqch. à qqn*

thud (dd) [θʌd], vi, *tomber/frapper avec un bruit sourd*

thumb [θʌm], vt, *feuilleter*

thump [θʌmp], vt, vi, *cogner*

thunder ['θʌndə], vi, *tonner, se déplacer dans un bruit de tonnerre*

thwack [θwæk], vt, *cogner, gifler*

tick [tɪk], vi, *faire tic-tac*

• tick **off**, vt, *cocher, enguirlander (fam.)*

• tick **over**, vi, *tourner au ralenti*

tickle ['tɪkl], vt, vi, *chatouiller*

tide over, vi, *aider à surmonter une difficulté, dépanner*

tidy (ie) **(up)** ['taɪdɪ], vt, *ranger*

tie (tying) [taɪ], vt, *attacher, nouer* ; vi, *être à égalité*

• tie **down**, vt, *immobiliser, entraver*

• tie **in**, vi, *concorder*

• tie **up**, vt, *lier, ficeler, ligoter, amarrer*

tighten (up) ['taɪtn], vt, *resserrer, renforcer*

tile [taɪl], vt, *carreler, couvrir de tuiles*

till [tɪl], vt, *labourer*

tilt [tɪlt], vt, vi, *(s')incliner, pencher*

time [taɪm], vt, *chronométrer, choisir le moment de*

tin (nn) [tɪn], vt, *mettre en conserve*

ting [tɪŋ], vt, vi, *(faire) tinter*

tinge [tɪndʒ], vt, *teinter, colorer*

tingle ['tɪŋgl], vi, *picoter*

tinker (▸ with) ['tɪŋkə], vi, *bricoler, trafiquer*

tinkle ['tɪŋkl], vt, vi, *(faire) tinter*

tint [tɪnt], vt, *teinter, colorer*

tip (pp), vt, *donner un pourboire à, tuyauter, faire pencher, effleurer*

• tip **off**, vt, *tuyauter (fam.)*

• tip **out**, vt, *déverser*

• tip **over**, vt, vi, *(se) renverser, (faire) chavirer*

• tip **up**, vt, vi, *(se) soulever, (faire) basculer*

tipple ['tɪpl], vi, *picoler (fam.)*

tiptoe ['tɪptəʊ], vi, *marcher sur la pointe des pieds*

tire ['taɪə], vt, vi, *(se) fatiguer*

titivate ['tɪtɪveɪt], vt, vi, *(se) pomponner*

title ['taɪtl], vt, *intituler*

titrate ['taɪtreɪt], vt, *[chimie] titrer*

titter ['tɪtə], vi, *rire nerveusement, ricaner*

tittle-tattle ['tɪtltætl], vi, *bavarder, cancaner*

toady (ie) ▸ **to** ['təʊdɪ], vi, *lécher les bottes à (fam.)*

toast [təʊst], vt, *griller [du pain]*

toddle ['tɒdl], vi, *trottiner*

• toddle **off**, vi, *lever le camp, partir*

toil [tɔɪl], vi, *peiner, travailler dur*

toll [təʊl], vt, vi, [cloche] sonner

tone [təʊn], vt, harmoniser, tonifier

- tone **down**, vt, vi, (s')atténuer, (s')adoucir
- tone **in** (▸ **with**), vi, s'harmoniser (avec)
- tone **up**, vt, vo (se) tonifier

toot [tu:t], vt, vi, sonner du cor, klaxonner

tooth [tu:θ], vt, denter ; vi, s'engrener

top (pp) [tɒp], vt, surmonter, couronner, surpasser, arriver en tête de

- top **off**, vt, couronner, parachever [un événement]

topple ['tɒpl], vt, vi, (faire) dégringoler

torment ['tɔ:ment], vt, tourmenter, torturer

torpedo (es) [tɔ:'pi:də], vt, torpiller

toss (es) [tɒs], vt, jeter en l'air, ballotter

- toss **off**, vt, avaler d'un trait, expédier
- toss **up**, vi, tirer à pile ou face

total (ll) ['təʊtl], vt, additionner, totaliser

totalize ['təʊtəlaɪz], vt, additionner, totaliser

totter ['tɒtə], vi, tituber

touch (es) [tʌtʃ], vt, vi, (se) toucher

- touch **down**, vi, atterrir
- touch **off**, vt, déclencher
- touch **on**, vi, effleurer [un sujet]
- touch **up**, vt, retoucher

toughen ['tʌfn], vt, vi, durcir (s')endurcir

tour [tʊə], vt, vi, [tourisme] visiter

tousle ['taʊzl], vt, ébouriffer

tout [taʊt], vi, chercher, faire l'article

tow [təʊ], vt, remorquer

towel (GB ll) ['taʊəl], vt, frotter avec une serviette

tower ['taʊə], vi, se dresser très haut

- tower ▸ **over**, vi, dominer

toy ▸ **with** [tɔɪ], vi, jouer avec

trace [treɪs], vt, tracer, suivre la trace de

- trace **back**, vt, remonter jusqu'à l'origine de

track [træk], vt, pister, traquer

- track **down**, vt, dépister

trade [treɪd], vt, vi, faire le commerce (de), négocier

- trade **off**, vt, échanger
- trade ▸ **on**, vi, exploiter

traffic ['træfɪk], trafficked, trafficked, vt, vi, trafiquer

trail [treɪl], vt, remorquer, traquer ; vi, traîner

train [treɪn], vt, vi, (s')exercer, (s')entraîner, (se) former

traipse [treɪps], vi, (se) traîner *(fam.)*

tramp [træmp], vt, parcourir à pied ; vi, marcher lourdement, piétiner

trample ['træmpl], vt, vi, piétiner

transact [træn'zækt], vt, traiter, faire une transaction

transfer (rr) ['trænsfɜ:], vt, vi, transférer

transfix (es) [træns'fɪks], vt, transpercer, pétrifier

tranship (pp) [træn'ʃɪp], vt, transborder ; vi, changer de bateau

translate [træns'leɪt], vt, vi, traduire

transmit (tt) [trænz'mɪt], vt, transmettre

transmogrify (ie) [trænz'mɒgrɪfaɪ], vt, métamorphoser

transmute [trænz'mju:t], vt, transformer

transpire [træns'paɪə], vt, se révéler, ressortir, se produire

trap (pp) [træp], vt, prendre au piège

travel (GB ll) ['trævl], vt, parcourir [une région] ; vi, voyager

travesty (ie) ['trævəstɪ], vt, travestir, parodier

tread, trod, trodden [tred], vt, vi, marcher, fouler aux pieds

- tread **down**, vt, piétiner

treasure ['treʒə], vt, accorder beaucoup de valeur à, chérir, garder soigneusement

treat [tri:t], vt, vi, traiter

treble ['trebl], vt, vi, (se) tripler

trek (kk) [trek], vi, faire une longue marche, faire du trekking

tremble ['trembl], vi, trembler, frissonner

trend [trend], vi, se diriger

trespass (es) ['trespəs], vi, *pénétrer (qq part) sans autorisation*

trick [trɪk], vt, *duper*

• trick **out**, vt, *attifer (fam.)*

trickle ['trɪkl], vi, *couler goutte à goutte* ; vt, *laisser goutter*

trifle ['traɪfl], *s'occuper à des futilités*

• trifle **away**, vt, *gaspiller*

• trifle ▸ **with**, vi, *traiter à la légère, badiner avec*

trigger (off) ['trɪgə], vt, *déclencher*

trim (mm) [trɪm], vt, *tailler, rafraîchir [les cheveux, la végétation]*

• trim **away**, vt, *élaguer*

• trim **down**, vt, *réduire*

trip (pp) [trɪp], vt, vi, *aller d'un pas léger, voyager*

• trip **over**, vt, vi, *trébucher*

• trip **up**, vt, *faire un croche-pied à* ; vi, *faire un faux pas*

triple ['trɪpl], vt, vi, *(se) tripler*

troop [truːp], vi, *s'attrouper*

trouble ['trʌbl], vt, *préoccuper, déranger* ; vi, *se déranger*

trudge [trʌdʒ], vi, *marcher péniblement*

• trudge **along**, vi, *se traîner*

trump [trʌmp], vt, *[cartes] couper avec l'atout*

• trump **up**, vt, *inventer de toutes pièces*

truncate [trʌŋ'keɪt], vt, *tronquer*

trundle ['trʌndl], vt, vi, *(faire) rouler*

trust [trʌst], vt, vi, *se fier à, faire confiance à*

• trust ▸ **in**, vi, *mettre tout son espoir en*

try (ie) [traɪ], vt, *essayer, mettre à l'épreuve* ; vi, *faire des efforts*

• try **on**, vt, *essayer [un vêtement]*

• try **out**, vt, *expérimenter*

tuck [tʌk], vt, *replier*

• tuck **away**, vt, *ranger, mettre à l'abri*

• tuck **up**, vt, *[lit] border, retrousser [ses manches]*

tug (gg) [tʌg], vt, *tirer sur, remorquer*

tumble ['tʌmbl], vt, vi, *culbuter*

• tumble **about**, vi, *gambader*

• tumble **down**, vi, *s'écrouler*

tune [tjuːn], vt, *accorder, régler*

• tune **in**, vi, *allumer son poste de radio*

tunnel (GB ll) ['tʌnl], vi, *percer un tunnel*

turn [tɜːn], vt, vi, *(faire) tourner*

• turn ▸▸ **into**, vt, vi, *(se) transformer en*

• turn **away**, vt, *détourner, refuser* ; vi, *détourner son regard*

• turn **back**, vi, *(faire) rebrousser chemin*

• turn **down**, vt, *baisser [un appareil], rejeter*

• turn **off**, vt, *couper, éteindre [un appareil], rebuter* ; vi, *changer de route*

• turn **on**, vt, *ouvrir, allumer [un appareil], exciter* ; vi, *s'attaquer à*

• turn **out**, vt, *mettre à la porte, couper, éteindre [un appareil], produire* ; vi, *sortir*

• turn **over**, vt, *retourner, rendre, rapporter* ; vi, *se retourner*

• turn **round**, vt, *retourner* ; vi, *se retourner, faire demi-tour*

• turn **up**, vt, *relever, retrousser, trouver, augmenter* ; vi, *venir, se présenter, apparaître*

tussle ['tʌsl], vi, *lutter*

tutor ['tjuːtə], vt, *diriger les études de, donner des cours particuliers à*

twaddle ['twɒdl], vi, *raconter des sornettes*

tweak [twiːk], vt, *serrer entre les doigts, régler*

tweet [twiːt], vi, *pépier*

twiddle ['twɪdl], vt, *tripoter*

twig (gg) [twɪg], vt, *piger (fam.)*

twin (nn) [twɪn], vt, *jumeler*

twine [twaɪn], vt, vi, *(se) tortiller, (s')entrelacer*

twinkle ['twɪŋkl], vi, *scintiller*

twirl [twɜːl], vt, vi, *(faire) tournoyer*

twist [twɪst], vt, vi, *(se) tordre*

• twist **off**, vt, vi, *(se) dévisser*

• twist **up**, vt, *emmêler* ; vi, *monter en spirale*

twitch (es) [twɪtʃ], vi, *donner une saccade à, contracter* ; vi, *se crisper*

twitter ['twɪtə], vi, *gazouiller*

type [taɪp], vt, vi, *taper [un texte]*

typify (ie) ['tɪpɪfaɪ], vt, *symboliser, être caractéristique de*

U

umpire ['ʌmpaɪə], vt, vi, *arbitrer*

unbalance [ʌn'bæləns], vt, *déséquilibrer*

unbend, unbent, unbent [ʌn'bend], vt, vi, *(se) détendre, (se) redresser*

unbind, unbound, unbound [ʌn'baɪnd], vt, *délier*

underfeed, underfed, underfed [ʌndə'fi:d], vt, *sous-alimenter*

undergo (es), underwent, undergone [ʌndə'gəʊ], vt, *subir*

underline [ʌndə'laɪn], vt, *souligner*

undermine [ʌndə'maɪn], vt, *saper*

underplay [ʌndə'pleɪ], vt, *minimiser l'importance de*

underrate [ʌndə'reɪt], vt, *sous-estimer*

underscore ['ʌndəskɔ:], vt, *mettre en évidence, souligner*

undersell, undersold, undersold [ʌndə'sel], vt, *vendre au-dessous de sa valeur*

understand, understood, understood [ʌndə'stænd], vt, vi, *comprendre*

understate [ʌndə'steɪt], vt, *minimiser*

undertake, undertook, undertaken [ʌndə'teɪk], vt, *entreprendre*

underwrite, underwrote, underwritten ['ʌndəraɪt], vt, *garantir [par contrat]*

undo (es), undid, undone [ʌn'du:], vt, vi, *(se) défaire, (se) détruire*

undress (es) [ʌn'dres], vt, vi, *(se) déshabiller*

undulate ['ʌndjʊleɪt], vt, vi, *onduler*

unearth [ʌn'ɜ:θ], vt, *déterrer*

unify (ie) ['ju:nɪfaɪ], vt, *(s')unifier*

unite [ju:'naɪt], vt, vi, *(s')unir*

unnerve [ʌn'nɜ:v], vt, *déconcerter, troubler*

unpack [ʌn'pæk], vt, *déballer* ; vi, *défaire ses bagages*

unplug (gg) [ʌn'plʌg], vt, *débrancher*

unravel (ll) [ʌn'rævl], vt, *démêler, dénouer* ; vi, *se défaire*

unsay, unsaid, unsaid ['ʌnseɪ], vt, *rétracter ses paroles, retirer ce qu'on a dit*

unsettle [ʌn'setl], vt, *ébranler, perturber*

unstop (pp) [ʌn'stɒp], vt, *déboucher*

untangle [ʌn'tæŋgl], vt, *démêler, débrouiller*

unveil [ʌn'veɪl], vt, *dévoiler, inaugurer*

unwind, unwound, unwound [ʌn'waɪnd], vt, *dérouler* ; vi, *se détendre*

up (pp) [ʌp], vi, *se lever d'un bond* ; vt, *augmenter*

upbraid [ʌp'breɪd], vt, *réprimander*

update ['ʌpdeɪt], vt, *actualiser, mettre à jour, moderniser*

upgrade ['ʌpgreɪd], vt, *actualiser, monter en grade*

uphold, upheld, upheld [ʌp'həʊld], vt, *soutenir*

upholster [ʌp'həʊlstə], vt, *rembourrer*

uproot [ʌp'ru:t], vt, *déraciner*

upset (tt), upset, upset [ʌp'set], vt, *renverser, déranger* ; vi, *se renverser*

upturn [ʌp'tɜ:n], vt, *mettre à l'envers*

urge [ɜ:dʒ], vt, *recommander avec insistance, presser de*

- **urge on**, vt, *encourager, stimuler*

use [ju:s], vt, *utiliser*

- **use up**, vt, *finir, épuiser*

usher ['ʌʃə], vt, *faire entrer qqn*

utter ['ʌtə], vt, *proférer, dire*

V

vacate [və'keɪt], vt, *quitter*

value ['vælju:], vt, *évaluer, apprécier, accorder un grand prix à*

vamoose [və'mu:s], vi, *décamper (fam.)*

vandalize ['vændəlaɪz], vt, *saccager*

vanish (es) ['vænɪʃ], vi, *disparaître, s'évanouir*

vanquish (es) ['væŋkwɪʃ], vt, *vaincre*

vaunt [vɔ:nt], vt, vi, *(se) vanter*

veer ['vɪə], vt, vi, *[navire] (faire) virer*

veil [veɪl], vt, *voiler*

vent [vent], vt, *passer [sa colère]*

venture ['ventʃə], vt, vi, *(se) hasarder, (s')aventurer, (se) risquer*

verge ▸ on [vɜːdʒ], vi, *côtoyer, confiner à, toucher à*

vest [vest], vt, *revêtir, attribuer*

vet (tt) [vet], vt, *examiner minutieusement*

veto (es) ['viːtəʊ], vt, *opposer son veto à*

victimize ['vɪktɪmaɪz], vt, *brimer, s'en prendre à*

victual (GB ll) ['vɪtl], vt, vi, *(s')approvisionner, (se) ravitailler*

vie (vying) [vaɪ], vi, *rivaliser*

view [vjuː], vt, *regarder, visionner, examiner, envisager*

vilify (ie) ['vɪlɪfaɪ], vt, *calomnier*

vindicate ['vɪndɪkeɪt], vt, *disculper, faire l'apologie de*

violate ['vaɪəleɪt], vt, *profaner, enfreindre, violer [la loi]*

vitiate ['vɪʃɪəɪt], vt, *vicier*

voice [vɔɪs], vt, *exprimer*

volunteer [vɒlən'tɪə], vt, *donner spontanément, offrir* ; vi, *être volontaire, faire du bénévolat*

vomit ['vɒmɪt], vt, vi, *vomir*

vote [vəʊt], vt, vi, *voter*

- vote **down/out**, vt, *ne pas élire, rejeter*
- vote **in**, vt, *élire*
- vote **on**, vt, *mettre au vote*
- vote **through**, vt, *ratifier*

vouch (es) **▸ for** [vaʊtʃ], vi, *témoigner de, attester, répondre de*

vow [vaʊ], vt, *jurer*

W

waddle ['wɒdl], vi, *se dandiner*

wade [weɪd], vt, *passer à gué* ; vi, *patauger*

waffle ['wɒfl], vi, *parler pour ne rien dire*

wag (gg) [wæg], vt, vi, *agiter, remuer [le doigt, la queue]*

wager ['weɪdʒə], vt, *parier*

waggle ['wægl], vt, vi, *remuer*

wail [weɪl], vi, *gémir*

wait [weɪt], vi, *attendre, guetter*

- wait **▸ for**, vi, *attendre (qqch., qqn)*
- wait **▸ on**, vi, *servir (qqn)*
- wait **out**, vi, *attendre la fin de*
- wait **up**, vi, *attendre avant d'aller se coucher*

waive [weɪv], vt, *renoncer à, ne pas insister sur*

wake (up), woke/waked, woken/waked [weɪk], vt, *éveiller, réveiller* ; vi, *se réveiller*

waken ['weɪkn], vt, vi, *(s')éveiller, (se) réveiller*

walk [wɔːk], vt, *parcourir* ; vi, *marcher*

- walk **in ▸ on**, vt, *déranger*
- walk **▸ through**, vi, *réussir les doigts dans le nez (fam.)*

wall [wɔːl], vt, *murer*

wallop ['wɒləp], vt, *rosser, cogner*

wallow ['wɒləʊ], vi, *se vautrer*

waltz (es) [wɔːls], vi, *valser*

wander ['wɒndə], vt, vi, *errer*

wane [weɪn], vi, *décliner*

wangle ['wæŋgl], vt, *soutirer, resquiller*

want [wɒnt], vt, *vouloir, avoir besoin de*

war (rr) [wɔː], vi, *mener campagne, lutter*

warble ['wɔːbl], vt, vi, *gazouiller*

ward off [wɔːd], vt, *détourner, parer*

warehouse ['weəhaʊz], vt, *entreposer*

warm [wɔːm], vt, vi, *faire chauffer, (se) chauffer*

- warm **up**, vt, *réchauffer, faire chauffer* ; vi, *se réchauffer*

warn [wɔːn], vt, *avertir, prévenir*

- warn **off**, vt, *déconseiller*

warp [wɔːp], vt, vi, *(se) fausser, gauchir*

warrant ['wɒrənt], vt, *garantir, certifier*

wash (es) [wɒʃ], vt, vi, *(se) laver*

- wash **over**, vi, *ne faire aucun effet à*
- wash **up**, vi, *faire la vaisselle*

waste [weɪst], vt, *gaspiller*

- waste **away**, vi, *dépérir*

watch (es) [wɒtʃ], vt, *regarder, veiller, observer, surveiller*

- watch **out** (▶ **for**), vi, *faire attention (à)*
- watch **over**, vi, *veiller sur*

water ['wɔ:tə], vt, *arroser, abreuver*

- water **down**, vt, *délayer, atténuer*

waterproof ['wɔ:təpru:f], vt, *imperméabiliser*

wave, vt, *brandir, agiter* ; vi, *onduler, faire signe de la main*

- wave **down**, vi, *faire signe de s'arrêter*

waver ['weɪvə], vi, *vaciller, faiblir, être indécis*

wax (es) [wæks], vt, *astiquer, cirer*

waylay, waylaid, waylaid [weɪ'leɪ], vt, *attirer dans un guet-apens*

weaken ['wi:kn], vt, vi, *(s')affaiblir*

wean [wi:n], vt, *sevrer*

wear, wore, worn [weə], vt, *porter [un vêtement], user* ; vi, *s'user*

- wear **away**, vt, *ronger, effacer*
- wear **off**, vi, *cesser de faire effet*
- wear **on**, vi, *[temps] s'écouler lentement*
- wear **out**, vt, vi, *(s')user, (s')épuiser*

weary (ie) ['wɪərɪ], vt, vi, *(se) lasser*

weave, wove, woven [wi:v], vt, vi, *tisser*

wed (dd) [wed], vt, *épouser* ; vi, *se marier*

weed [wi:d], vt, *désherber*

- weed **out**, vt, *éliminer*

weep, wept, wept [wi:p], vt, vi, *pleurer*

weigh [weɪ], vt, vi, *peser*

weight [weɪt], vt, *lester*

welcome ['welkəm], vt, *accueillir, souhaiter la bienvenue à*

wet (tt) [wet], vt, *mouiller*

whack [wæk], vt, *tabasser (fam.)*

wheedle ['wi:dl], vt, *enjôler*

wheel [wi:l], vt, *rouler* ; vi, *tournoyer*

wheeze [wi:z], vi, *avoir une respiration sifflante*

while away [waɪl], vt, *faire passer le temps*

whimper ['wɪmpə], vt, vi, *pleurnicher*

whine [waɪn], vt, vi, *pleurnicher, se plaindre*

whip (pp) [wɪp], vt, vi, *fouetter*

whirl [wɜ:l], vt, vi, *(faire) tourbillonner*

whirr [wɜ:], vi, *ronronner, vrombir*

whisk [wɪsk], vt, *emporter à toute vitesse, fouetter [de la crème]*

- whisk **away/off**, vi, *partir comme un trait ; emporter à toute vitesse*

whisper ['wɪspə], vt, vi, *chuchoter*

whistle ['wɪsl], vt, vi, *siffler*

whiten ['waɪtn], vt, vi, *blanchir*

whizz (es) [wɪz], vi, *[balle d'arme à feu] siffler, se déplacer à toute vitesse*

whoop (pp) [wu:p], vi, *pousser des cris de joie*

whop (pp) [wɒp], vt, *battre, tabasser (fam.)*

widen ['waɪdn], vt, vi, *(s')élargir*

wiggle ['wɪgl], vt, *remuer* ; vi, *se tortiller, frétiller*

will [wɪl], vt, *vouloir, léguer*

will, *aux., modal* (→ **52, 72**)

wilt [wɪlt], vi, *(se) flétrir*

win (nn), won, won [wɪn], vt, vi, *gagner*

wince [wɪns], vi, *grimacer [de douleur]*

wind, wound, wound [wɪnd], vt, *enrouler, remonter [une horloge]* ; vi, *tourner, serpenter*

wink [wɪŋk], vt, vi, *cligner de l'œil*

winter ['wɪntə], vt, vi, *hiverner*

wipe [waɪp], vt, *essuyer*

wire ['waɪə], vt, *attacher avec du fil de fer, grillager, raccorder [au réseau électrique], télégraphier à*

wish (es) [wɪʃ], vt, vi, *souhaiter*

withdraw, withdrew, withdrawn [wɪð'drɔ:], vt, vi, *(se) retirer, (se) rétracter*

wither ['wɪðə], vt, vi, *(se) flétrir, (se) dessécher*

withhold, withheld, withheld [wɪð'həʊld], vt, *refuser [une permission], dissimuler [une preuve], suspendre [un paiement]*

withstand, withstood, withstood [wɪð'stænd], vt, *résister à*

witness (es) ['wɪtnɪs], vt, *être témoin de* ; vi, *témoigner*

wobble ['wɒbl], vi, *vaciller*

womanize ['wʊmənaɪz], vi, *courir le jupon (fam.)*

wonder ['wʌndə], vt, vi, *s'étonner, s'émerveiller, se demander*

woo [wuː], vt, *courtiser*

woof [wʊf], vi, *aboyer*

word [wɜːd], vt, *formuler*

work [wɜːk], vt, vi, *(faire) travailler, (faire) fonctionner*

• work **in**, vt, *incorporer, introduire*

• work **off**, vt, *dépenser son trop plein de, évacuer [une émotion violente]*

• work **out**, vt, *calculer, élaborer, résoudre, arriver à comprendre ; se résoudre, s'arranger, se passer*

• work **up**, vt, *énerver, trouver [l'énergie, le courage]*

worm [wɜːm], vt, *ramper*

worry (ie) ['wʌrɪ], vt, vi, *(s')inquiéter, (se) tracasser*

worsen ['wɜːsn], vi, *empirer*

worship (pp) ['wɜːʃɪp], vt, *vouer un culte à, idolâtrer* ; vi, *faire ses dévotions*

worst [wɜːst], vt, *vaincre*

would, *aux., modal* (➜ 52, 72)

wound [wuːnd], vt, *blesser*

wrangle ['ræŋgl], vi, *se disputer*

wrap (pp) [ræp], vt, *emballer, envelopper*

• wrap ▶▶ **round**, vt, *entortiller qqch. autour de*

wreak [riːk], vt, *assouvir [sa colère, sa vengeance]*

wreathe [riːð], vt, *couronner, tresser* ; vi, *tourbillonner*

wreck [rek], vt, *faire naufrage, détruire, anéantir*

wrench (es) [rentʃ], vt, *tordre violemment, arracher*

wrest [rest], vt, *arracher*

wrestle ['resl], vi, *lutter*

• wrestle **down**, vt, *terrasser*

wrick [rɪk], vt, *(se) froisser [un muscle], (se) fouler [un membre]*

wriggle ['rɪgl], vt, vi, *frétiller, se tortiller*

wring, wrung, wrung [rɪŋ], vt, *tordre [un membre, le cou], essorer*

wrinkle ['rɪŋkl], vt, vi, *(se) rider*

write, wrote, written [raɪt], vt, vi, *écrire, rédiger*

• write **down**, vt, *noter, mettre par écrit*

• write **in**, vt, *insérer*

• write **out**, vt, *mettre au propre, transcrire, libeller*

writhe [raɪð], vi, *se tordre [de douleur], se contorsionner*

wrong [rɒŋ], vt, *faire du tort à, léser*

X

X-ray ['eksreɪ], vt, *radiographier*

Y

yackety-yak ['jækɪtɪ'jæk], vi, *jacasser (fam.)*

yak [jæk], vi, *jacasser (fam.)*

yank [jæŋk], vt, *tirer d'un coup sec*

yap (pp) [jæp], vi, *japper, jacasser (fam.)*

yarn [jɑːn], vi, *débiter des histoires*

yawn [jɔːn], vt, vi, *bâiller*

yearn ▶ for [jɜːn], vi, *languir (de), (se) languir*

yell [jel], vt, vi, *hurler*

yellow ['jeləʊ], vt, vi, *jaunir*

yelp [jelp], vi, *japper, glapir*

yield [jiːld], vt, *céder, produire, rapporter* ; vi, *céder, se rendre*

yodel (GB ll) ['jəʊdl], vi, *jodler*

yowl [jaʊl], vi, *hurler, miauler*

Z

zap (pp) [zæp], vt, *liquider, éliminer* ; vi, *zapper, aller à fond de train*

• zap **up**, vt, *rehausser, rendre plus excitant*

zero (es) ['ziːrəʊ], vt, *(re)mettre à zéro*

• zero **in ▶ on**, vi, *régler le tir sur, se centrer sur*

zip (pp) [zɪp], vi, *[balle de fusil] siffler, aller en trombe*

• zip **in**, vt, *attacher avec une fermeture à glissière*

• zip **through**, vi, *faire qqch. à toute vitesse*

• zip **up**, vt, *remonter une fermeture à glissière*

zone [zəʊn], vt, *répartir en zones*

zoom [zuːm], vt, vi, *aller comme une flèche*

• zoom **in/out**, vi, *faire un zoom avant/arrière*

Achevé d' imprimer par Rotolito Lombarda à Seggiano di Pioltello - Italie
Dépôt légal : 92615-0/06 - Juin 2012